Botho Strauß
Der junge Mann

Carl Hanser Verlag

ISBN 3-446-14134-0
2. Auflage 1984
Alle Rechte vorbehalten
© 1984 Carl Hanser Verlag München Wien
Umschlag: Christian Diener, unter Verwendung des Bildes
»Mon Portrait« von Felix Valloton;
Musée cantonal des Beaux-Arts, Lausanne
© Spadem, Paris / Bild-Kunst, Bonn 1984
Satz: LibroSatz, Kriftel/Taunus
Druck und Bindung: May + Co, Darmstadt
Printed in Germany

Einleitung

Zeit Zeit Zeit. Wie oft fragen mich die Kinder auf der Straße nach der Uhrzeit! Dabei bin ich wie sie, lebe nicht nach der Uhr und trage auch keine bei mir. Sie halten mit ihren Fahrrädern am Bordstein, sie fragen mit artigem Befremden, mit abgewandtem Blick und so, als kämen sie aus einer fernen Gesellschaft und zögen nur eben an uns vorbei. Sie fragen auch aus einer Ungewißheit, die sich nicht allein auf den Stundenplan erstreckt. Die allgemeine Gewöhnung unter uns Städtern, dem anderen kaum mehr ins Auge zu blicken, ihn möglichst nicht zu beachten, scheint diese Kinder zu stören. Sie merken doch, wie die freundliche Neugier, ihr ureigenes Element, ohne das sie nichts werden können, ringsum wenig bedeutet. Dagegen regen sie sich und fragen an den Leuten entlang; es drängt sie, den Fremden kurz zu berühren, und sei es nur, um von ihm die Stunde zu hören. »Können Sie mir bitte sagen, wie spät es ist?«

Mit der Zeit kommen die Menschen immer noch am wenigsten zurecht. Den Raum haben sie sich leichter verfügbar gemacht, jedenfalls den ihnen zugemessenen, den erdumschließenden. Zeit aber bleibt Teil des kosmischen Überschwangs. Mit ihr können die Irdischen nicht nach ihrem Belieben umspringen, können sie weder erobern noch zerstören und nicht zu dem Ihren zählen. So mußten sie denn allerlei behelfsmäßige Uhren einrichten, die abergläubischen und die geschichtlichen, die biografischen und die ideologischen, so daß aus der unfaßlichen Zeit die mächtigsten Täuschungen und Stimmungen des Menschengeschlechts hervorgingen. Mal war es die Endzeit, mal die Neuzeit. Mal war die Vorzeit grau, mal war sie golden. Mal lebte man in der Heils-, dann wieder in der Katastrophen-

Erwartung vom Ende aller Tage. Geschichtliche Schockwellen. Sehnsuchtswechsel. Nichts Reales dran. Und oft
war dann nur eine Welt*bild*gefahr im Verzuge, wo man wie
gebannt auf die Welt*brand*gefahr gestarrt hatte.

Die Zeit ein Kind, sagt Heraklit, ein Kind beim Brett-
spiel, ein Kind auf dem Throne.

Die Welt ist jung, sagen uns die Physiker, unvorstellbar
weit entfernt vom schrecklichen Gleichgewicht, dem zeit-
verschlingenden. Voll fruchtbarer Unordnung und unge-
trübter Spielfreude geht sie wie die Kinder auf der Straße,
denen es gefällt, Gebrechen nachzuahmen, zu hinken oder
irgendwie auf verkehrten Beinen zu laufen. Unausgeprägt
ist das Lebendige.

»Komm her! Erzähl uns was!« rufen die Büdchensteher,
wenn ich morgens zum Kiosk komme, um mir die Zeitung
zu holen. Da stehen sie von zehn Uhr früh bis weit nach
Ladenschluß, draußen im Sommer und bei unfreundlichem
Wetter auch drinnen im Warmen. Sie halten ihr buckliges
Fläschchen in der Faust, junge Männer zum Teil, denen das
Trinken und die Arbeitslosigkeit die Maske eines unkennt-
lichen Alters ins Gesicht gedrückt haben. Schmächtige,
ausgezehrte Mittdreißiger, und mit ihrem dunklen, gefette-
ten Haar, der adrett gedrückten Fünfziger-Jahre-Tolle,
aber auch mit ihren bevorzugten Scherz- und Schlagworten
erinnern sie eigentümlich an eine ferne Borgward-Ära. Ihnen, den Trinkern und aus der Zeit Gerutschten, diesen
einsamen, geschüttelten Männlein, die gar nichts wissen
und stets behaupten, ihre besten Freunde seien alle bei
Stalingrad gefallen, dreht sich ohnehin die Geschichte im
Kopf herum, und sie sprechen einfach an einem deutschen
Gemurmel mit, das, weit älter als sie selbst, ungestört
unterhalb der Zeit dahinrinnt. Untereinander sind sie nämlich nicht Freund und haben nur ihren Hund. Hundehalter
sind wohl die meisten von ihnen und klagen beständig über

zu hohe Steuern. Nur Schäferhunde halten sie, oft alte verzottelte Tiere mit lahmender Pfote und schneeweißem Schnauzhaar.

Ihnen etwas erzählen? Aber sie können nicht eine Minute lang zuhören! Unablässig fallen sie sich gegenseitig ins Wort, und eine haltlose Behauptung will die andere übertrumpfen. Ihre Unterhaltungen irren dahin, sprunghaft und quer, voll fahriger Schnitte, wie ein Abend im TV. »Aber ihr seid ja schon genauso! Ihr, die ihr den ganzen Tag Zeit habt, unterbrecht euch immerzu und laßt niemanden ausreden. Könnt nicht einmal mehr einen einfachen Witz im Zusammenhang erzählen!«

Das große Medium und sein weltzerstückelndes Schalten und Walten hat es längst geschafft, daß wir Ideenflucht und leichten Wahn für unsere ganz normale Wahrnehmung halten. Hier fällt sich das Geschehen dauernd ins Wort. Eben noch sehen wir zwei Menschen ernstlich miteinander streiten, den jungen Professor für Agronomie und den Beamten einer landwirtschaftlichen Behörde, über Betablocker im Schweinefleisch und die Östrogensau, live in einer Hamburger Messehalle. Kaum haben wir sie näher ins Auge gefaßt und beginnen ihren Argumenten zu folgen, da fährt auch schon eine Blaskapelle dazwischen; wir befinden uns, ohne daß wir nur mit der Wimper hätten zucken können, in Soest, am Stammtisch eines Wirtshauses, und werden in die Geheimnisse westfälischer Wurstzubereitung eingeweiht. Schon vergessen der Betablocker, vorübergehuscht die vergiftete Nahrung. Ist das Information? Ist es nicht vielmehr ein einziges, riesiges Pacman-Spiel, ein unablässiges Aufleuchten und Abschießen von Menschen, Meinungen, Mentalitäten? Es ist genau das Spiel, das unser weiteres Bewußtsein beherrscht: die Wahnzeit wird nun bald zur Normalzeit werden.

Und das Gespräch, das wir über Jahre hin mit wenigen Menschen führen wollten, wird nicht durchgehalten. Es befremdet uns, privat zu sein und lange auszusprechen. Das Intime selbst gehört nach draußen, und Heimlichkeiten sind der Stoff für Talkshow oder Interview. Denn nur der helle Schein der Öffentlichkeit bringt uns den anderen Menschen wirklich nah. Wollen wir dagegen im Stillen zuhaus jemandem etwas sagen, so fühlen wir uns plötzlich in einer engen Höhle befangen, an einem Ort der Lähmung und der Dunkelheit. Man fürchtet sich vor dem anderen in dieser finsteren Unöffentlichkeit. Man hört nicht zu, man läßt nicht ausreden.

Daher macht den Erzähler seine Gabe verlegen. Keineswegs weil er nichts erlebt hätte – er kann schließlich aus dem Geringsten schöpfen –, sondern weil er die elementare *Situation*, jemandem etwas zu erzählen, nicht mehr vorfindet oder ihr nicht mehr trauen kann. Weil er zu tief schon daran gewöhnt ist, daß ihm ohnehin gleich das Wort abgeschnitten wird.

Was aber, wenn er dennoch ein empfindlicher Chronist bleiben möchte und dem Regime des totalen öffentlichen Bewußtseins, unter dem er seine Tage verbringt, weder entkommen noch gehorchen kann? Vielleicht wird er zunächst gut daran tun, sich in Form und Blick zunutze zu machen, worin ihn die Epoche erzogen hat, zum Beispiel in der Übung, die Dinge im Maß ihrer erhöhten Flüchtigkeit zu erwischen und erst recht scharfumrandet wahrzunehmen. Statt in gerader Fortsetzung zu erzählen, umschlossene Entwicklung anzustreben, wird er dem Diversen seine Zonen schaffen, statt Geschichte wird er den geschichteten Augenblick erfassen, die gleichzeitige Begebenheit. Er wird Schauplätze und Zeitwaben anlegen oder entstehen lassen anstelle von Epen und Novellen. Er wird sich also im Gegenteil der vorgegebenen Lage stärker noch anpassen, anstatt sich ihr verhalten entgegenzustellen. Er wird seine

Mittel an ihr verbessern, denn nur die geglückte Anpassung verleiht ihm die nötige Souveränität und Freiheit, um den wahren Gestaltenreichtum, die Mannigfaltigkeit, das spielerische Vermögen seiner Realität zu erkennen. So arg es ihn auch in Bedrängnis bringt, so mächtig bewegt ihn zugleich das gesellschaftliche Pleroma, die Fülle des Wissens und Empfindens, der Begegnungen und der Lebensformen, der Pakte und der Unterschiede, wie er sie in einem politisch freien Gemeinwesen, in einer am Ende doch glücklichen Periode deutscher Geschichte vorfindet und miterlebt. Dies wird ihm bisweilen durch ein tiefes Gefühl von Genugtuung und Zugehörigkeit gewiß. Wo mancher nur den glitzernden Zerfall erkennt, da sieht er viele Übergänge und Verwandlungen, sieht er den verschwenderischen Markt der Differenz, der aus der wesentlichen Unsicherheit und Offenheit dieser Gesellschaft hervorgeht. Vielfalt und Differenz aber gewähren allem Seienden den besten Schutz vor Tod und Verwüstung.

Was nun das Element der Zeit betrifft, so muß uns auch hier eine weitere Wahrnehmung, ein mehrfaches Bewußtsein vor den einförmigen und zwanghaften Regimen des Fortschritts, der Utopie, vor jeder sogenannten ›Zukunft‹ schützen. Dazu brauchen wir andere Uhren, das ist wahr, Rückkoppelungswerke, welche uns befreien von dem alten sturen Vorwärts-Zeiger-Sinn. Wir brauchen Schaltkreise, die zwischen dem Einst und Jetzt geschlossen sind, wir brauchen schließlich die lebendige Eintracht von Tag und Traum, von adlergleichem Sachverstand und gefügigem Schlafwandel.

In einer Epoche, in der uns ein Erkenntnisreichtum ohnegleichen offenbart wird und in der jedermann Zugang haben könnte zu einer in tausend Richtungen interessanten Welt, werden wir immer noch einseitig dazu erzogen, die sozialen Belange des Menschen, die *Gesellschaft* in den Mittelpunkt des Interesses zu stellen. Man kann aber in dieser Gesellschaft nicht fruchtbar leben, wenn man unentwegt nur gesellschaftlich denkt! Man wird verrückt – oder flachköpfig, man vergeudet jedenfalls seine besten Kräfte! Ein solches Denken, wie es allgegenwärtig ist, macht uns nicht mutiger und beraubt uns womöglich der letzten Fähigkeiten, Gesellschaft gerade eben noch bilden zu können. Eines Tages wird sie's halten wie die Carrollsche Katze und sich in ein durchsichtiges Lächeln auflösen – das jenen gilt, die sie zu lange zu besinnungslos angestarrt haben. »So etwas!« dachte Alice; »ich habe zwar schon oft eine Katze ohne Grinsen gesehen, aber ein Grinsen ohne Katze! Das ist doch das Allerseltsamste, was ich je gesehen habe!«

Nein, die Idee des Zerfalls ist nur ein Gesinnungstrug, der Kobold eines verbrauchten Fortschrittsglaubens. Wir verwandeln uns ja, und eins geht aus dem anderen an- oder gegenteilig hervor.

Ungeachtet dessen beklage ich den geschäftlichen Niedergang meiner Zeitungsfrau, wie mich auch ihr körperlicher Verfall im Herzen dauert. Sie, der Engel der Büdchensteher, die ihr über die schamlosen Auslagen gewisser Hefte hinweg stets einen züchtigen und hilfsbereiten Hof bildeten, war bis vor einem Jahr noch eine ansehnliche, muntere Person, eine kleine, rundliche Platinblonde mit perlmuttenem Lidschatten, immer gefällig und herzensgut. Inzwischen ist sie kaum wiederzuerkennen. Im Gesicht und an den Hüften breit angeschwollen, das steifgesprayte, toupierte Haar hängt schief am Kopf, mit beiden Fäusten stützt sie sich am Ladentisch, stemmt sich mühsam auf gegen ihre bleierne Betrunkenheit. Ihr Lächeln findet nun kaum noch aus dem gedunsenen, wie mit Asche geschminkten Gesicht heraus, überwindet die Wülste, Flecken und Rillen nicht, es wird zu einer blödsinnigen Grimasse. In diesen erbarmungswürdigen Zustand verfiel sie kurz nach dem Tod ihres Mannes, weniger wohl aus Trauer als aus einfacher Entkräftung, nach langer erschöpfender Sorge.

Der Gatte, alkoholkrank und unbeschäftigt, kam täglich gegen elf in unsere Straße, um sich im Kiosk seiner Frau die Tagesration zu holen. Oft blieb er unter meinem Fenster stehen und schnaufte mit hochrotem Kopf. Am späten Nachmittag kam er wieder, um leere Flaschen gegen die Abendration zu tauschen, die er in seiner Plastiktüte heimtrug. Still, aussichtslos und unbeirrt teilte er seinen Tageslauf in diese beiden Besorgungen auf. Eines Tages aber kam er nicht mehr, und am Kiosk blieb der Rolladen unten. ›Wegen eines traurigen Ereignisses bleibt mein Geschäft heute geschlossen‹ stand auf einem ausgehängten Pappschild. Seitdem hatte die Zeitungsfrau, die zu Lebzeiten des Mannes die Aufsicht behielt und selber nicht oder nicht bemerklich trank, der Nachlässigkeit und der Verwahrlosung Tor und Tür geöffnet. Ein furchtbares ›Alles egal!‹ fraß sich wie Gift durch ihre ordentliche Lebensführung, und ihr hübscher wohlsortierter Laden verwandelte sich binnen kurzem in ein stinkendes, verdrecktes Asyl. Ein stechender Mief von Urin, Hundefell und nie gewechselter Kleidung schlägt mir nun jeden Morgen entgegen, wenn ich mir die frischen Nachrichten hole. Viele ihrer treuen Kunden, vor allem ältere Frauen, kaufen ihre Illustrierten schon längst nicht mehr hier. Auf den Regalen und am Ladentisch entstehen immer neue Lücken, leere Flächen, wo Blätter nicht mehr bestellt oder nicht mehr geliefert werden, vermutlich höherer Zahlungsrückstände wegen. Nur ihr kleiner, verdunter erotischer Hof ist ihr geblieben, der Kreis der verschmitzten Elenden, der sich immer enger um sie schloß, bis sie selber in seinen Dunst überging.

Ich komme bloß vom Zeitungsholen, und doch scheint mir, bin ich lange aus gewesen. Ich habe auf meinem kurzen Weg in viele Gesichter geblickt. Ich kenne die Leute in

meiner Straße vom Sehen. Jedes Gesicht die Verschluß-
kappe einer breitangelegten Familiensaga. Doch ich weiß
nichts von ihnen. Gestalten des reinen Wiedererkennens,
das sind sie. Ihr alltägliches Auftauchen und Verschwinden
ist ein Maß wider die Fortbewegung. Es ist eine Bleibe.

Alle Welt spielt auf Zeitgewinn, ich aber verliere sie. Ich
denke nur, daß aller Gewinn und Verlust der Stunden in der
großen elektronischen Totale einem Ausgleich zustrebt.
Ich denke, daß uns die neue Welt-Ein-Uhr auf wunder-
lichem Umweg dem ursprünglichen Äon näher bringt, in
dem es nur Gleiche Zeit gab. Jeder Blick nahm sich ein
Wort, jedes Ding fand seinen Dichter. Die Ereignisse kommen nicht, schrieb der Physiker Eddington, sie sind da, und
wir begegnen ihnen auf unserem Weg. Das Stattfinden ist
bloß eine äußerliche Formalität. Der Unfall, der Lottoge-
winn, der Liebesbetrug, sie sind alle schon da. Sie warten
nur darauf, daß wir ihnen zustoßen.

Unterdessen hat der strebsame Evolutionsgedanke auch
den stillen Geist der Physik aufgestört, und der allesdurch-
bohrende Zeit-Pfeil hat ihn getroffen. Die neuere Physik
entzog unserem Traum von der Welt den letzten Gehalt an
Statik und Symmetrie. Nun können wir nur noch Werden
denken. Diese Welt also ist von A bis Omega, durch Leben
und durch Unbelebtes an die Unumkehrbarkeit allen Geschehens gefesselt, an das Nicht-Gleichgewicht, an die Dy-
namik von Unordnung und verschwenderischer Struktur.
Sie hat offenbar für ein Sein keinen Platz. Nur der sich
selbst bewußte Menschen-Geist, um seiner angeborenen
Verzweiflung Herr zu werden, bedurfte der jahrtausende-
währenden ›Lebenslüge‹ und – von Platons Ideen bis zur
Quantenmechanik – immer neuer Trostbeweise, daß etwas
universal und zeitlos gültig sei.
Nun spielt unser Geist mit den unwandelbaren Ideen,

und sei es nur, um sich bei ihnen auszuruhen von der Erkenntnis des allumfassenden Werdens. Zumal der Erzähler wird sich dies Spielzeug nicht nehmen lassen, wird weiterhin schalten und walten mit verlorener und wiederkehrender Zeit und auch die kostbaren Kristalle des Stillstands nicht in die Asche werfen. Er wird, wenn auch auf verlorenem Posten, bis zuletzt dem Zeit-Pfeil trotzen und den Schild der Poesie gegen ihn erheben.

Frühling am Himmel und Rostlaub noch an den Bäumen! Ein Mai, ein feiner Wolkenwirbel, ein Hellblau mit dünnen weißen Schleiertänzen . . . welch zwiefache Jahreszeit! Doch nun an die Arbeit. Zurück in den Winter. Zurück zu meinen Schneefeldern von leerem Papier.

Aber daß ich jetzt immerzu aus dem Haus tretende Menschen sehe! Die gehen in geselligen Gruppen oder allein zu gemeinsamen Orten. Sehen sich beim Einkauf wieder, in Bürgermärschen oder im Sonnenlicht auf einer Flußbrücke. Die schwerelos Heraustretenden, die auf der Straße, sie sind es doch, welche der Herrschaft der Ämter trotzen. Die Straße, der Platz, der Wind bieten ihnen Schutz und Waffe.

Ihnen etwas erzählen? Ach, sie sind guten Muts, haben ein klares Fortkommen, sie sind ja beschäftigt.

So will ich denn in aller Stille, wie Schritte in den Schnee, meine Spuren machen und von vornherein einen solch abgeschiedenen Ton wählen, mit dem man durchaus niemandem in den Ohren liegen kann. Vielleicht gelingt es, zu jenen lautlosen und ruhenden Ereignissen zurückzufinden, die lange darauf warten müssen, daß jemand zu *ihnen* stößt und sie zum Leben erweckt. Allegorien. Initiationsgeschichten. RomantischerReflexionsRoman. Ein wenig hergebracht, ein wenig fortgetragen.

»Es sind abgehauene Wurzeln, die von neuem ausschlagen, alte Sachen, die wiederkehren, verkannte Wahrheiten, die sich wieder zur Geltung bringen, es ist ein neues Licht, das nach langer Nacht am Horizont unserer Erkenntnis wieder aufgeht und sich allmählich der Mittagshöhe nähert.« Giordano Bruno, Vom unendlichen All und den Welten, Fünfter Dialog.

Die Straße
(Der junge Mann)

»Nach einer solchen Arbeit wirst du erst einmal in ein tiefes Loch fallen.« Man hatte mich gewarnt. Es war dann auch genauso gekommen. Ich wußte nichts mit mir anzufangen. Tagsüber lief ich in der Stadt herum, suchte mir die Zeit in Cafés und Spielhallen zu vertreiben, in Kinos, Parks und Kaufhäusern. Am Abend dann, ganz zufällig und doch unvermeidlich, fand ich mich in der Nähe des Theaters ein. Ich erkundigte mich nach dem Kartenverkauf, ich beobachtete den Zulauf des Publikums, ich besuchte die Schauspieler in ihren Garderoben, ich saß in der Kantine mit den Bühnenarbeitern beim Kartenspiel, oft bis in den frühen Morgen.

Aber irgendwie gehörte ich nicht mehr dazu. Meine Inszenierung war nun in den gewöhnlichen Betrieb des Theaters übergegangen. Was auf der Bühne geschah, erschien durchaus als das eigene Werk der Schauspieler, kaum ein Zuschauer hätte hier nach dem Regisseur gefragt. Die neuen Wagnisse, die die Schauspieler Abend für Abend mit guten oder weniger guten Vorstellungen, mit wachem oder stumpfem Publikum bestehen mußten, hatten längst das intime Abenteuer verdrängt, das uns über sechs Probenwochen so eng und schonungslos zusammengeführt hatte. Zwar empfingen mich die Schauspieler gern und behandelten mich freundlich – schließlich hatte unsere Aufführung wider Erwarten doch noch einen mittleren Erfolg erzielt –, aber ich spürte wohl, wie unsere Fühlung bald nachließ und vager wurde. Schon waren sie in neue Proben eingespannt und hatten sich einem anderen Seelenführer anvertraut.

Zwei- oder dreimal hatte ich mir die Vorstellung noch angesehen, aber es hatte mich nur gequält. Ich war nicht imstande, eine nützliche Abendkritik zu machen. Ja, es fiel mir sehr schwer, aus dieser engen, bewegten Gemeinschaft, in die ich mich begeben hatte, so plötzlich wieder ausgeschieden zu sein und vollkommen alleine zurückzubleiben. Ich fühlte mich hundeeinsam. Von bitterer Enttäuschung, von süchtiger Anhänglichkeit gleich stark geplagt, verfolgte mich meine erste größere Theaterarbeit mit den zwiespältigsten Nachwirkungen. Immer, wenn ich unterwegs war und ringsum die blöde Gegenwart erblickte, kamen mir in dichten, abgerissenen Schwaden die dunkelsten und schwierigsten Tage der langen Proben in den Sinn, und es regnete dann noch einmal all die schreckenerregenden Vorzeichen, die tausend Widrigkeiten, Infamien und Wechselfälle auf mich hernieder, die ich hatte ertragen müssen, und jedesmal war es so, als stünde mir das Ganze erst noch bevor. An die spätere, dann doch eher sieghafte Schlußphase erinnerte ich mich dagegen sehr viel seltener. Nein, Erinnerung war es ja nicht, meine Nerven käuten wieder, es war die reine Vergegenwärtigung. Oder um es mit einem Lieblingswort der Theaterleute zu sagen: *intensive* Zustände ließen mich Furcht und Krise dieser Tage in ungemilderter Augenblicklichkeit noch einmal erleben. Gewiß war auch dies eine Spätfolge des ungewohnten und absonderlichen Zeitmaßes der Wiederholung, welches das Theater beherrscht und dem ich mich wochenlang unterworfen hatte. Diese beschwörenden Wiederholungen, die gleichwohl Stück um Stück etwas zutage befördern, entstehen lassen oder auch nur etwas zurückgewinnen wollen, das vielleicht ganz zu Anfang, auf den ersten Proben bereits ›da war‹, zum Greifen nahe, *vollendet*, jedoch nur im glücklichen Vorschein. Oft genug sorgt ja eine ganze langwierige Inszenierung einzig dafür, daß am Ende die überraschende Höhe des *Anfangs*, der Anfang selber wiedergefunden, erfüllt und festgehalten wird. Das klingt wahrhaftig leichter als es ist. Ich kann es bezeugen. Mir jedenfalls fiel es sehr schwer, mich in der nötigen Geduld zu üben und in die runde Zeit hineinzufinden, oder sagen wir: in die spiralförmige, die keinen unumwundenen Fortschritt kennt und gegen die gerichtet am Theater selbst der heftigste Überschwang, die erhellendste Idee, der eisernste Wille nicht das geringste vermögen.

Wie aber sollte es nun weitergehen? Ich hatte meine Arbeit beendet. Ich war ein Regisseur geworden. War ich damit nicht ans Ziel meiner Wünsche gelangt? Ich dachte jetzt eher: ich hab's hinter mir. Gerettet, geschafft. Nichts wie weg. Auch dachte ich nun häufiger wieder an die verzweifelten Versuche meines Vaters, mich von dieser Reise, dieser fluchwürdigen, nach Köln, von dieser Höllenreise zum Theater abzuhalten. Bis zum letzten Augenblick hatte er mich nicht losgeben wollen, hatte mich zuhause in Kandern nicht nur an den Bahnhof gebracht, sondern war auch noch mit in den Zug gestiegen und bis Freiburg mitgefahren, unablässig bemüht, mich zur Umkehr, zur Aufgabe meiner törichten Absichten zu bewegen.

»Tu es nicht, Leon. Ich bitte dich. Laß dich doch nicht auf diese Albernheiten ein.« Er hielt die Schauspielkunst noch für weit überflüssiger als das Turmspringen oder das Dressurreiten. »Es genügt, die Klassiker zuhause zu lesen. Man verdirbt sich bloß die Fantasie, wenn man ins Theater geht. Dort herrscht der Firlefanz, das Showgeschäft.« Das war nun seit langem seine Meinung und ihr getreu hatte er, solange ich mich erinnern kann, niemals eine Theateraufführung, und erst recht nicht an den Städtischen Bühnen, besucht. Folglich war auch ich als der Nachgeborene seiner beiden Söhne erst verhältnismäßig spät mit dem Theater in Berührung gekommen. Anders als es bei meinem Bruder geschehen war, wollte er meine Lenkung und Bildung nicht der Mutter überlassen, sondern drängte sie viel zu früh von mir und verschloß mich eifersüchtig in seiner Obhut. Die rein väterliche Erziehung führte mich denn auch unweigerlich in die einzige Richtung, die ihm überhaupt vertraut war und in der er furchtlos voranschritt, nämlich geradewegs auf sein eigenes Lehrfach zu, die Religionsgeschichte. Zu der Zeit, da es zwischen uns über meinen Werdegang wohl nicht zum Zerwürfnis, aber doch zu nervösen Meinungsverschiedenheiten kam, war er längst emeritiert, fuhr jedoch noch zweimal wöchentlich in sein Freiburger Seminar und las über koptisches Christentum. Seine späten Jahre waren ausschließlich der Montanus-Forschung gewidmet, seinem eigentlichen Spezialgebiet, und hierin hatte er auch mich, nachdem ich erst wenige Semester in seinem Fach studiert hatte, zu seinem Gesprächspartner und dann zu seiner wissenschaftlichen Hilfskraft ausgebildet. Mit kaum 22 Jahren war mein Horizont erfüllt von frühchristlichen Ketzern und Anachoreten, von Säulen- und Höhlenheiligen, und während anderswo meine Altersgenossen zum Aufruhr riefen, überall Väter stürzen und Völker befreien wollten, da ergab ich mich geduldig dem Studium der aramäischen und koptischen Sprache, da entzifferte ich an der Seite des Vaters brav die gerade erst entdeckten Schriftrollen gnostischer Evangelien. Die große Leidenschaft, mit der der alte Mann seine Forschung betrieb, seine erzählerische Begabung und Fantasie, mit denen er mir den trockenen Gelehrtenstaub von den Dokumenten blies, hatten ihre Wirkung auf mich nicht verfehlt. Er erreichte es bald, daß ich mich freiwillig und neugierig in jene christlichen Geheimlehren vertiefte, in denen so viel von weiblicher Weisheit, von ›Gott der Mutter‹ die Rede war, von einer allmächtigen erotischen Gnade, wie ich es denn empfand.

Jedoch, ich mußte für einen Ausgleich sorgen. Ich war bereit, den gestrengen Ansprüchen an meinen Dienst zu genügen, aber nicht, mich vollkommen von ihnen beherrschen zu lassen. Ich war durchaus zu der Überzeugung gelangt, daß ich nicht für die Wissenschaft taugte und auch die Arbeit des Vaters nicht nach dessen Tod fortsetzen wollte, wie er es doch heimlich erhoffte.

In Freiburg hatte ich damals einen jungen Dramaturgen kennengelernt, einen mir ganz entgegengesetzten Charakter, einen rundum kritisch eingestellten Menschen, der sich von Herzen für kaum etwas erwärmen konnte, am wenigsten für das Theater, an dem er selbst beschäftigt war. Doch ich suchte ihn häufiger auf. Es interessierte mich nicht nur, seine Meinungen und kritischen Lebensbeschwerden zu erfahren, sondern auch, was denn seine Tätigkeit an den Städtischen Bühnen eigentlich ausmachte. Durch ihn erhielt ich eines Tages die Aufforderung, vor einigen Schauspielern, die gerade Shaws ›Heilige Johanna‹ einstudieren wollten, ein Referat über Stimmen und Visionen, über Seherinnen und Gottbesessene zu halten. Hierzu mußte man mich nicht lange überreden. Ein paar Tage später stand ich, sorgfältig vorbereitet, vor dem Ensemble und hielt meinen kleinen Vortrag. Offenbar gelang es mir, ihr Interesse zu gewinnen, denn sonst hätten mich nicht hinterher einige von ihnen, darunter der Regisseur, so eindringlich gebeten, auch die kommenden Proben zu besuchen und sie, falls ich Gefallen daran fände, mit fachlicher Beratung zu begleiten. Nur zu gerne willigte ich ein, ich fühlte mich herzlich begrüßt und zutiefst hingezogen zu dieser anderen, gemeinschaftlichen Welt des Schauspieltheaters. Von nun an ließ ich mein Studium merklich in den Hintergrund treten und teilte meine Arbeit gewissenhaft zwischen der häuslichen Gelehrtenstube und der Probebühne des Städtischen Theaters. Es dauerte auch nicht lange und ich hatte mir nebenbei eine ganze Reihe von bühnenpraktischen Kenntnissen erworben. Ich lernte mit einem allesfressenden Eifer und Ehrgeiz. So war es denn nicht weiter verwunderlich, daß man mir schon für eine der nächsten Produktionen die Stelle eines Regieassistenten anbot. Mein Interesse und meine grundsätzliche Befähigung für das Theater erhielten durch diese neue Anforderung einen großen Aufschwung, und meine wachsame Mitarbeit brachte mir im Ensemble

Freundschaft und Zutrauen ein. Ein halbes Jahr darauf sollte ich eine erste eigene Regie übernehmen, umständehalber, denn der vorgesehene Mann, ein zwischen ›befreitem Theater‹ und radikaler Theaterverneinung schwankendes Talent, hatte es kurzerhand vorgezogen, in den – wie es damals hieß – politischen Untergrund zu verschwinden. So standen nun auf einmal drei leibhaftige Schauspieler fordernd vor mir und erwarteten, daß ich etwas Aufregendes mit ihnen anstellen würde. Ich sollte innerhalb von drei Wochen ›Fräulein Julie‹ von Strindberg inszenieren.

Bis hierher waren meine Abschweife zum Theater unter der kritischen Duldung des Vaters geschehen, wenngleich seine gegrummelten Beschwerden, daß die gemeinsame Arbeit zusehends Schaden nähme, nicht zu überhören waren. Er war wohl der Meinung, daß man einem jungen Menschen schlecht jede Art von Ablenkung und Unterhaltung abschlagen könnte. Daher wollte er mir das Theater als beiläufige Liebhaberei gestatten, zum Ausgleich für die harte Wissenschaftsfron. Die Mutter hingegen hatte längst verspürt, daß meine Neigungen tiefer reichten, und heimlich unterstützte sie diese sogar. Der einseitige und übermächtige Beschlag, unter den mich der Vater genommen hatte, schien ihr auf die Dauer eine Gefahr zu bedeuten. Sie fürchtete um meine selbständige Fortentwicklung, auf welchem Gebiet diese auch stattfinden würde. Sie setzte ein blindes und warmes Vertrauen in mich. Es hätte mich auch wunderbar festigen und vorantreiben können, wenn nicht der schwere, dunkle Flügel des Vaters sich schon in aller Frühe so dicht über mich gelegt hätte.

Mein Verhältnis zu ihm verschlechterte sich nun alle Tage. Zu gewissen Zeiten war ich durch meine Theaterarbeit so stark in Anspruch genommen, daß ich zwangsläufig den Dienst am großen Montanus-Werk einschränken mußte.

Der alte Mann sah nun schon unsere offene und endgültige Trennung heraufziehen, machte mir bittere Vorhaltungen und zeigte sich überhaupt unleidlich und griesgrämig.

Aber meine ›Fräulein Julie‹ hatte Erfolg! Die Inszenierung bekam sehr gute Kritiken in der Lokalpresse und erwarb sich sogar einen gewissen Ruf über die Stadtgrenzen von Freiburg hinaus. Vor allem Theaterleute kamen, zuweilen aus entfernten Städten, um sich die vielversprechende Anfängerarbeit, wie es hieß, anzuschauen.

Unter ihnen befanden sich eines Abends auch die beiden ersten Schauspielerinnen des Kölner Theaters, Margarethe Wirth und Petra Kurzrok, die mir wohl bekannt waren, wenngleich ich sie nie auf der Bühne gesehen hatte. Ich erhielt Nachricht von meinem Intendanten, daß mich die beiden nach der Vorstellung in der Halle ihres Hotels zu sprechen wünschten. Recht beklommen war mir zumute, als ich mich schließlich dort einfand. Ich lief etwas tapsig umher, konnte aber die berühmten Gestalten nirgends entdecken. Ich wußte nicht, wie ich meine Unruhe verbergen sollte, mochte aber auch nicht den Gelangweilten spielen und mich in eine Zeitung vergraben. Da bemerkte ich plötzlich hinter einem dichten Spalier von Gummibäumen zwei blitzende Augenpaare, die keine Bewegung von mir ausließen und mich offenbar schon seit längerem beobachtet hatten. Natürlich, es waren die beiden Schauspielerinnen, die dort hinter dem Grünzeug wie die Raubkatzen lauerten und jeden meiner unsicheren Schritte überwacht hatten. Ich trat ihnen also entgegen, und sie begrüßten mich mit freundlichen, förmlichen Worten. Ich sah, daß sie ein sehr ungleiches Frauen-Paar abgaben. Margarethe war die größere, damenhaftere Erscheinung. Ihr langes rotblondes Haar fiel offen über ihre Schulter, sie trug einen plissierten dreiviertellangen Rock, eine graue Seidenbluse unter einer dunklen, ärmellosen Weste. Sie hatte sich zweifellos für den Theaterbesuch eigens umgezogen. Anders die Kurzrok, die ihre Arbeitskleidung nicht gewechselt hatte und in ihrem schäbigen Jeansanzug sich beinahe etwas gewollt gegen den schlichten bürgerlichen Stil ihrer Kollegin abzusetzen suchte. Gleichwohl gehörten die beiden aufs engste zusammen, das war nicht nur überall bekannt, man konnte es auch auf den ersten Blick selber bemerken. Sie bildeten ein ebenso schmiegsames wie eifersüchtiges Gespann. Pat kam mir überraschend klein vor, zierlich und zäh, von fast knäbischer Statur, weshalb wohl auch die Koseform des ›Patrick‹ an ihr hängengeblieben war und ihren weiblichen Vornamen verdrängt hatte. Dunkelblonde lange Ponyfransen verdeckten ihre starke, gewölbte Stirn. Am Hinterkopf war das kurze Haar mit einem gewöhnlichen Gummiring zu einem schlappen Zöpfchen zusammengefaßt.

Es dauerte nicht lange und ich erhielt bereits eine Kostprobe ihres feinentwickelten Paar-Spiels. Ohne Umschweife begannen sie über ihren Theaterbesuch zu sprechen und führten sich dabei so auf, als sei ich gar nicht anwesend. Sie nahmen die Sache wahrhaftig gründlich durch. Eine solche Kollegenkritik kann sich auf eine sehr zartfühlende und schlangenhafte Weise an denjenigen heranschleichen, der schließlich das eigentliche Opfer sein soll. Zunächst hält man sich ein wenig beim Bühnenbild auf, findet daran manches problematisch, nicht sehr hilfreich, letztlich schrecklich. Daraufhin riskiert man die eine oder andere launige Frage an das Stück, sieht seinen heutigen Aussagewert verblassen, läßt es aber dabei schnell wieder bewenden, denn hier hat der Gegenstand womöglich schon härtere Prüfungen bestanden, als sie der eigne kritische Geschmack vornehmen könnte. Dann muß es wohl an der unzureichenden Übersetzung liegen, daß das alte Werk keine durchschlagende Wirkung erzielen konnte. Jetzt nähert man sich bereits der heiklen Zone, in der es gewisse schauspielerische Schwächen zu beklagen gibt. Dabei werden die Kollegen als solche säuberlich geschont, es wird

vielmehr die Besetzungsfrage aufgeworfen oder schlimm-
stenfalls eine glatte Fehlbesetzung festgestellt. Hiermit ist
man endlich in den Verantwortungsbereich des Regisseurs
vorgedrungen, und nun kommt es darauf an, wer was bei
wem ausrichten möchte. Denn alles bis dahin Vorgebrachte
kann nunmehr zum höchsten Tadel des Regisseurs wie auch
zu seiner bedingten Entschuldigung zusammengefaßt werden. Die zwei berühmten Schauspielerinnen hatten dieser
Art unsere ›Fräulein Julie‹ Punkt für Punkt durchgespro-
chen, als sie sich schließlich mit besonderer Gewichtung auf
dem eigentlichen »Dilemma« des Abends niederließen und
mit dem jungen, sehr jungen, allzu jungen Strindberg-
Regisseur ins Gericht gingen. In dessen menschlicher, weltlicher und erotischer Unerfahrenheit fanden sie denn auch
die Ursache dafür, daß man auf der Bühne zwar einer
reizenden Fülle von formalen Übungen, aber nur einem
Minimum an seelischer Handlung beigewohnt habe.

Sie sprachen nach wie vor kunstvoll einander zuge-
wandt, in geübter Wechselrede, in der ein heftiges gegen-
seitiges Beipflichten nur zu oft zu einer schrecklichen Ver-
schärfung ihrer Urteile führte. Hin und wieder traf den
Delinquenten dabei ein rascher Seitenblick, und er traf
ihn wie ein Prankenhieb. Nein, die verehrten Frauen ließen wahrhaftig kein gutes Haar an meiner Inszenierung.
Ich fand aber ihre Schmähungen ungerecht und übertrieben und wäre am liebsten heulend davongelaufen. Alle
frühere Anerkennung, Presselob und Talentbeweis waren
mit diesem Verriß hinfällig geworden und in den Staub
gestürzt. Da aber unterbrachen sie plötzlich ihren Bund
und öffneten sich zu mir hin. Nun legten sie auf einmal
eine schamlose Liebenswürdigkeit an den Tag. Aus heite-
rem Himmel erklärten sie, wie sehr ihnen daran gelegen
sei, gemeinsam mit mir in Köln ›Die Zofen‹ von Genet zu
erarbeiten.

Halb Kandern sollte an meinem Abschied von zuhause und meiner großen Lebensveränderung Anteil nehmen, da mein Vater es sich nicht verkneifen konnte, mir noch im Bahnhofswartesaal vor allen Leuten eine anstrengende Szene zu machen.

»Der Regisseur!« rief er immer wieder, »der Regisseur! Was ist das überhaupt für einer? Ein Handlanger und ein Affendressierer, das ist er vielleicht, aber ganz bestimmt kein schöpferischer Mensch. Er ist nicht einmal ein richtiger Künstler!« Ich bat ihn, unbedingt leiser zu sprechen. »Du weißt ja gar nicht, wie wichtig heutzutage der Regisseur ist, Vater. Er ist der eigentliche Gestalter, er macht das Theater überhaupt erst zu einem Ereignis. Er kann sogar ein Visionär sein!« Nun mischte sich gleich unsere Nachbarsfrau ein: »Herr Professor, nun lassen Sie den Leon erst einmal losziehen. Man soll niemanden festhalten. Ich war mein Lebtag in keinem Theater, das dürfen Sie mir glauben, aber ich hab bei meinen sechs Buben immer darauf gesehen, daß sie sich rechtzeitig die Hörner abstoßen. Heute sind doch die jungen Leute viel besser dran. Warum soll er nicht nach Köln fahren, wo es doch ein besseres Theater gibt als bei uns hier. Vielleicht wird er noch einmal ein berühmter Mann, der Leon Pracht!«

Hierauf entgegnete der Vater erzürnt: »Berühmt! Was reden Sie da? Kennen Sie Dölger? Heiler? Reitzenstein? Na! Das sind berühmte Männer. Berühmt kann er auch in meinem Fach werden!«

Jetzt ging es lebhaft durcheinander, und beinahe jeder im Wartesaal teilte seine Ansichten zum Regisseursberuf mit, was immer er darunter verstehen mochte. Der Arbeiter vom Gaswerk, der neue Kinobesitzer, die Operationsschwester Frau Veldstein, sie alle stellten sich entschlossen hinter mich und nahmen an der starrsinnigen Haltung meines Vaters Anstoß. Er tat mir schon recht leid, wie er von allen Seiten getadelt oder mit Kopfschütteln bedacht wurde. Er setzte sich aber ungerührt über die leichtsinnige Parteinahme der Leute hinweg, beugte sich zu mir und beklagte sich nun leiser, aber dafür umso eindringlicher: »Du willst also unsere gemeinsame Arbeit endgültig im Stich lassen, mein Junge?« Ich erwiderte traurig, daß ich nun eben nicht für die Gelehrtenstube geschaffen sei und meinen eigenen Weg finden müsse. »Aber für das Theater bist du auch nicht geschaffen! Jedenfalls nicht von mir!« Meine Mutter überhörte es, und sie versuchte zwischen uns zu schlichten. »Nun laßt es endlich gut sein. Leon macht ja doch, was er will.« Ich wollte den Vater auf einen versöhnlicheren Ton umstimmen und versicherte, daß ich auch ins Theater als sein erster Schüler einkehren wollte und dort gewiß meine Kenntnisse von religiösen Festen und Riten zu nutzen wüßte. Er ging nicht darauf ein, er war viel zu aufgewühlt, viel zu beunruhigt über die bevorstehende Trennung. »Jetzt hast du schon einmal Regie führen können. Ist denn das nicht genug? Warum willst du jetzt auch noch in eine andere Stadt? Es ist nicht deine Sache, Leon, glaub es mir.«

Als er später in Freiburg aus dem Zug stieg und unter mein Abteilfenster trat, kam es auch mich hart an. In solch mutloser Verlassenheit stand er da vor mir, daß ich es kaum mitansehen konnte. Er hatte nun aufgegeben. Er mußte ertragen, daß er nichts mehr über mich vermochte. Wie er noch einmal den Kopf zu mir erhob, den schmalen, den grauen und feurigen Gelehrtenkopf, da lag eine stille und tiefe Erschrockenheit auf seinem Gesicht. »Sieh mich nicht so an«, bat ich streng, doch die Stimme sank mir in die Kehle. Leise und aus unerfindlichem Anlaß sagte er darauf: »Sorg, daß du kein Blatt vor den Mund nimmst, mein Junge.« Ich wußte nicht, was mir dieser halbe, vage Rat bedeuten sollte. Ich nickte aber und gab ihm die Hand. Es war aus der sanften Verworrenheit seiner Worte eine Verständigung hervorgegangen. Der Zug begann lautlos und gleitend die Fahrt. Der Vater hielt die Hand lange mit kleinem, tatterndem Gruß in die Höhe. Ein heftiges Winken aus ganzem Arm, das den Abschied gleichsam auswischen möchte, schien ihm nicht angebracht. Das blieb Kindern und Verliebten vorbehalten. Der alte Mann aber nahm den Abschied an, und seine Hand erhob sich nicht gegen die rasche Entfernung.

In Köln war man zu folgender Überlegung gekommen: Alfred Weigert, der erste Spielleiter am Haus und zugleich der Leib- und Seelenregisseur von Pat und Margarethe, sollte endlich Gelegenheit erhalten, seinen ›Wallenstein‹ in allen drei Teilen zu inszenieren. Unterdessen durften sich die verwaisten Protagonistinnen ihrerseits einen langgehegten Wunsch erfüllen, nämlich in zwei ebenbürtigen Rollen gemeinsam auf der Bühne zu stehen und ihr ganzes Können einmal ohne den großen Meister unter Beweis zu stellen. Selbstverständlich sollte es sich dabei um eine kleine Produktion handeln, irgendetwas im Kammerspiel, nicht unter aller literarischer Würde, aber doch zuerst mit dem Anspruch auf Paraderolle und Solistenpart. Es lag nahe, sich hierfür Genets ›Zofen‹ auszusuchen; und da die beiden Stars zudem noch die freie Wahl des Regisseurs hatten und sie unbedingt, wie es damals hieß, »neue Erfahrungen« machen wollten, hatten sie sich also auf die Suche nach dem jungen, aufstrebenden Talent gemacht. Was sie sich letztlich von mir versprachen, war mir nicht ersichtlich. Vielleicht erhofften sie sich einfach größere Freiheiten, als sie ihnen ihr Meister zugestand, und dachten, daß ich sie in ihren Unarten nicht beschränken, sondern nur unterstützen würde. Aber ich verstand mich keineswegs als ein angemieteter Tourneetheater-Regisseur. Ich hatte ja etwas vor, ich kam mit großem Programm.

Die dritte Person, die wir brauchten, um die Rolle der Gnädigen Frau zu besetzen, wurde mir von Pat und Margarethe sozusagen wärmstens aufgedrängt. Es handelte sich um eine ältere Schauspielerin, die beide in den höchsten Tönen lobten, obschon sie doch eigentlich den Typ der gutmütigen Amme vorstellte und gewiß niemals die brutale Härte aufbringen würde, niemals derart Idolfigur und Herrin sein würde, um das Mordgelüst der beiden Mädchen glaubhaft erscheinen zu lassen. Es war klar, daß diese Kollegin lediglich als milde Zugabe gedacht war. Pat und Margarethe wollten sich die Schlacht alleine liefern, und ich sollte wohl am ehesten die Rolle des Ringrichters bestellen, der für einen fairen Kampf zu sorgen hatte.

Jedoch: wie anders dachte ich selbst über meine Berufung zu diesen wunderbaren Künstlerinnen! Geradezu ein neuer Montanus wollte ich sein, und so wie dieser Visionär mit seinen beiden Prophetinnen, mit Priscilla und Maximilla durch die phrygischen Städte gezogen war, um die Herabkunft des neuen Jerusalems zu verkünden, so wollte auch ich mit meinen beiden Schauspielerinnen eine Erneuerungsbewegung mindestens des Theaters, der Schauspielkunst begründen. Während der vielen, einsamen Wochen, in denen ich mich auf meine Arbeit vorbereitete und die Inszenierung schon bis ins kleinste Detail voraussah und vorausbestimmte, verstärkte sich in mir der Gedanke, daß ich meinen Vormarsch mit Pat und Margarethe durchaus als Sendung aufzufassen hatte, als eine legitime Travestie des montanischen Dreier-Bunds. Dieser war mir durch die lange Arbeit mit dem Vater so vertraut geworden und saß mir als Sehnsuchts-Modell so tief inne, daß ich mehr und mehr zu der Überzeugung kam, die beiden Schauspielerinnen seien aus meinen Studien gleichsam wie ausgebrütet hervorgegangen. Ich glaubte wahrhaftig, daß ihr Erscheinen in meinem Leben nicht zufällig und abrupt, sondern durch ursprüngliche Verwandlung geschehen sei. Allzu leicht übersah ich dabei, daß der eigentliche Montanus des beglänzten Paars jedoch Alfred Weigert hieß, ihr Erwecker und Wundertäter, ihr Seelengeleiter; es gab ihn schon.

Ich wußte also genau, wie es auszusehen hatte, mein Theater, meine Zofen, mein ekstatisches Spiel. Ich nannte es nicht mit geringen Namen. Die Gegen-Welt, die Mythenwanderung, die Überschreitung, die Bühne als Eingangspforte zur Großen Erinnerung, Tanz der Reflexionen mit den Geistern, das Gebärden-Zeremoniell, die Lupe hinhalten, auf die Jagd gehen, den Zuschauer in den ›Hinteren Raum‹ locken, Zustände auslösen ... Ach, die Begriffe türmten sich und schwankten. In meiner Konzeption spielte das Stück in einer nicht allzu fernen Zukunft. Eigentlich nach dem Zusammenbruch aller menschlichen Kommunikation. Die Menschen haben sich in ihre Zeremonien zurückgezogen, verkrochen, verkapselt. Die Spiele sind ihre seelischen Überlebensnischen. Der Ort: eine Höhle in der Zeit ...

Du liebe Güte. Und was ist am Ende dabei herausgekommen? Eine Inszenierung, über die es in den Kritiken hieß, sie wäre im ganzen ein wenig bieder ausgefallen, trotz einiger überragender Schauspielerleistungen. Die eigentliche Überraschung des Abends sei weniger der junge Regisseur als vielmehr die Entdeckung, daß ein poète maudit veraltet, ein Genet staubgrau geworden sei. Und dafür hatte ich nun mit den höllischen und herrlichen Gewalten gerungen, war ich durch Ohnmacht und Kälte, durch Feuer und Sümpfe geschritten. Aber so ist wohl das Theater: ein gewundenes Instrument, in das man seine ganze Seele hineinblasen muß, um am Ende wenigstens einen kleinen geziemenden Ton herauszubringen. Mehr nicht, aber schon dafür braucht man eine große Puste.

Montag früh. Eine Stunde vor Probenbeginn bin ich ins Kammerspiel gekommen. Der Bühnenbildassistent und zwei Bühnenarbeiter haben eine Probendekoration hergerichtet, die in etwa dem entspricht, was ich mit Volker, dem Ausstattungsleiter, verabredet hatte. Es sieht abscheulich aus. Ich will nicht diesen Plüsch und Plunder auf der Bühne. Keinen stickigen Boudoir-Pomp, auch nicht mit Blumen überladen, selbst wenn ich damit gegen die Anweisungen des Autors verstoße. Mit V. alles noch einmal neu durchdenken! Dies hier ist nicht das abgewohnte Futur, das ich mir vorgestellt habe.

Was für eine lange Flucht ist dieser Zuschauersaal! Wie soll ich denn meine abgeschlossene Nische auf diesen schmalen Schlauch hin ausrichten? Theater, Geburt des Spiels, sollte doch immer vom Publikum halbwegs umrundet sein . . . In einer knappen Stunde beginnt nun unwiderruflich mein Abstieg zu den Geistern. Die Nervosität nimmt zu, die Beklommenheit, die nackte Angst – oder, um wie der Traum die Wörter beim Bild zu nehmen: die Angst, nackt dazustehen. Obschon bis an die Zähne bewaffnet mit Zetteln, Plänen, Skizzen, auf denen jede Stellung, jeder Gang vorgezeichnet ist, fühle ich mich plötzlich ungenügend vorbereitet. Werde ich schnell und angemessen reagieren, wenn etwas Unvorhergesehenes eintritt, wenn plötzlich Änderungen fällig werden, wie etwa jetzt beim Bühnenbild? Ich weiß doch, daß mich das Tatsächliche, wenn es mit voller Wucht in Erscheinung tritt und nicht der Vorstellung entspricht, jedesmal in eine tiefe Schreckenslähmung versetzt.

Ich verlasse den kleinen Tisch auf der Bühne, an dem wir in Kürze mit dem Lesen des Stücks beginnen werden. Der Blick in den Abgrund des leeren Zuschauerraums macht mich schwindelig. Man gewinnt besser Fassung, wenn man profund von unten nach oben schaut, etwa aus der dritten Reihe Mitte, die Arme rechts und links über die Lehnen ausflügelnd. Es riecht nach Staub, Molton, erwärmtem Lack. Obgleich ich doch bestimmt in eine Grube eingefahren bin und unter Tage arbeiten werde, um das kostbare Mineral dieses Spiels zu fördern, kommt mir jetzt unter dem diffusen Probenlicht mein Ort viel zu hell und ungeborgen vor. Von allen Seiten starren sie mich an, die sachlichen, ernsten Anforderungen einer zwielichtigen Wirklichkeit. Arbeiter, die keine richtigen Arbeiter sind. Technik, die zu nichts Vernünftigem dient. Termine, die zur Einrichtung einer Schein-Handlung streng beachtet werden müssen, und selbst Zeitung und Milchtüte auf dem Inspizientenpult bleiben hier keine unangefochtenen Alltagsdinge. Ich spüre sehr deutlich, daß die ganze Grube erfüllt ist mit ungeschriebenen Gesetzen, die ich nicht kenne und nicht beherrsche, die ich indessen auch nicht blindlings befolgen könnte, denn dazu fehlt es mir an natürlichem Instinkt. Sie sind aber da, ich merke es an der gewaltsamen Einschränkung meiner inneren Bewegungsfreiheit, meiner Fantasie, seitdem ich hier im Theater sitze und auf die Schauspieler warte.

Matthias, mein freundlicher Assistent – er ist in meinem Alter, wenn auch etwas weltlicher verträumt als ich, und hält sich unter der Bob Dylan-Kappe versteckt –, er erinnert mich daran, daß Frau Adams, die die Rolle der Madame spielt, auf eine Stunde später bestellt worden ist. Offenbar habe ich das versehentlich selber so angeordnet. Selbstverständlich müßte sie bei der ersten Leseprobe von Anfang an dabeisein.

Pat kommt durch die hintere Saaltür. Sie stürzt herein, sie stolpert, sie ist völlig außer Fassung, kaum daß sie uns begrüßt. Sie berichtet von einem brutalen Bandenüberfall, der ihr soeben auf dem Weg zur Probe vorgekommen sei. Sechs oder sieben blutjunge Burschen, eine Rockerbande, hätten einen Hygiene-Laden gestürmt, alles kurz und klein geschlagen, ausgeplündert, den Besitzer an den Haaren auf die Straße geschleift, mit Fußtritten und Kettenschlägen mißhandelt . . . Was ist ein Hygiene-Laden? Ein Sexshop? »Na, irgendsowas! Aber am hellichten Tag, man muß sich das vorstellen. Wir haben hier Zustände wie im kaputten New York. Du kannst schon vormittags nicht mehr allein auf die Straße gehen . . .«

Margarethe betritt über die Bühne den Theaterraum. Sie gestattet sich einen ausführlichen Auftritt. Sie läßt schon jetzt keinen Zweifel darüber, in welcher Gangart sie als Solange triumphieren will. Das Haar ist inzwischen fuchsrot gefärbt und zu einer breiten Mähne ausgekämmt. Sie zeigt ihre langen Beine unter einem engen, kniefreien Rock, sie schnürt mit nervöser Witterung durch das Bühnengehege. Pat wird nun ihre Geschichte vom Rockerüberfall ein zweites Mal los.

»Aber es ist doch sehr gut«, erwidert Margarethe, »wenn sich die Jungens gegen diese Schweinigeleien zur Wehr setzen.«

»Gut findest du das? Na ich danke.«

»Natürlich. Bevor wir vollends zu einer Gesellschaft von Schmierfinken werden —«

»Das ist die gleiche Gesellschaft, die bei dir abends im Publikum sitzt!«

»Das ist mir völlig egal. Ich spiele für jeden, der mich sehen will.«

»Ach? Es kommt aber vielleicht darauf an, ob die Leute, wenn du auf der Bühne stehst, zu dir hinaufblicken oder ob sie dich in ihre schmutzige Fantasie hinunterziehen.«

So ging es nun in rascher Folge hin und her. Keine von beiden schien irgendeine feste Meinung zu vertreten, sie wechselten unentwegt ihre Positionen, je nachdem, welchen Standpunkt die andere gerade einnahm. Es kam offensichtlich nur darauf an, jeweils das richtige Widerwort zu geben. Ich war gar nicht vorhanden. Sie spielten längst, sie spielten über meinen Kopf hinweg, und ich kam nicht dazu, ein einziges Wort zu sagen. Es mochte sich hierbei um ein eingeübtes und ausgepichtes Vorspiel handeln, das lediglich zu meiner Verwirrung und Erprobung veranstaltet wurde, denn es hatte schon bald keinerlei erkennbaren Inhalt mehr und verlief immer weitschweifiger. Ich hätte sie längst unterbrechen und zur Arbeit rufen müssen. Stattdessen versuchte ich die ganze Zeit, mich an den Gegenstand, den sie gerade behandelten, anzuheften; doch bevor ich etwas dazu beisteuern konnte, hatten sie ihn schon wieder gewechselt. Und wie ich darüber dachte, interessierte sie ohnehin nicht, sondern nur, wie ich mich überhaupt zu dieser unverschämten Verzögerung verhalten würde. Ihr Geplänkel wurde immer ausgeleierter, sie wiederholten sich schon und mußten beinahe selber darüber lachen. Aber sie warteten vergeblich darauf, daß ich sie unterbrach. Ich tat es nicht. Schließlich verstummten sie von selbst und öffneten sich in einer einzigen, gleichzeitigen Wendung zu mir hin, genauso wie am Ende unserer ersten Begegnung in der Freiburger Hotelhalle. Nur trafen mich jetzt bedeutend kältere Blicke, fast schon entmutigte, so als wollten sie sagen: Nun, junger Mann, du willst hier die Führung übernehmen und bist nicht einmal imstande, uns zum Schweigen zu bringen?!

Erste Leseprobe. Wir sitzen zu fünft am kleinen Tisch auf der Bühne. Pat beginnt die Claire zu lesen. Sie vermeidet jede emphatische Hervorhebung. Sie nimmt mit äußerster Vorsicht einen Text zum ersten Mal in den Mund, in dem vielleicht eine Raserei verborgen liegt und noch lange nicht geweckt werden darf. Nach einigen Minuten unterbricht sie sich aber und kommt auf einen Satz vom Anfang zurück, in dem es heißt: »Du glaubst wohl, du könntest den Milchmann mit ihnen (den Gummihandschuhen) verführen?«

Pat stöhnt und windet sich: »Der Milchmann! Da ist er! Ich hab es doch gewußt, da war ein Stolperstein. Und was machen wir jetzt mit diesem Jungfrauenschreck?«

»Das ist allerdings ein arges Klischee«, sagt Margarethe leise und schiebt den Text von sich weg, als habe sie eine sehr enttäuschende Entdeckung gemacht.

In diesem Augenblick richtet Pat erstmals das Wort unmittelbar an mich, den Probenleiter.

»Können Sie mir sagen, wie ich heute, im Jahre 1969, einen Milchmann als Liebhaber verkaufen soll? Glaubhaft, meine ich. Ohne daß sich die Leute die Haare raufen.«

Die frontale Anrede ließ mich zusammenzucken. Fast hätte ich vor Schreck geantwortet: ›Das weiß ich leider auch nicht.‹ Tatsächlich hatte ich mit einer solch banalen Frage am allerwenigsten gerechnet. Ich kannte den Text bis in seine verborgensten Schattierungen, aber nie wäre mir doch der Gedanke gekommen, daß dieser alberne Milchmann irgendein Problem abwerfen könnte. Matthias meinte, man dürfe doch ebensogut vom Postboten oder Zeitungsausträger sprechen.

»Nein, nein!« warf ich nun lebhaft ein, denn es fiel mir bedeutend leichter, mich gegen den kleinen Assistenten abzusetzen und an seinem glücklichen Irrtum anzuknüpfen, als den beiden gebieterischen Zofen direkt zu antworten. »Für mich ist es der Milchmann und niemand anderer«, erklärte ich frei heraus. »Denn: wann spielt das Stück? Man wird sagen, es spielt in den vierziger Jahren dieses Jahrhunderts, wahrscheinlich doch zur selben Zeit, da es geschrieben wurde. Und doch spielt es auch jetzt, nein, noch ein wenig später – wenn alles vorüber ist. Es spielt auf einer längst abgegrasten Weide der Gesellschaft. Überall lungern verlorene Gruppen herum, kauern entstellte Einzelwesen auf ödem Boden. Nichts zieht sie mehr voran. Alle Entwicklungen, alle Antriebe und Fortschritte sind zum Erliegen gekommen. Die Weide ist abgegrast. Die Menschen fürchten nichts so sehr wie die auseinanderfließende Zeit. Denn sie scheint wirklich zu schmelzen wie die Eisschilde auf den Polkappen bei erhöhter Erderwärmung. Vor ihren Schmelzfluten flüchten sich die Gesellschaftslosen in den Schutzkreis der Kulte und Gebräuche. Ihre ganze Begehrlichkeit gehört den schönen Formen, so wie die Begehrlichkeit der Zofen den schönen Kleidern, dem kostbaren Plunder der Madame gehört. Weg vom Küchendreck, von den Abwässern, dem Geröll, dem Moränenschutt! Wir, die Formlosen, versuchen aufzutreten, das ist das Theater, und wir schützen uns durch seine festen Spielregeln. Während andere mühsam, fast verendend schon, Mama und Papa spielen, Arzt und Patient, Chef und Gehilfe, Lehrer und Schüler, da betreten wir den durchsichtigen Raum der geordneten Bedeutungen, strecken uns aus in einem Schaufenster, durch das man in eine unbekannte, mit Leben erfüllte Welt zurückblicken kann. Und in diesem Fenster liegen auch die beiden Schwestern, Solange und Claire, erwachen an einem wunderschönen Morgen und blinzeln durch die hohe Scheibe in einen besonnten Vorgarten hinaus, wo libellenhafte Rasensprenger Taxuskuppeln und aufrollbare Grünflächen befeuchten. Dort knien dann und stehen diese Leute von gegenüber, von denen die Zofen sprechen, ihre fernen Nachbarn, die nichts von ihnen sehen sollen, deren Blicken sie aber nicht ausweichen können. Seltsame Wesen in weißen Overalls, Tankwarten oder Flugzeugeinwinkern ähnlich, Männer und Frauen, und sie gaffen euch an, sie erwarten das Schauspiel von euch und erwarten, daß euer letztes Spiel beginnt, mit allem Drum und Dran, erhaben und lächerlich, fremd und vertraut, gemein und zärtlich, das letzte Spiel der Sinnengewalten, denn ihr müßt bis zum Ende gehen mit eurer Geschichte, mit eurer Zeremonie bis an die Grenze, wo sie zerbricht und das Unwiederholbare beginnt.

Und so werdet ihr dankbar sein, von Dingen zu sprechen, die es nicht mehr gibt, Kleider zu tragen, die kostbar und veraltet sind; den Milchmann werdet ihr anrufen wie den Hünen vom Berg, und er wird mit seinem wackligen Karren herüberkommen, die nackte Betonpiste entlang, das endlose Rollfeld, und seine Anwohner, das gesamte müßige Bodenpersonal wird vor dem Bärenstarken scheu zurückweichen. Mit inbrünstiger Leidenschaft wird Solange die Schuhe der Herrin wichsen, mit glücklicher Demut sie bespucken. Eure symbolischen Handlungen werden sich wie ein Metopenband um die Stirn des Tempels schlingen, in dem der Mord vorbereitet wird. Die sexuellen Gleichnisse werdet ihr als die letzte große Symbolsprache der Alten Welt erfahren, sie wird euch Halt bieten und zugleich das unfehlbare Mittel eurer Selbstzerstörung sein, beinahe wie der beliehene Griechenhimmel, der vor Zeiten deutsche Dichter und Philosophen erhob und verwarf. Draußen nämlich hat das Lebendige Schaden genommen. Das Gleich-Gültige verschlang jede Gestalt, jede Opferhandlung. Jedes Symbol. Ihr aber dient wie Tempelprostituierte dem Heiligtum der Abhängigkeit und der Hörigkeit. Der Bindung. Hütet euer durchsichtiges Versteck und stellt euch zur Schau! Nur als Gefangene seid ihr die verfänglichsten Wesen für die da draußen, die auf dem Rollfeld stehen . . .«

Oh, sie hörten mir zu! Sie hörten mir wahrhaftig zu! Frau Adams machte sogar eifrig Notizen.

Möglich, daß ich mich fürs erste etwas übernommen hatte. Ich hatte vielleicht zuviel auf einmal verraten. Fast hätte ich ja in einem Durchgang den ganzen *Sinn* meiner Inszenierung ausgeplaudert. Das, was man einmal über meine Zofen denken sollte und hoffentlich auch denken würde. Die Beurteilung einer Tat, die noch gar nicht geschehen war, hatte ich vor allen Anfang gesetzt.

Margarethe Wirth fragte, ob das Stück nicht als eine Art Spiel beginnen müsse. Dem Zuschauer solle doch Claire zunächst als die echte Gnädige Frau erscheinen und nicht etwa als Zofe, die diese nur nachahme.

Zu meiner großen Enttäuschung mußte ich feststellen, daß sie offenbar nichts von meinen Ausführungen begriffen hatte. Ich ließ mir aber nichts anmerken und erwiderte höflich, daß ein solcher Eindruck, wie sie ihn schildere, durchaus entstehen dürfe, freilich nur als unwesentliches Teil einer von Anfang an mehrdeutigen Spiegel- und Rollen-Maschinerie. Noch mehr sei mir aber daran gelegen, daß Solange und Claire ein sehr dichtes und wechselvolles Gebärdenspiel entwickelten, welches anzeige, daß sie entschieden stärker voneinander als von ihrer Herrin abhängig seien. Folglich käme es nicht in erster Linie auf eine getreuliche Kopie von Madames Gehabe an. Ein Spiel im Spiel könne es recht besehen bei einer solchen Auffassung des Stücks eigentlich nicht geben.

Frau Adams fragte, für wie groß man die tatsächliche Macht der Gnädigen Frau einschätze. Ihrer Meinung nach nehme die Herrin die einzig stabile Position im Stück ein. Letztlich überlebe sie eben unangefochten den Domestikenkampf, der sich in ihrem Boudoir austobe. Von ihr gehe (Frau Adams' Meinung nach) eine reale, unbezweifelbare Macht aus. Nur so könne man erreichen, daß die Zofen mit blutigem Ernst spielten und sich wirklich von ihrer psychischen Unterdrückung befreien wollten.

Ich besaß nun eine ziemlich genaue Vorstellung von der Rolle der Madame, doch die betuliche Fragerei der Frau Adams kam mir an dieser Stelle höchst ungelegen. Ich war noch viel zu sehr in Fahrt und so vom Ganzen schwellend, daß ich vorerst nur die beiden Stars für mich gewinnen wollte. Ich mochte es daher gar nicht leiden, daß mir die

graue Nebendarstellerin, die natürlich dringend den Anschluß suchte, sogleich in die Parade fuhr und mir den
Rückfluß, den ich von den beiden anderen erwartete, ab-
grub. Ich stotterte also etwas unwillig herum und empfahl,
sich eine exaltierte Mama vorzustellen sowie zwei Schwestern, die eigentlich einen Muttermord begehen wollten.
Das war mir, in der Kürze, zweifellos danebengegangen.
Margarethe protestierte auch umgehend. Wenn wir uns in
solche Gründe begäben, würden wir unweigerlich in einem
tiefenpsychologischen Schlammbad versinken und die
überhitzten Figuren würden am Ende zu austauschbaren
Teilen eines totalen Psychodramas. Hierauf entgegnete ich
eilends, daß ich weder eine psychologische noch eine soziale Bewertung der Figuren vornehmen wolle, daß es mir
einzig um ihre *kulturelle* Definition zu tun sei. Spiel und
Kampf der Zofen an sich stellten doch bereits in unseren
Augen, in den Augen von uns Heutigen, so etwas wie heroi-
sches Leben dar. Ihr äußeres Benehmen müßte daher einem
Turnier ähnlicher sehen als einem therapeutischen Rollen-
spiel. Das Zeremoniell, die Institution der Formen sollten
zuerst unsere Sehnsucht erwecken, bevor sie uns dann zutiefst erschreckten. Gleichwohl müßte aber unterhalb des
hohen Kamms der Riten und Allüren stets der Brodelgrund,
das Zischen der Gelüste zu vernehmen sein. Das Amorphe.
Die Beutegier nach der Rolle – nach der Macht . . .
    Da war mir plötzlich die Puste ausgegangen. Ich wußte
nicht weiter.
    Warum hatte Pat die ganze Zeit geschwiegen? Sie hatte
nicht eine einzige Frage gestellt. Es schien sie nicht im
geringsten zu interessieren, was hier besprochen wurde. Sie
blickte mich immerzu geradeaus an und überhörte alles,
was ich vorbrachte. Offenbar erforschte sie, *wer* da sprach
und was dieser Mensch denn wohl eigentlich zu sagen hatte.
Sie musterte ungeniert das Untere des Teppichs, die Rückseite des Entwurfs, das Knüpfwerk.

Als wir die Probe beendet hatten, streifte sie an mir vorbei und sagte: »Passen Sie auf, junger Mann. Pumpen Sie nicht zuviel hinein in das kleine Stück!«

Beschämt verließ ich das Theater. Meine Unterkunft, draußen in Nippes, war die Anderthalb-Zimmer-Wohnung eines jungen Schauspielers, der für einige Monate in Hamburg gastierte. Hier umgab mich auf engstem Raum so ziemlich alles, was zum schlechten Geschmack jener fröhlichen Jahre gehörte. Die affigen Poster – Frank Zappa auf dem Klo und Lenin auf dem Roten Platz –, die kahlen Kiefernholzmöbel, die Metallregale mit der bunten Revolutionsliteratur, die Räucherstäbchen und der mit Kerzenwachs bekleckerte, flauschige Afghanenteppich. Diese Wohnung, abgenutzt von einem Menschen, dem ich nie begegnet war und der doch als der gemeinhin Bekannte, der getreue Zeit-Kumpan ständig anwesend war – wie heftig stieß sie mich nun ab, als ich erschöpft, durch und durch befremdet von dieser ersten Probe zurückkehrte. Ein klägliches Heimweh befiel mich. Ich wünschte innig, neben dem Vater draußen unter den Obstbäumen zu sitzen, an einem leichten Sommertag, und wir würden endlich das Register zu seinem »Montanus« fertigstellen. Er ruft mir Seite für Seite die Namen zu, und ich schreib sie in die Listen.

Hatte Pat mir denn gar nicht zugehört? Vielleicht habe ich zu abstrakt geredet, zu weit ausgeholt. Ich weiß noch nicht, was ich von ihnen verlangen kann, wie ich sie für meine Ideen interessieren soll.

Von unserem Garten können wir Ausschau halten. Er liegt am Hügel abseits des Städtchens, und eine Straße führt heran, die kaum befahren wird, nur von Anwohnern aus der Nachbarschaft. Oft steigen hier die Feriengäste hinauf zum Wald. In einem Krieg, so wie es ihn in grauer Vorzeit gab, wäre ich gern der Wächter auf der Mauer gewesen, der nur sieht und nicht schießt.

Ausschau halten, vor dem Haus sitzen, ist mir urtümlich lieb. Man kann auch aus seinem modernen Körper noch etliche Haltungen herausspüren, die reichen tiefer als andere, berühren symbolischen Grund. Auf dem Fahrrad sitzen reicht bestenfalls bis zu einer Jugenderinnerung zurück; vor dem Haus sitzen dagegen kann sogar unser Stammhirn reizen, kann uns aus der Geschichte entführen, bis hinter die Zeitrechnung. Ja, darauf käme es an: die Schauspielerinnen müssen ein geschichtliches Gefühl für ihre Haltungen und ihre Körperlichkeit entwickeln. Zum Beispiel: was bedeutet es, wenn eine Dame in der Art raucht wie früher ein Maurer vor dem Bauherrn, die Zigarette in der hohlen Hand versteckt? Die Frauen müssen ständig nach einem Lust-Unlust-Schema ihre Haltungen überprüfen! Auch im Text wird auf die erhöhte Reizbarkeit angespielt, mit der jede das körperliche Betragen der anderen beachtet. Claire muß genau wissen, was sie an Solange gern sieht und was sie nicht ausstehen kann (Beine übereinanderschlagen: widerlich!). »Ich kann unsere Ähnlichkeiten nicht mehr ertragen«, ruft sie einmal aus.

3

Die erste Woche ging. In der zweiten begannen die Bühnenproben und für mich eine Zeit der schweren Prüfungen. Pat und Mag ließen keine Gelegenheit aus, mich meine grobe Unerfahrenheit und Praxisferne spüren zu lassen. Keine Probe verging, ohne daß ich nicht empfindliche Blamagen einstecken mußte. Jetzt merkte ich erst, mit welch hochkomplizierten Schlachtschiffen ich es zu tun hatte, die ich weder zu lenken noch irgend sinnvoll zu bewegen imstande war. Jede meiner vorgefaßten Erfindungen prallte an ihnen ab, wurde als unbrauchbar, erklügelt, eben als aufgesetzte ›Erfindung‹ zurückgewiesen. Sie legten es ehrgeizig darauf

an, mir auch den letzten Bestand an Plan und Konzept noch
aus der Hand zu winden. Es gelang ihnen natürlich mühelos, mich einzuschüchtern, und die Folge war, daß ich
wirklich einen Fehler nach dem anderen beging. Kaum ein
Regiezuruf, der nicht auf Anhieb danebentraf oder auf
Widerspruch stieß. Es lief nun aber auch alles quer. Solange
hatte gerade damit begonnen, sich die ekligen Gummi-
handschuhe überzustreifen, schon meinte ich ihr beikommen zu müssen und rief hinauf: »Gieriger! Viel emsiger stell
ich's mir vor!« Mag unterbrach ihr Spiel und trat mir mit
schrecklicher Besänftigung entgegen: »Nun lassen Sie bitte
schön erst einmal etwas entstehen, mein Freund! Bevor mir
diese Dinger hier noch nicht gehören, brauchen Sie mich
wirklich nicht zu unterbrechen.«

Bei einem solchen Tadel lief es mir jedesmal eiskalt über
den Rücken. Er wurde ja nicht aus persönlicher Gereiztheit
ausgesprochen, sondern weil ich, wieder einmal, ein ursprüngliches Theatergesetz, eine Grundregel des Handwerks mißachtet und verletzt hatte. Infolgedessen wurde
ich übervorsichtig und hielt mich ungebührlich zurück. Ich
sah zu, wie die beiden sich anspielten, sich warmspielten,
wie sie schließlich mit gelerntem Text ohne jeden Aufenthalt beinahe das ganze erste Zeremoniell durcheilten, Pat
mit unerträglicher Exaltation die Gnädige Frau vorstel-
lend, Mag mit nicht geringerer Verausgabung sich als
Dienstmädchen hinstreckend. Es ging alles entsetzlich
schnell und übertrieben vonstatten, und es gefiel mir überhaupt nicht. Was sie da miteinander trieben, gelang an der
Oberfläche bereits so geschickt, erschien so unnahbar und
unaufhaltsam, daß es sich von einer mißglückten fertigen
Aufführung in nichts unterschied. Ich wagte aber nicht, sie
zu unterbrechen. Erst als Solange sich auf eine besonders
anzügliche Weise an die Textstelle klammerte, wo es heißt:
»Wir sind unglücklich. Ich könnte heulen«, beendeten sie
von sich aus das Vorspielen und traten aus ihren Rollen

heraus. Wie sie es eben gewohnt waren, forderten sie mich auf, sogleich eine ausführliche Kritik abzuhalten. Es war mir aber das Ganze viel zu schnell vorübergezogen, und in meiner Verblüffung hatte ich mir überhaupt keine Einzelheiten merken können. Vergeblich verlangten sie zu wissen, was ich denn auf der Bühne gesehen hätte und wie es womöglich zu verbessern wäre. Ich brachte lediglich ein paar allgemeine Bedenken vor, mit denen sie sich aber keineswegs zufriedengaben. Als sie denn einsahen, daß ich die erforderlichen, »handfesten« Beobachtungen nicht zu liefern vermochte, boten sie freimütig an, einige kürzere Passagen zu wiederholen, damit ich meinen Blick besser üben könne. Aber damit wollten sie mich nur in eine neue Falle locken. Sie spielten nämlich ein und dieselbe Sequenz hintereinander in verschiedenerlei Tempo und Allüre, und ich sollte nun entscheiden, welcher Version ich den Vorzug gäbe.

»Sie können es so oder so haben. Sie können im Grunde alles von mir haben«, erklärte Pat mit bitterer Frivolität, »Sie müssen es nur genau festlegen.«

Aber ich konnte und wollte es nicht festlegen. Ich unterschied auch gar nichts von Bedeutung. Wie sie's auch anfingen, es entsprach nicht meinen Erwartungen, meinen *Vorstellungen*.

So prüften und beschämten mich die zwei grausamen Königinnen viele Stunden lang und etliche Tage. Sie schienen überhaupt nie die Lust daran zu verlieren, meine Unzulänglichkeit immer erneut unter Beweis zu stellen. Allerdings: sie ließen nicht ab von mir. Sie schickten mich nicht in die Wüste. Offenbar wollten sie mich mit allen fairen und unfairen Mitteln dazu erziehen, ihnen gewachsen zu sein.

Wie soll unser Stück, wie soll das verschlossene, tödliche Spiel beginnen? Meine Vorstellung ist es, daß der Anfang dem Freisetzen eines Brieftaubenschlags ähnlich sehen sollte. Aus der märchenhaften, pflanzengleichen Garderobenwand, an der die Kleider nachwachsen, wenn man sie abpflückt, kommen die Zofen hervorgeflattert, gaukeln ordnungslos durch den Raum und wieder zurück in ihren Verschlag, an ihren Nistplatz. Margarethe hält nichts davon. Sie kann sich nicht vorstellen, wie sie aus solchem Geschwirr in die klare, unbedingte Anfangsposition, in die Herrin-Zofe-Stellung hineinfinden soll. Sie betont ein weiteres Mal, daß der Zuschauer nicht der Illusion beraubt werden dürfe, in Claire die wirkliche Herrin, in Solange die wirkliche Dienerin anzunehmen. Wenn dieser Anfang nicht haarscharf stimme, nicht ganz fest verankert sei, werde das ganze Stück haltlos auf den Wellen irgendwelcher Erregungen, irgendwelcher beliebiger Ekstasen dahintrudeln.

Ich bitte die beiden, meinen Vorschlag doch ein einziges Mal wenigstens auszuprobieren. Sie tun es auch, aber nur, um mir seine ganze Lächerlichkeit vor Augen zu führen. Es hat keinen Zweck. Sie wollen meine Ideen nicht. Sie wollen sich auf meinen Anfang nicht einlassen. Ich weiß nicht, wie ich jetzt vorgehen soll. Eine peinliche Stille streckt sich aus. Sie sitzen am Bühnenrand und warten schamlos auf meinen nächsten Vorschlag.

Kratzkatzen,
mit gebundenen Pfoten,
da sitzen sie
und blicken Gift.

Irgendwie aber mußte es ja weitergehen. Und wenn sie mich tatsächlich in die Lehre nehmen wollten, so war es unvermeidlich, mich hin und wieder eine Aufgabe lösen zu lassen. Daher waren sie schließlich bereit, mir ein wenig entgegenzukommen. Weil es aber auch mir nicht an Halsstarrigkeit fehlte, griff ich nun unverzüglich auf mein bedrohtes Programm zurück, holte meine Lieblingsidee von der Gebärde und der Körperformel wieder hervor und versuchte davon so viel wie möglich, wenn sie bei Laune waren, in die Probe einzuschmuggeln. Zuweilen gelang es sogar, sie zu kleinen, gesonderten Übungsstücken zu überreden. Etwa sollte sich Pat an einer bestimmten Stelle mit den gespreizten Fingern beider Hände durch die Haare fahren.

»Sie müssen es so machen, daß jeder Zuschauer Ihre Nägel auf seiner eigenen Kopfhaut spürt. Stellen Sie sich vor: ein schwerer, müder, auswegloser Kopf. Mit gespreizten Fingern, jawohl, so! Sie möchten Ihren Kopf förmlich jäten, von allem Unsinn reinigen. Sie möchten Ihren Gedanken und Ihrem Gesicht Klarheit verschaffen. Sehen Sie, Sie machen es verkehrt. Sie tun nur so als ob. Sie tun es nur, weil wir es so verabredet haben. Sie müssen aber an dieser Stelle ein heftiges Jucken auf Ihrer Kopfhaut verspüren, sonst wird es nichts.«

Die bescheidenen Erfolge, die ich mit solchen Minuzien erzielen konnte, stimmten mich nicht gerade übermütig. Aber sie gaben mir allmählich ein Gefühl dafür, was von meinen Vorstellungen ich bei den Schauspielern durchsetzen konnte und worauf ich besser verzichten sollte.

Leider brach dieses empfindliche Hilfsgerüst eines Morgens mit entsetzlichem Krach und Getön in sich zusammen. Ein einziges, von mir falsch gegriffenes Wort hatte genügt, um die zögernde Verständigung zwischen uns jäh zu beenden. Ich hatte ohne jede böse Absicht darüber geredet, daß wir die ›Zofen‹ so wahrhaftig wie nötig, so grenzgängerisch wie möglich aufzuführen hätten, und nebenbei – mit der Treffsicherheit einer modernen Trägerwaffe – angemerkt, daß sich Pat und Mag zu diesem Zweck noch von einer gewissen *Mimenmentalität* befreien müßten . . .

Frau Wirth sprang auf, griff vom Boden ihr Textbuch und schleuderte es in meine Richtung hinunter in den Zuschauersaal.

»Sind Sie verrückt geworden?!« schrie sie mich an, »was

fällt Ihnen ein? Sie sind ein Unglück! Sie sind eine einzige ständige Behinderung für uns Schauspieler! Was haben Sie hier verloren? Was suchen Sie überhaupt am Theater?«

Pat lief unterdessen in großer Erregung auf und ab; beinahe verzweifelt stieß sie hervor: »Wie kann ein Mensch nur so roh sein?! Wie können Sie nur!«

Ich verstand absolut nicht, worum es ging. Ich hatte keineswegs das Gefühl, etwas Anstößiges gesagt zu haben.

»Warum nennen Sie uns Mimen?« rief Pat wieder, »warum sprechen Sie so verächtlich von unserem Beruf?«

Wie denn nur? Dies kleine flapsige Wort sollte einen derartigen Sturm an Fassungslosigkeit, an Empörung, ja sogar an stolzer Klage ausgelöst haben? Ich konnte das nicht glauben. Mir schien, sie übertrieben ihre Verletzung maßlos und taten es nur deshalb, weil ihnen im Augenblick nicht die angemessene Entgegnung einfallen wollte. Aber ich sah doch auch, daß Pat am ganzen Körper bebte, daß sie sich über eine Kleiderkiste warf und erbärmlich weinte. Margarethe lief zu ihr und nahm sie in den Arm.

»Dieser Specht!« kreischte sie, »Sie da unten sind ein Specht, mein Herr! Ein Specht wird aber niemals eine Eiche fällen! Sie, Herr Specht, können bloß auf unseren Nerven herumklopfen mit Ihrem ganz kleinen grünen Spitzschnabel!« Ich muß gestehen, jetzt wurde mir zumute wie jemandem, der versehentlich einen Waldbrand, einen Lawinenabsturz, eine Umweltkatastrophe ausgelöst hat. Der Schaden schien jedenfalls ins Unermeßliche zu gehen und wuchs beständig weiter. Die Frauen wandten sich nun behutsam einander zu, umgaben sich mit Küssen und Geflüster und versicherten sich ihres festen Zusammenhalts. Wieder einmal entdeckte ich hier im Theater, abseits vom Spiel, dies rätselhafte Zwischending: etwas menschlich Bewegendes trug sich zu und besaß doch nur eine täuschende Ähnlichkeit mit dem echten Vergießen von Herzblut. Ein zweifellos hohes Gefühl brach hervor, aber es verdankte sich einem Umstand aus Pappe, einem künstlichen, nichtigen Anlaß. Ich konnte das beim besten Willen nicht begreifen.

Die folgenden Tage wurden zur Tortur. Zwar probierten Pat und Mag mit ganzem Einsatz, doch taten sie es durchweg so, als sei ich gar nicht anwesend. Ich mußte den Assistenten zu ihnen hinaufschicken, wenn ich ihnen eine Mitteilung zu machen hatte. Als ich aber doch einmal selber vorsprang und ihnen etwas ansagte, hielten sie augenblicklich still, sahen zu Boden und warteten ungerührt, bis ich ausgesprochen hatte. Danach nahmen sie ihre Szene an der Stelle wieder auf, an der ich sie unterbrochen hatte, ohne meinen Vorschlag im entferntesten zu berücksichtigen. Ein andermal, als ich wieder auf sie einwirken wollte, ließ Pat die Arme sinken und stöhnte leise zum Himmel: »Alfred, Alfred! Wo bist du? Warum hast du uns das nicht erspart?!«

Alfred Weigert, ihren Herrn und Meister, suchte ich denn eines Abends auch auf, da ich mir in meiner Not nicht anders zu helfen wußte, als seinen Rat einzuholen.

Alfred war ein hochgewachsener, hagerer Mann, er mochte auf die Ende Dreißig zugehen, und seine bald skurril, bald sittenstreng wirkende Erscheinung verriet deutlich, daß er sich seit langem in seinem Beruf verzehrte, viel inneren Stoff verbraucht hatte, ohne von außen genügend neue Nahrung aufzunehmen. Ein karger Kopf, mehr spitz als länglich, mit zwei dunklen, dringlichen Augen saß auf einem sonderbar dünnen Hals, und er bewegte ihn mitunter so eckig, daß man unwillkürlich an einen Straußenvogel erinnert wurde. Alfred ließ sich eine Weile von den Proben erzählen, schien aber meine bitteren Sorgen kaum ernst zu nehmen. Er gab mir den eher etwas frivolen Rat, mich zeitweilig mit auffälliger Bevorzugung nur einer von beiden zuzuwenden, um damit unweigerlich die Eifersucht der anderen zu erregen. So würden sich wohl bald ihre Interessen gegeneinander und nicht mehr gesammelt gegen mich richten. Allerdings müßte ich dann auch den schwierigen Vorteil zu nutzen wissen, das Vertrauen der einen mir geschickt zu erhalten, ohne doch das Werben der anderen, die ihre Stellung natürlich verbessern wollte, unbeachtet zu lassen. Aber was für ein Ansehen müßte ich erst einmal genießen, um eine *solche* Regie führen zu können! Ich, der ich ohne Wirkung und Einfluß auf die Schauspielerinnen war, der ich immer noch sehnsüchtig außen vor dem Theater stand, vor einer mir unzugänglichen Mysterienstätte, ausgerechnet ich sollte mich als der ortskundige Trickser aufspielen? Er bemerkte wohl, daß mich seine Empfehlung kaum zu trösten vermochte. Sie war im übrigen auch etwas kühl gegeben worden. Offenbar schien er es doch nicht leicht zu verwinden, daß ein hergelaufener, ein blutiger Anfänger mit seinen kostbaren Gefährtinnen herumspielte, diese edlen Instrumente natürlich nicht beherrschte und ihnen womöglich noch empfindlichen Schaden zufügte.

»Mir ist«, klagte ich nun, »als liefe ich in einem unterirdischen Kerkerlabyrinth unentwegt hin und her und fände nicht heraus. Die beiden da oben auf der Bühne befinden sich längst in Freiheit. Doch ich erreiche sie nicht. Ich kenne die Wege nicht – ich kenne die Regeln nicht! Ja, sie können etwas. Sie können sogar sehr viel. Aber ich bin ganz und gar nicht einverstanden mit dem, was sie da treiben. Ich habe eine unbeugsame Vorstellung davon, daß Theater ganz anders sein müsse. Ganz anders. Und so blicke ich stumm zu ihnen empor aus meinem Kerker, und manchmal scheinen sie mir das Selbstbewußtsein von Gespenstern zu besitzen, die uns frech ein Leben vortäuschen wollen.«

»Ich kann mir gut vorstellen, wie dir zumute ist«, erwiderte Alfred, »aber was bleibt Schauspielern, die nicht sicher geführt werden, anderes übrig, als in ihre schlechten Gewohnheiten zu verfallen? Du solltest doch immer bedenken: Schauspieler sind am Ende zu nichts anderem geschaffen, als zu dieser oder jener Art der Menschendarstellung. Alle Bemühungen, sie zu didaktisch-formalen Kunststücken abzurichten, führen unweigerlich zu einer krampfhaften Einschränkung ihrer Begabung. Man spürt es doch immer, wenn Schauspieler auf der Bühne eine besonders formbewußte Übung vorführen, als Ideenträger oder sonstwie stilisiert hervortreten – man spürt als erstes, daß sie sich einen Zwang antun, daß sie ein wesentliches Teil ihrer Wirkung, ihrer Verkörperungskraft unterbinden, und dieses Mehr an sinnlicher Entfaltung, das geknebelt und abgeschnürt ist, macht solche ehrgeizigen Veranstaltungen so bedrückend, verleiht ihnen stets etwas zutiefst Unfreies, Gewaltsames und Falsches.«

»Aber ich will durchaus keine künstlichen Spiele!« warf ich ein, »im Gegenteil, ich will doch die aus fernem, altem Gedächtnis durchdringenden Zeichen am *Menschen* sehen.«

»Ich meine aber, daß Pat und Margarethe gut daran tun, dich aus den Schlupfwinkeln deiner Visionen und höheren Ideen herauszutreiben. Sie haben ein Recht, zu erfordern, daß du dich ohne Krücken und Stützen – ohne semiologische Programme – auf sie einstellst, auf die Schauspieler, auf diese unbestimmten Sonderwesen, mit denen man zwischen Gespenst und Gott beinah alles heraufbeschwören und vergegenwärtigen kann, wenn man es nur richtig anfängt. Wesen im Zwielicht von Einst und Jetzt, auf die Schwelle erhobene Körper, die eigentlichen *Medien* also, der Mund Shakespeares oder Molières. Denn allein das Theater besitzt ja dies mehrzeitige Gefüge, welches erlaubt, daß wir uns – im Treffpunkt des Schauspielers – ebenso weit von zuhaus, von unserer Gegenwart entfernen wie wir einer fernen Vergangenheit näherkommen. Und diese Grenzlinie verläuft im übrigen auch durch die physische Erscheinung des Schauspielers selbst. Weshalb begehre ich Pat und Margarethe, sobald sie sich auf der Bühne bewegen, auf eine Weise, wie ich's im Alltagsleben, auch mit diesen beiden, nie erfahre? Weil ihre Existenz dort auf der Bühne mir völlig schleierhaft wird. Weil die darstellenden Menschen mir zwar zum Greifen nah sind, aber zugleich in strenge Imagination entrückt. Das ist etwas grundlegend anderes als der eindeutige Sinnenbetrug, den das körperlose, ungegenwärtige Kino vornimmt. Das Theater fesselt uns mit der doppelten Bindung von Prostitution und Keuschheit, von atemnaher Anwesenheit, die sich darbietet und unberührbar ist. Vielleicht gehört eine sehr spezielle Neigung dazu, eine leichte sexuelle Verirrung, um so für das Theater zu empfinden, wie ich es tue. Umso krasser sind dann die Enttäuschungen, wenn der Lustbetrieb zusammenbricht. Ich bekomme es gerade bei meinem ›Wallenstein‹ wieder zu spüren. Aber es ist nun einmal so: für mich sind Schauspieler stets auch die letzten Zeugen eines machtvollen Menschseins. Sind sie nicht die einzigen unter uns, die noch mit hohen Charakteren, mit Schicksal, Tragik, Heldentum in Berührung kommen, zumindest doch inwendig? Sehr oft muß ich jetzt, wenn ich probiere, daran verzweifeln, wie beinahe unmöglich es inzwischen ist, einem Stück, das einen Helden von innerer und äußerer Statur erfordert, zu einer glaubwürdigen Aufführung zu verhelfen. Was für verwachsene Männlein umgeben mich da! Nervöse Schwächlinge, lauter verdruckste Rebellen, aber nicht ein einziger Anführer unter ihnen! Und wenn ich dann an meine geliebten Frauen denke . . . Ich bilde mir ja ein, daß sie, Pat und Margarethe, nicht einmal den historischen Vergleich zu scheuen brauchen und selbst hinter den legendären Größen einer Bernhardt oder Duse nicht zurückstehen. Ihr Können ist gewiß nicht geringer, nur werden sie von keinerlei Weihe mehr emporgetragen. Ich vermute überhaupt, daß die Interpreten-Kunst ganz allgemein, obwohl oder indem sie erst seit neuestem Überlieferungen kennt, von Verfallsgeschichte viel weniger angegriffen wird als etwa die übrigen, die originalen Künste. Schauspieler, auch Dirigenten, Sänger, einmal zu ihrer Zeit zum Gipfel gelangt, bilden doch über die Epochen hin einen Reigen von Gleichrangigen, ungeachtet ihrer verschiedenartigen Meisterschaft. Nun, nichts davon in meinem Männerlager jetzt. Hier läßt die Nacht auch Friedlands Sterne dunkel. Heute sind ja die ungeschicktesten Schauspieler stets die eifrigsten Affen irgendwelcher ›Bewegungen‹ oder irgendeines sogenannten ›Bewußtseins‹. Nichts ist mehr in ihnen selbst begründet, sie hecheln herum und schnüffeln überall nach Legitimation, nach äußeren Absicherungen ihres Gewissens. Dabei kennen sie die Menschen draußen gar nicht. Sie sind alles andere als aufmerksame Zeitgenossen und aus der nachdenklichen Beobachtung ihrer Umwelt haben sie am allerwenigsten ihr Talent gebildet. Aber das mag auch für einen Schauspieler nicht unbedingt erforderlich sein, er ahmt ja Menschen nicht von außen nach. Nur daß die meisten längst vergessen haben, weshalb sie einmal diesen Beruf ergreifen wollten: eine gesteigerte Person zu sein! Das macht sie nun so leer und abgelenkt. Aber wehe, sie sehen sich den neusten Film mit Marlon Brando an, oder irgendein anderer Herrlicher erscheint, der rundum und rücksichtslos nur Star ist, dann spüren sie erst recht ihre schmerzliche Verengung und beklagen, was sie alles nicht aus sich gemacht hätten. Und warum taten sie's nicht? Weil ihre geborgten kritischen Einstellungen sie daran gehindert haben. Weil sie mit Fragen des politischen Geschmacks und all dem vordergründigen Gewissen unserer Tage bereits voll ausgelastet waren. Sie diskutieren eben lieber. Heute diskutieren unsere Schauspieler nach den Vorstellungen mit dem Publikum. Nun gut. Warum nicht? Doch sollen sie sich dann nicht wundern, daß man sie kaum noch begehrenswert empfindet, daß ihre schauspielerische Macht dahin ist. Wen man dauernd anfassen kann und häufig dumm daherreden hört, der wird nur sehr schwer auf der Bühne wieder unnahbar und groß. Und selbst sein tiefgründiger

Hamlet wird ihn nicht mehr voll bedecken: dahinter steckt doch nun für jedermann ein ganz normaler Meinungsmensch wie du und ich.«

Alfred rückte seinen Kopf schräg und bewachte, wie ich seine Worte aufnahm. Natürlich hatten sie mich eher verwirrt und beschwert als aufgemuntert.

»Du verstehst«, fügte er hinzu, »ich bin zur Zeit nicht sehr einverstanden mit unserer Schauspielkunst, so wie sie an diesem und auch an anderen Theatern betrieben wird. Ich werde mich auch nicht weiter darum kümmern, sobald mein armer ›Wallenstein‹ erst einmal heraus ist. Ein Roman von Tolstoi, ein Gedicht von Mörike, ein paar Seiten Lichtenberg, haben sie mir in letzter Zeit nicht mehr gegeben als diese ganze Theaterei? Ehrlich gesagt: nein. Eine wirklich große Freude haben mir doch immer nur die Schauspieler gemacht. Wenn sie nur richtig über uns hinausgehen! Wenn sie nur nicht dauernd sich selbst behindern wollten! . . . Seit ein paar Monaten arbeite ich an einem Stoff für einen Film. Ich muß es riskieren. Ich nehm mir meine beiden Frauen und geh mit ihnen raus aufs freie Feld. Raus aus allen Herden- und Wärmeverbänden. Ich werde diesen Film schreiben und ich werde ihn drehen. Außerdem werde ich darin die Hauptrolle spielen. So wird es geschehen. Nur Angst schärft die Sinne.«

»Wenn ich dir zuhöre«, sagte ich, »dann merke ich, daß ich noch ganz am Anfang stehe. Du weißt schon alles und kannst dich abwenden. Aber ich muß etwas Neues machen, daher haben deine Erfahrungen nur eine beschränkte Gültigkeit für mich. Denn etwas Neues muß man doch wollen, wenn man am Anfang steht. Vielleicht aber schaffe ich's nicht. Vielleicht werde ich scheitern.«

Nach diesen Worten hatte mich Alfred zum ersten Mal richtig angesehen, er hatte mich wahrgenommen. Irgendetwas in ihm, Herz oder Hirn, war leicht aufgegangen, ich hätte hinein gekonnt.

»Es gibt kein Scheitern«, sagte er leise, »es gibt nur ein Fortschreiten. Nicht einmal der Tod wird uns darin aufhalten. Wir sind immer auf dem Weg, hinter die Dinge zu kommen.«

4

Was sollte ich tun? Davonlaufen, alles hinschmeißen, mich aus diesem giftigen Staub machen? Es wurde von Tag zu Tag schlimmer. Die Frauen machten sich jetzt nur noch lustig über mich, sie trieben ihren groben Spott mit mir. Sobald ich nur die Bühne betrat, begannen sie zu stöhnen und künstlich zu jammern.

»Gehen Sie nicht so! Gehen Sie doch nicht *so* auf unserer Bühne herum!«

Aber wie gehe ich denn? Und Pat antwortete in dem verächtlichsten Ton, dessen sie fähig war: »Sie gehen wie ein Sargträger, der sich auf seine offenen Schnürsenkel tritt. Das ist deprimierend!«

Es hat keinen Zweck. Ich schaffe es nicht. Ich habe kein Glück. Kein Talent. Verheerende Probe. Am liebsten würde ich den Zug noch in der Nacht nach Freiburg nehmen. Ich habe mich wahrhaftig zu weit vorgewagt. Und wie nützlich könnte ich jetzt meinem Vater sein! Stattdessen betreibe ich hier das lächerlichste und fratzenhafteste Geschäft, das kein Mensch von Ehre und Verstand je über sich bringen würde. Der Regisseur, soviel habe ich begriffen, besteht zu drei Vierteln aus geliehener Macht, aus Projektion, aus Abhängigkeitsbedürfnis, womit ihn die Schauspieler ausstopfen wie eine Weihnachtsgans. Niemals aber werde ich ein solch scheinhaftes Machtgeschaukel beherrschen, niemals auch nur es erstrebenswert finden! Hier habe ich nichts verloren, an diesem letzten, innerlichsten Hinterhof des Absolutismus, an dem sich, ganz ins Nervliche verflossen und mit den falschen Tönen eines modernen Bewußtseins überdeckt, die Zentralgewalt des Souveräns erhalten konnte. Und was ein solcher Regisseur nicht selber an sich hat, das wird ihm durch die erhöhte Stellung ausgeliehen, die Mitte macht den Mann. Ich weiß sehr wohl – schon manchem hat das Theater als wahrer »Persönlichkeitsbrunnen« gedient; ein unscheinbarer Fips ging er hinein und kam garantiert mit dem gewissen Etwas wieder heraus. Falls er sich nicht hat unterkriegen lassen, falls er nicht zu skeptisch und zu aufrichtig war ... Aber was das schlimmste ist: ich kann nicht mit Menschen umgehen. Ich besitze nicht das Geschick, sie für meine Sache zu gewinnen. Auch der Bühnenbildner hat mir jetzt eine Absage erteilt. Meine Vorstellung, den Raum in ein heruntergekommenes Futur zu übersetzen, sei nicht realisierbar, sagt er. Natürlich ist sie realisierbar! Man muß es nur wollen. Aber ich schwieg. Ich war zu niedergeschlagen. Morgen werde ich rücksichtslos sein. Auch wenn es noch so schlimm kommt: ich werde selbstbewußt auftreten. Ich werde sie alle im Handstreich überzeugen. Andernfalls gibt es einen unerhörten Zusammenbruch. Pat und Margarethe werde ich hart anfassen. Ich muß sie moralisch besiegen. Ich muß ihnen eine Botschaft bringen. Sie müssen lernen, daß sie zu dienen haben, zu dienen und nochmals zu dienen. Nicht mir, sondern dem Stück und der gemeinsamen Mission. Ich werde sie anhalten, mit blutigem Ernst, mit heiligem Eifer zu Werke zu gehen. Ich werde es nicht zulassen, daß sie wie die Flamingos eitel über den Text hinwegstolzieren ...

Doch was will ich wirklich?

Ich besitze ja keine Lehre, keine Theorie, keine Vision von einer neuen Schauspielkunst. Was mir fehlt, ist die klare Richtung für meinen Kampf. Wo will ich denn Erneuerung? Ist nicht, was mir vorschwebt, ganz einfach das perfekte Spiel – der Idee nach dem perfekten Mord verwandt? Das wäre freilich etwas, das man bestenfalls schon immer hätte erreichen können. Nichts grundsätzlich Neues also. Aber ist es nicht gerade ihre Perfektion, die mich so heftig abstößt, ihr unmenschliches Können, das mich behindert? Es wird mir schlecht, wenn sie ihre hohlen Gesten abperlen, wenn ich sie in ihren glatten, prahlerischen Theatergängen dahinschnüren sehe . . .

Oh, zersägt von tausend Widersprüchen, statt *eines* Geistes Kind zu sein! Ich kann ihnen ja doch nicht beikommen. Sie verstehen mich nicht. Ich laß sie laufen, wie sie eben laufen. Nein, wahrhaftig: sie haben keinen Geist in den Knochen . . . Sie beachten die Menschen nicht mehr, niemand draußen kann noch Eindruck auf sie machen. Alle ihre Bewegungen stammen aus dem Fundus.

Ich hörte sie nur noch von fern, leises Fauchen der Raubkatzen. Manchmal ein törichtes Gewisper.

»Ich glaube, er leidet unter Absencen. So traumstarrend wie er dasitzt. Ich habe einen Neffen, der hat diese kleinen Anfälle, dieses . . . Petit mal.«

»Das kleine Übel . . . das kleinere Übel.«

»Ich meine, ich weiß bis heute nicht, was wir da eigentlich spielen.«

»Ich finde, das Stück erzählt eine ganze Menge über uns.«

»Über uns? Finde ich nicht.«

»So mußt du dir's vorstellen: du wirst Margarethe durch mich. Und ich, Pat, werd nur ich durch dich.«

Da erhob ich meine Augen mühsam und sprach sie an. Schwer, beinahe lallend.

»Es muß noch etwas dahinter sein, hinter Ihnen, ein Raum . . . spüren Sie ihn? Der hintere Raum dort.«

Pat legte ihre Fingerspitzen an die Schläfen und straffte ihre Stirn.

»Was meint er bloß? Bin ich denn vollkommen verblödet?«

»Und hinter Ihnen, Margarethe, muß auch etwas dahinter sein. Hinter Ihrem Rücken, eine Riesin. Spüren Sie es? Können Sie mich verstehen?«

Margarethe antwortete: »Kaum. Ich verstehe Sie kaum noch.«

Nun stand ich auf und rief aus Leibeskräften: »Und ich verstehe nicht, was Sie da oben spielen!«

»Hören Sie, Leon«, erwiderte sie gelassen, »hinter mir ist gar nichts. Hier steh allein ich. Eine einfache Schauspielerin. Sie müssen schon vorliebnehmen mit dem, was Sie *vor* sich haben!«

»Ich bin der Lehrer, ich will es Ihnen zeigen, das geheime Reich, ich bin Ihr Führer!« rief ich wie toll und bäumte mich auf. Dann aber sank ich zusammen. Ich war nicht mehr bei Sinnen. Ich rannte aus dem Theater, rannte halb bewußtlos durch die Straßen, hinunter zum Rhein, hetzte auf der Promenade hin und her, wie ein Hund hinterm Zaun, immerzu am Fluß entlang, aufwärts, abwärts, als müßte ich seinem ständigen Abschied entgegenwirken.

»Das ist der Winter!« rief ich zum Wasser hinunter, »das ist der Winter, der kalt und streng und einsam ist. Aber ich werde auch mit dir noch fertig, Freundchen . . .«

Später muß ich in die Kaufhäuser gelaufen sein. Auf einmal befand ich mich in einer großen Halle mit vielen Ständen. Dort mäkelte ich an allen Waren herum und stritt mit den Verkäuferinnen. Manches von meinem abwegigen Verhalten bemerkte ich peinlich genau, konnte es aber nicht unterbinden. Anderes geschah ohne mein Bewußtsein. Welch ungeleitete Gänge mußte ich tun! Ich verschwand in der Höhle des endlosen Theaters, es umgab mich wie eine Vierte Dimension. Das Schweigen, das Atmen, das Wissen. Ich sah alles, was ich brauchte. Ich wußte mein Teil. Manchmal schlug noch ein Blitz herunter, von oben aus dem bestürzten Verstand. Ich sah's aber wie auf einer Pfütze, die still den wilden Himmel spiegelt.

mehr auf den Proben. Ich mußte den ganzen Tag laufen. Ganz so wie der Mönch von Heisterbach hatte ich meine Zeit verloren. Dieser war doch im Grübeln über dem Bibelwort, daß vor dem Herrn tausend Jahre wie ein Tag seien, unmerklich entrückt worden und erst dreihundert Jahre später zu seinem Kloster heimgekehrt.

Auch ich hatte einen Besuch auf der anderen Seite der Zeit gemacht, und als ich nach zwei Tagen wieder ins Theater zurückfand, da war mir, als wachte ich in einem anderen Lebensalter auf.

Jetzt wußte ich, in welche Richtung ich mich vorkämpfen mußte. Jetzt ging es nicht mehr um irgendeine Inszenierung, die gut oder schlecht ausfallen würde, es ging einzig darum, diese Prüfung zu bestehen. Das Theater war jetzt deutlich zu erkennen als eine eherne Pforte, die ich durchschreiten mußte, um die weiteren Schritte ›hinter die Dinge‹ zu tun, wie Alfred es genannt hatte.

Nun erschreckte es mich auch nicht mehr, daß vor diesem Tor zwei grausame Schauspielerinnen wachten, die nicht zu meiner Unterhaltung, sondern zu meiner schmerzhaften Weihe bestellt waren.

»Du hast einen großen Sprung nach vorne gemacht«, sagte Pat zu mir und gab mir ein zaghaftes Lächeln. Auf einer langen, erschöpfenden Probe war es uns zum ersten Mal gelungen, die dunkle Konvention zu berühren, die unsere Zofen zusammenhalten würde und die es den Schauspielern ersparte, ihre Individualität zu überfordern. Nun lächelten sie, Pat und Margarethe, sie gaben sich beflissen und zutraulich, fast als hätten sie die ganze Zeit über die peitschenschwingenden Initiationswärterinnen bloß gespielt – aber für mich *waren* sie es!

Ich weiß nicht, wie es geschehen konnte, aber von nun an gingen die Dinge leicht. Ein beharrliches Gleichgewicht, in dem ich mich selber befand, hob auch außer mir allen Streit und alle Verspannungen auf. Gemeinsam mit den Schauspielern gelangte ich zu einem sicheren Ausgleich von Zeigen und Schauen, Handeln, Wirken und Verstehen. Nichts mußte mehr erpreßt, nichts vom Himmel gezerrt werden. Meine Worte, so dünn sie auch waren, schienen gewissermaßen verstromt worden zu sein, denn obgleich ich kaum etwas anderes sagte als früher schon, setzten sie sich doch gleichmäßig in Energie um und bewirkten nützliche Fortschritte. Vielleicht lag es aber auch daran, daß ich bis zu dem entscheidenden Zeitpunkt durchgehalten hatte, da aus der kreisenden Wiederholung ganz von selbst einflußreiche Kräfte hervorgingen. Wie auch immer, der Fuchtler war zum Verfüger geworden.

»Du hast eine günstige Entwicklung durchgemacht in den letzten Tagen«, sagte nun auch Margarethe, und es fiel auf, daß sie mich häufig bei der Hand nahm und mich gern in der Nähe ihres schönen, schlanken Körpers spürte.

Aber ich sah doch schon, daß ich nicht bleiben würde. Das Theater konnte mich nicht festhalten. Es war mir nur als ein Übergang von Nutzen. Ich dachte mir eher: das Märchen gebar einst den tapferen Jungen, das Theater nun den erwachsenen Mann, und so entstehen wir fortdauernd von Fruchthülle zu Fruchthülle. Wie aber würde es weitergehen? Welches sollte denn meine nächste Verwandlung sein?

Schon zog es mich immer häufiger an den späten Nachmittagen in die Straße hinein – die Straße, in der ich zuvor Ohnmacht und Unglück ausgebadet hatte, in diesen blinkenden Fluß der Augen und Waren, der mich erst verschlungen und dann wieder hatte aufleben lassen. Die Straße, in der ich Krise und Klärung erfahren hatte. Und je länger ich schritt und je stärker ich schaute, umso mehr enthüllte sich mir, der ich unter Tage arbeitete, das normale Leben, die anfallende Gegenwart als ein ausladendes Gemälde in übertrieben leuchtenden Farben, eine einzige gewaltige Bewegung aus Zeit und Unzeit, vielfach verschlungen und stets auf der Kippe, augenblicklich zu einer ungeheuren Plastik, zu einem schreckhaften Monument zu erstarren, zu schwirrendem Stillstand zu gelangen.

So konnte ich es nicht unterlassen, nach den Proben immer zu laufen und Ausschau zu halten. Dabei hatte ich mich eines Tages weit hinausverloren und war wohl bis ans Ende der Straße gekommen. Hier betrat ich verlegen den flachen, leeren Wiesengürtel, den Anger, der ein Sportfeld, ein weites Stadion umgrenzte. Durch einen hohen Maschendrahtzaun konnte ich erkennen, daß in der Ebene ein Wettkampf unter Leichtathleten ausgetragen wurde. Als ich aber näher herantrat, da verengte sich mein Blick und hielt auf den Vordergrund. Ich betrachtete die vorgebeugten Nacken von vier in Reserve stehenden Sportlern, die wenige Meter hinter dem Drahtgitter verweilten und sich in ein vages Warten schickten. Es waren zwei weibliche und zwei männliche Läufer. Gemeinsam nach vorne zum Kampfplatz ausgerichtet, standen die Männer im Rücken der Frauen und stand jeder der vier einzeln auf Abruf, im Feld der Ersatzleute, *bereit*. Ich konnte mich von ihrem Anblick nicht lösen, und je länger ich ihnen in den Rücken starrte, umso begreiflicher wurden mir auf einmal die absurden Weisheiten des Zenon über das unbewegte Stückwerk der Zeit. Denn unter den säumenden Läufern schwirrte

Der stehende Liebespfeil

Ihre Haut bleibt mondweiß unter unserer Sonne. Zwei Frauen, zwei Männer. In Shorts aus dunkelrotem Satin, in weißen Trikots ohne Nummern. Ersatzleute am Rande des Sportfelds, lose darauf gefaßt, an den Start gerufen zu werden. Die Frauen tragen beide kurzes Haar, die eine im runden Pagenschnitt, die andere in länglicher Haubenform. Alle vier sind von schlanker Gestalt und beinahe gleich groß gewachsen. Die Männer fahren ab und zu mit der flachen Hand über die Bauchdecke und schieben sie unter den Hosenbund. Die Frauen stehen mit ihren hohen, zähen Rücken vor den Männern. Mal kreuzen sie die Arme unter den Brüsten und blicken hinab in die Arena, mal stemmen sie sie in die Hüfte und rollen die Schultern vor. Dann blicken sie zu Boden und stoßen mit den Spitzen ihrer Läuferschuhe kleine Steine von sich weg. Ihre größte Aufmerksamkeit aber gilt der überaus gerechten Lautsprecherstimme, die in gewissen Abständen die Ergebnisse der Wettkämpfe verkündet. Eine Frau lockert mit beiden Händen ihr Haar. Die andere kratzt ihr Knie. Niemals fassen sie unter den Hosenbund. Der Blick des Mannes auf der linken Seite ruht in der unteren Rückgratrinne der vorstehenden Frau. Dort klebt ihr Hemd an der feuchten Haut. Sie kippt die Spikessohle ihres rechten Fußes nach innen. Der Mann hinter ihr pflückt mit Daumen und Zeigefinger an seinem Nasenflügel. Neben ihm stützt der rechte Mann beide Hände auf sein Nierenlager, die Ellbogen angelegt wie gespannte Ohren. Die Frau vor ihm dreht sich auf dem Absatz ihres rechten Fußes einmal um ihre Achse, und ihr Blick kreuzt dabei kurz den ihres Hintermanns. Sie hält die Arme weit ausgestreckt und zieht die Finger zu sich leicht an, so daß sie wie Flügelspitzen abstehen. Anschließend hievt sie wechselnd beide Schultern, und ihr Hintermann beobachtet die auf- und absteigenden ›Mäuse‹ ihrer Schulterblätter unter dem Trikot. Der linke Mann kneift mit Zeige- und Mittelfinger eine kleine Falte in seine Bauchhaut. Er starrt auf eine starke blaue Ader in der flachen Kniekehle der Vorderfrau. Sie steht mit steif durchgedrückten Knien und gespannten Gesäßmuskeln, die Arme wiederum unter den Brüsten verschränkt. Der Mann hebt seinen Blick bis zu dem fiederteilig nachwachsenden Flaum in ihrem ausrasierten Nacken. Die Finger ihrer linken, unter den rechten Ellbogen geklemmten Hand quetschen und zupfen die dünne Haut über einem Rippenbogen. Im Armwinkel steht ihr abnorm spitzer, mit brauner, faltiger Hornhaut überzogener Musikantenknochen hervor. Der Hintermann beugt nun den Oberkörper und stützt seine beiden Hände über den Knien auf. Sein Kopf nähert sich ihrem Rücken, nur wenige Zentimeter fehlen zur Berührung von Scheitel und Steiß, so blickt er unter sich auf den trockenen Lehmboden und läßt bei gestautem Atem das Gesicht puterrot anlaufen. In den Achselkuhlen der rechten Frau liegt ein dunkles verzwirbeltes Haarbüschel, in der Spitze aber bleich, fast weiß. Dort füllt sich ein Schweißtropfen und fällt ab, trifft kühl auf ihre am Hüftknochen eingeknickte Hand. Sie wischt daraufhin, Arme überkreuz, mit den Innenhänden durch das Achselhaar, schüttelt die nassen Finger aus und streift sie über die roten Shorts. Der Mann in ihrem Rücken dreht sich um, greift einen winzigen Erdklumpen und schleudert ihn gegen den Zaun. Dann richtet er sich wieder nach vorn. Die leise, allgewaltige Stimme, welche Zeiten, Namen, Siege verkündet, diese warme Schallquelle, fließt in das Stadion. Eine Stimme, so hauchdicht am Mikrofon und so wunderbar verstärkt, daß sich verhaltene Gerechtigkeit von hier bis zum Horizont auszubreiten scheint. Bald, gewiß bald werden auch sie, die stehenden Wettkämpfer, aufgerufen von dieser weithin sorgenden Instanz. Aber wie, wenn sie gar nicht zum Einsatz kämen, wenn sie am Ende doch nicht benötigt würden und sich selbst überlassen blieben? Plötzlich würden sich die Frauen einmal für immer umdrehen und stünden im Angesicht ihrer Hintermänner. Diese aber sähen nicht länger über die weibliche Schulter dem Kampf entgegen − sie sähen dann nur noch *bis ans* Auge der Frau.

Aber da − endlich! Endlich ruft die große, gerechte

Stimme auch ihre Namen ein. Doch nun ist das Sportfeld schon lange geräumt von Mannschaften und Zuschauern, und der blasse Mond schwebt über dem leeren Stadion. Da begeben sich die leichten Nachläufer, die späten Ersatzleute hinunter zum Start und ziehen schlafwandelnd über die verschossene, mondhelle Aschenbahn Runde um Runde, erstreben Rekorde in einer Leistung, die nach dem Zeitmaß des Säumens berechnet wird.

Eine große Wolke mit aufgerissenem Fenrir-Rachen näherte sich dem Mond, und ich verdeckte mein Gesicht.

Der Wald

Nach der Mittagspause kehrte die junge Bankkauffrau zu ihrem Wagen zurück und fuhr unschlüssig in den fremden Stadtteil hinein, vor dem sie eine Rast eingelegt hatte. Zu diesem Zeitpunkt besaß sie nicht mehr die mindeste Erinnerung daran, zu welchem Ziel hin sie aufgebrochen war und welch dringendes Geschäft es hierherum zu erledigen galt. Sie war auf dem Weg – zu wem? Sie hatte die Absicht – was zu tun? Sie rief sich ins Gedächtnis – welche Anhaltspunkte? Ohne Zweifel hatte sie draußen in Dellbrück eine Verabredung wahrzunehmen. Oder war es Pfaffrath? Irgendwo am nordöstlichen Stadtrand von Köln sollte ein Kunde besucht, eine Finanzierung abgesprochen werden. Wie anders hätte es sie sonst in diesen ihr unbekannten Vorort verschlagen? Doch wer war es? Worum ging es? Wahrscheinlich, daß es sich um eine Angelegenheit allerersten Ranges handelte, um etwas, das vorderste Berücksichtigung verdiente, etwas so Selbstredendes obendrein, daß sie es nicht einmal für nötig befunden hatte, darüber eine Notiz oder einen Merkzettel anzulegen. Nach etwas Derartigem suchte sie nun seit längerem in ihrer Handtasche vergebens. Nein, der geschäftigen Frau war es spurlos entfallen, wann, wo und mit wem sie verabredet war.

Das kleine, zugige Loch in ihrem Pflichtbewußtsein erweiterte sich indessen in dem Maße, als sie ziellos weiterfuhr und sich unnachgiebig zur Besinnung zwang. Das Fehlende selbst öffnete sich wie eine Pforte, bald schon wie ein erhabenes Tor, durch das – mit Ausnahme der einzig benötigten – eine Vielzahl bunter und ferner Erinnerungen hereinströmten und die Fahrerin merkwürdig zerstreuten. Dabei erkannte sie nur die wenigsten dieser Erinnerungen als ihre eigenen, die meisten hingegen schienen gar nicht aus ihr selbst, aus ihrem bisherigen Leben hervorzugehen, sondern vielmehr aus den Schicksalen anderer Leute auf sie überzufließen. Gerade so, als betätige sich ihr undienlicher Geist nun obendrein als Dieb von Daten und Gedenken und zapfe, durch welch höhergeartete Berührung auch immer, die Lebenssphären fremder und früherer Menschen an. In diesem Zustand, der ihr keineswegs bloß unbehaglich war, verspürte sie nun nicht mehr das Bedürfnis, in ihr Bankhaus zurückzukehren, sondern nahm es schließlich hin, ohne Plan und mit verlorenem Termin weiterhin durch die Straßen zu rollen und bald auch über die Stadtgrenze hinauszugelangen. Nachdem sie über einige Kilometer neben flachen, schmutzig grünen Weiden dahingefahren war, gab sich in absehbarer Entfernung am Straßenrand eine männliche Gestalt zu erkennen, die durch gleichmäßiges Winken ihren Wagen anzuhalten wünschte. Als sie nun aber abgebremst hatte und im Schritt an den Mann heranfuhr, hatte sich dieser längst abgewandt und in einen geradeaus strebenden, nichts begehrenden Spaziergänger verwandelt. Er hatte sich aber nicht bloß eines Besseren besonnen, nämlich doch lieber zu Fuß weiterzukommen, sondern seine ganze Haltung und sein Marscheifer deuteten an, daß er nicht einmal im Traum daran gedacht haben könnte, unterwegs ein Auto aufzuhalten und sich mitnehmen zu lassen. In der unverhofften Umkehr von Bitte und Gewähren war der Fahrerin plötzlich selbst ein Ersuchen bewußt geworden: sie kurbelte also das Seitenfenster herunter und richtete ihrerseits das Wort an den verschwundenen Anhalter, diesen Meister des Ungeschehen-Machens. Sie fragte ihn nach der Ortschaft Heisterbach und ob er ihr den kürzesten Weg dorthin angeben könne, denn dieser Flecken mußte sich – so hatten es ihr die fremdartigen Erinnerungen gewiesen – im weiteren Umkreis, in nicht allzu großer Entfernung von Köln befinden. Der Aufgehaltene beugte sich bereitwillig an ihr Fenster, und zu ihrer Verwunderung blickte sie nun in das Gesicht eines bekannten Künstlers, von dem sie freilich auf Anhieb nicht wußte, wo sie ihn hinstecken sollte. Sein Name, ja nicht einmal sein eigentliches künstlerisches Fach wollten ihr sogleich einfallen, sie kam nicht darauf. Es war lediglich ein allgemein bekanntes Gesicht, das sich ihr zugeneigt hatte, und der Berühmte nickte nun nachdenklich, um ihr kurz darauf die zuverlässige Antwort zu geben. »Fahren Sie nur immer in Pfeilrichtung«, sagte er mit seiner unverkennbaren, kupferbeschlagenen Stimme. Die leichten, wenigen Worte, auch sie enthielten noch einen Hauch vom Millionenerfolg, und die Kauffrau nahm sie dankbar entgegen; sie galten ihr fortan als vollwertiger Ersatz für die verlorene Orientierung. So fuhr sie denn guter Dinge voran, und wirklich entdeckte sie an so vielen Stellen die nachdrückliche Pfeilrichtung, daß ein Irren und Sich-Verfahren ausgeschlossen war. Ob es sich nun um den vorgestreckten Arm eines auf seine Uhr blickenden Mädchens handelte, den Schnabel einer Krähe oder sogar um die aus einem geplatzten Zuckersack ausgestreute weiße Spitze – all dies kam der Fahrerin rechtzeitig genug unter die Augen, bevor noch eine Weggabelung, ein unbestimmter Abzweig sie hätte in Zweifel bringen können. Unter dieser mehr als beredten Führung verließ sie schon bald die asphaltierte Straße und fuhr querfeldein auf einen Acker zu, der ihr von einem Lichtpfeil aus einem Wolkenspalt deutlich bezeichnet worden war. Hier wurde nun das Gelände für ihren eher feinen als robusten Wagen unwegsam, und sie mußte wohl oder übel zu Fuß weiter. Sie stieg aus und entdeckte in der Nähe sogleich einen matten Feldweg, der, spannungslos wie ein Bindestrich ohne Wörter, aus dem Gras hervorging und wenig später wieder darin verschwand. Doch die Anlageberaterin, nun schon geübt genug, erkannte in dem scheinbar unnützen Weg den eigentlichen Wegweiser und zumal drüben, jenseits des breiten Ackers, eine bedächtig nickende Föhrenreihe sie zum Wald hin lud, konnte ihr keine Ungewißheit entstehen. Sie trug spitze Schuhe mit hohen Absätzen; diese sowie ihre seidenen Strümpfe zog sie nun aus und lief mit rohen Füßen über die borstigen Ackerrippen. Als sie danach durch die vordersten Büsche und Sträucher vordrang und bald schon unter der dunklen Nadelholzkuppel stand, kam es ihr vor, als hätte sie den Wald durch seinen übelsten Hinterausgang, als hätte sie ihn geradezu durch seinen After betreten, so von Abfällen übersät war hier die Gegend. An den Zweigen, als wären es Caféhausständer, hingen Papierfetzen und Kleiderreste, Limodosen und Schutzgummis lagen auf dem Nadelteppich, die Steine hatten schwarze Rußflecken, leere Plastikbehälter und Hähnchenknochen umgaben sie, ein zerrissener Liegestuhl, ein giftgrüner Gummistiefel, Zeitungen, Watte, Polaroidschachteln, lauter scheußlicher, schlüpfriger Unrat bedeckte den Boden. Die Kauffrau bückte sich unter den tiefhängenden, abgestorbenen Kieferzweigen hinweg und suchte auf einen sauberen, bequemen Weg zu kommen. Da herrschte sie plötzlich eine schrille Weiberstimme an. »Verzieh dich!« schallte es durch das öde Gehölz. Sie fuhr herum und entdeckte die junge Einsiedel-Nutte, die auf drei aufgestapelten Autoreifen hockte und neben einem Spirituskocher ihre nackten Beine wärmte. Auf ihrem runden Gesicht lag die grelle Schminke fad und zerlaufen, im halb verwilderten Haar stak ein Kranz violetter Kleeblüten. Sie trug nichts weiter als einen langen, durchlöcherten Pullover, der bis auf die Oberschenkel reichte und aus dem viele lose Maschen heraushingen, sowie ein Paar hohe Korksandalen an den bloßen Füßen. Die Kauffrau, zu diesem Zeitpunkt ihrer Wanderung noch nicht um Spott und Geistesgegenwart verlegen, betrachtete ihre schiefe, verworfene Geschlechtsgenossin ein wenig herablassend und fragte, wie sie denn hier im abgelegenen Forst überhaupt auf ihre Kosten, nämlich auf eine genügende Anzahl von Freiern käme. Die junge Waldhure griff nach einem Stein und drohte ihn dem Eindringling an den Kopf zu schleudern. Doch ließ sie den dürren, ungelenk zum Wurf ausholenden Arm kurz darauf wieder sinken und erklärte mit gedämpfter Stimme: »Hier ist noch keiner an mir vorbei. Wenn er nur kommt, so läßt er die Gelegenheit nicht aus. Das ist im Wald eben so. Sonst aber ist mein Zuhaus drüben in der Jagdhütte. Jedenfalls die Woche über, wenn der Bonze nicht da ist.« Die Anlageberaterin wendete sich in die vom Hurenkinn gewiesene Richtung, und wirklich, dort sah sie an einem frischen Montagvormittag dies selbe Mädchen unter der offenen Dusche stehen, die neben der Hütte im Freien angebracht war. Hinter einer hölzernen Klappjalousie seifte sie die Achseln und die hochgestreckten Arme. Im dichten Wassergespreng bildete sich ein großer, mehrpfündiger Fisch und floß an ihr herunter.

»Ja, das ist nicht schlecht«, sagte die Kauffrau nach einem kurzen Blick auf den Wochenbeginn, »man könnte dich beneiden.«

»Der Jäger ist allerdings ein gemeiner Bonze«, erzählte nun die Klausnerdirne, »jedoch: nicht nur das. Mit ihm hat es noch eine grausliche Bewandtnis. Er ist zwar in seinem Alltagsleben nur ein harmloser Wattefabrikant, aber seinem ganzen Wesen und Treiben nach ist er vor allem

Der zurück in sein Haus gestopfte Jäger

Einmal durchkämmte eine Riege von Polizisten mit Spürhunden den hiesigen Wald, denn sie waren auf der Suche nach einem vergrabenen Bankräuberschatz. Jenseits der langen, vorrückenden Mannschaft, drüben im Birkenhain, wohin der Jäger zum Aufbruch bereit war, versammelte sich wie zu jeder Dämmerung das reichliche Niederwild. Den Jäger, durch die langsame Such-Riege abgeschnitten von seinem Revier, beschlich eine leise Verstimmung.

Diese verstärkte sich noch, je länger er warten mußte, und bald schon war es keine Verstimmung mehr, sondern eine Woge des Jähzorns erhob sich in ihm und trug den ganzen Mann bis an den Rand des Blutrauschs fort. Gewaltsam daran gehindert, sein Haus zu verlassen, seine Beute zu machen, verwandelte sich ihm zuerst das Hobby, der Ausgleichssport, der Wille zur Freizeit in eine angestaute Leidenschaft. Sodann wandelte sich der Leidenschaftsstau in ein innerliches, aber doch schon schweres Verbrechertum, und dieses schließlich, ebenfalls unterdrückt, wandelte sich in eine nur kurz vorm Ausbruch zurückgehaltene Bestialität. Über diese Stufen der Gierverwandlung war der Jäger von einer leisen Verstimmung bis bald an die Grenze seiner Entartung vorangeschritten. Übermäßige Pressung und Drosselung eines harmlosen Jagdeifers hatten dazu geführt, daß eine gefährliche Willenskernverschmelzung in ihm stattfand, eine gewaltige Energieverdichtung, die ein Mensch kaum mehr als er selber zu überleben vermag. In Wahrheit gab es nun für ihn kein Halten mehr, er hatte ja längst den Gipfel seiner Verformung überschritten, er *war* bereits der nur noch spärlich verkleidete Wolfsmensch oder Blutsauger, der nun freilich nicht mehr auf Jagd nach Niederwild auszog.

Was aber, da er die äußerste Landspitze des Menschseins erreicht hatte, sollte nun weiter mit ihm geschehen? Von Herz und Gebiß bereits ein Ungeheuer, hatte er auch jede Art der Verzweiflung eingebüßt und die Fähigkeit verloren, die nur einem Wesen mit tragischem Bewußtsein, dem Menschen, vorbehalten ist, nämlich sich selber zu vernichten, um Schlimmeres zu verhüten.

Die Polizistenriege hatte mittlerweile seine Hütte erreicht und erbat Einlaß, um auch diesen Ort gründlich zu durchkämmen. Der abgewandelte oder entartete Jäger riß seine brüchige äußere Bürgerhülle noch einmal fest zusammen und ließ die Beamten durch sein Haus und über sich selber hinwegschreiten. Sodann trat er in die offene Tür. Drüben der Birkenhain, frei zugänglich das Ufer des Wilds, das Ufer seiner fröhlichen, sportlichen Tötungsvergnügen. Jedoch, er nimmt es nicht mehr wahr, ein trübes, lebloses, verschwommenes Feld. Er verläßt nun die Hütte und wendet sich vielmehr in die umgekehrte Richtung. Das Pirschraster seiner vergrausten Augen erfaßt nun den Rücken des letzten, ein wenig hintangebliebenen, blutjungen Beamten ...

Als die Kauffrau die Geschichte des Jägers angehört hatte, verabschiedete sie sich von der Einsiedel-Hure, die am Wochenende aushäusig kampieren mußte. Sie fand nun heraus aus dem dunklen Nadelgrund und konnte auf einem breiten Waldweg ihre Suche und Wanderung fortsetzen. Doch schon nach der nächsten Biegung stand sie unversehens vor einem Schlagbaum, der an verschlossener Kette lag, ähnlich jenen, die dem motorisierten Verkehr den Durchgang versperren. Der Balken trug indessen einen empfindlichen blaßblauen Anstrich und schimmerte beinah durchsichtig und ungreifbar. Die Farbe erinnerte sie an einen hohen, offenen Winterhimmel, an Ferne aus unzerbrechlichem Porzellan. Doch die im Wald unerfahrene Kauffrau zögerte, die Schranke ohne weiteres zu überschreiten oder zu umgehen. Irgendetwas ließ sie vermuten, daß sie dahinter höchst unsicheren Boden betreten würde. Daß dort womöglich der Zusammenhalt ihrer Person nicht länger gewährleistet bliebe und ihre Beine, ihre Augen und ihr Herz getrennte Wege einschlagen könnten, ja daß ihre kostbare und erfolgreiche Vernunft wie ein Haufen aufgescheuchter Hühner auseinanderstieben würde.

So verhielt sie sich unschlüssig, vergrub die Hände in ihren Manteltaschen und fäustete ihre fünf Sinne. Als sie sich jedoch einmal, nur probeweise, umkehrte und plötzlich vor ihrem Rückweg stand, da traf sie der goldrote Pfeil, den die absteigende Sonne durch die Tannenwipfel schickte, und nun war kein Zweifel mehr, daß sie unbedingt voranzuschreiten hatte. Auf der anderen Seite ging es indes sehr merkwürdig zu. Als erstes erkannte sie eine gewundene Vereinigung von Marschierern, eine träge Menschenschlange kroch ihr entgegen. Die Prozession, in Zweierreihe gebildet von einigen Dutzend Männern und Frauen, wurde angeführt von einem dickwanstigen Bauarbeiter-König und seiner jungen, derben Frau, auf die sich der schwere und betrunkene Machtmensch stützte, während er seine Wanderung in schlängelndem Kurs fortsetzte. Den beiden an der Spitze folgte in gegliedertem Zug das kleine Volk, das, wie sein schlaffer Gesang verriet, aus seiner ›Ödnis‹ herausgeführt werden wollte. Die Menschenschlange war in enge Gruppen und Kasten unterteilt, obgleich sich hierbei keine deutliche Rangfolge abzeichnete, denn es schlossen die Physiker hinter den Köchen auf, es folgten die Busfahrer und -fahrerinnen den Datenverarbeitern, den Kämmerern die Kneipenwirte und denen die Makler, die Müllmänner, die Animateure und viele, viele andere, bis endlich die hübschen, nichtsnutzigen Fotomodelle den Abschluß der wohlgeordneten Gesellschaft bildeten. Der Obmann oder die Obfrau jeder Sektion trug auf der Schulter einen rückgewandten Lautsprecher, durch den das heisere Erlösensgeflüster des Bauarbeiterkönigs bis zum hintersten seiner Gefolgsleute übertragen wurde. Hin und wieder spritzte aus einer Gruppe ein Einzelner hervor und lief zu einer anderen über, die weiter vorn oder auch weiter hinten marschierte. War aber das entlaufene Fotomodell erst einmal zum Clan der Busfahrer gestoßen, hatte es sich gehorsam einzugliedern und an die dort geltenden Sitten und Sorgen anzupassen. Erst wenn es durch und durch die echte Busfahrerschaft angenommen hatte, durfte es weiter voraus- oder in seine alte Gemeinschaft zurückspringen. Einmal in die Fremdgruppe eingedrungen, wurde der Wechsler, auch wenn er vorher ausgesprochen friedliebend war, sofort zum Streithansel. Immer entstand um ihn herum Zank und Gezeter, und er wurde so lange unsanft behandelt, bis er sich fügte. So herrschte an den Flanken des Zugs viel Bewegung und Unruhe, während im ganzen die Kolonne sich in gefestigter Ordnung dahinwand. Denn auch der Kopf der Menschenschlange, der auf seine Frau gestützte Bauarbeiterkönig, schien trotz Schlagseite und Rausch weder an Ansehen noch an Führungskraft verloren zu haben. Jedoch, wenige Meter von der Schranke entfernt, hinter der die Kauffrau den befremdlichen Umzug beobachtete, legte der König plötzlich das Kinn in den Wind, verharrte einen Augenblick in tiefer Benommenheit und drehte sich mit dem nächsten Schritt über die linke Schulter zur Seite, um nun gewaltsam die Richtung zu ändern. Daraufhin begann sich die Schlange zu ringeln, sie rollte sich in einer großen Innenwendung zusammen, so daß schließlich ihr Kopf hinter ihre Schwanzspitze gelangte. Im nächsten Augenblick begann nun das grausamste und widernatürlichste Schauspiel, das den nüchternen Augen der Geschäftsfrau je dargeboten wurde. Die Schlange fraß sich von ihrem Ende her Stück um Stück selber auf. Der Bauarbeiterkönig, offenbar von einem bösen Verdacht, von unstillbarem Mißtrauen angetrieben, fiel seiner hintersten Kaste in den Rücken und machte sie samt und sonders nieder. Und schon ging es weiter, schon biß sich das Tier weiter nach vorn, ergriff es eins ums andere die Organe und Gliedmaßen seines eigenen Körpers, verschlang die verblendete Majestät die geradeausschauende, treu ihm folgende Kolonne, stach und bohrte sich durch die ahnungslosen Rücken ihres kleinen Volks, bis der mörderische Argwohn – ja bis er endlich ganz vorn angelangt war und nichts mehr übrigblieb als die Führung selbst, hinter ihr aber nur Blut und Zerfall. Da spaltete sich auch das Haupt der Schlange und ein Auge blickte scheel und mißtrauisch in das andere, denn nun standen König und Königin einander mit blutigen Waffen gegenüber.

»Halt! Halt!« schrie da die Kauffrau hinüber, »ich weiß euch was Besseres, als daß ihr euch umbringt!« In höchster Not setzte sie über die Schranke zur Gleichen Zeit hinweg, doch kaum hatte sie den Boden des wandernden Reichs betreten, da befand sie sich auch schon an einem gänzlich anderwärtigen Ort. Von einem gespaltenen Schlangenhaupt war hier nichts mehr zu sehen. Oh, hätte sie ihn nur von hinter der Schranke laut hinübergerufen, jenen besseren Rat, den sie zu geben hatte, ihn gleich beim Namen genannt und wär nicht gesprungen! Jetzt, den Schlagbaum in ihrem Rücken, war es ihr nämlich entfallen, was sie den beiden zerstörerischen Menschen empfehlen wollte. Es muß wohl ein wunderkräftiger Rat gewesen sein. Doch schon erging sie sich auf einer friedlichen, abendfeuchten Lichtung, fernab von eben, und dabei war es ihr, als hinge der Greuel noch in derselben milden Luft, die sie jetzt einsog. Das Verhängnis des verwirrten Herrscherpaars, sein furchtbares Ende schien nur für kurz angehalten zu sein, der Blutrausch stockte nur für eine Atempause, um dann vollends den Rest zu besorgen – falls ihr nicht schleunigst das passende Wort, der erlösende Ratschlag beifiele. Daher war die Frau nun bereit, auf *jedem* Weg zu den beiden zurückzufinden, bevor noch der Zerschlagung der Gesellschaft die Zerschlagung des Paars folgte und die Geschichte besiegelt sein würde.

Es fiel ihr indessen nicht leicht, sich auf diesem launischen Territorium, das nicht von Wegen und Fährten, sondern von unsichtbaren Strömungen und Sogkräften durchbahnt war, zurechtzufinden und so behende fortzukommen, wie sie es selber wünschte. Sie hatte sich bereits nach mehreren Seiten umgeblickt und sich für keine Richtung entscheiden können, als sie zu ihrem Erstaunen bemerkte, daß sie sich unmittelbar neben einem turmartigen Bauwerk aufhielt, das die ganze Weile nur auf ihren Anblick gewartet hatte. Ein stumpfer Wehrturm, aus breiten, fast schwarzen Steinquadern errichtet, der weder Fenster noch Scharte aufwies und um die sechzig Meter in die Höhe ragte. Unverzüglich hielt sie auf die düstere, mächtige Ruine zu, in der Hoffnung, dort zu einer Aussichtsplattform aufzusteigen und einen Überblick über die ganze Gleiche Zeit zu gewinnen. Neben dem niedrigen Einlaß, der schmucklos in das rohe Gemäuer gebrochen war und anscheinend die einzige Öffnung des Bauwerks darstellte, saß dösend der Turmwärter und kippelte auf seinem angelehnten Stuhl. Er nahm die Besucherin freundlich in Empfang und erklärte, daß sie keineswegs vor einem Aussichtsturm, sondern vielmehr vor einem Kaufhaus stünde, das nach allen Seiten, auch zum Himmel hin, abgeschlossen sei, seiner reichen und empfindlichen Bestände wegen, und wie jede andere Schatzkammer in einem unluftigen Dunkel gehalten werde. Das Kaufhaus trug auch einen Firmennamen, und zwar hieß es ›Der Turm der Deutschen‹. »Hier ist so ziemlich alles zu finden, was in unserem Land und in unserer Sprache je nur beim Namen genannt worden ist.« So pries es der Wärter an. Obgleich sie eigentlich nichts kaufen wollte und nur dringend einen Ausblick gebraucht hätte, konnte die Beeilte ihre Neugierde kaum zügeln und wollte selbstverständlich den Turm von innen sehen. Der Wärter ließ sie eintreten, während er selbst draußen blieb und auf seinen Sitz zurückkehrte.

Im Inneren schlug ihr stockfinstere Nacht entgegen. Erst unterschied ihr Auge gar nichts, und nur der hingeworfene Tagschein von draußen, der als schiefe Raute um die Turmöffnung lag, bot ihr eine schwache Orientierung. Plötzlich aber sah sie sich umgeben von unzähligen blassen gelben Flämmchen, die überall durch die recht feuchte Luft schwebten und auch die Höhe des Turms erfüllten. Indem sie sich in solch genauer und plastischer Anordnung befanden, mußte wahrhaftig der Eindruck eines mehrgeschossigen Magazins entstehen, das ganz aus flackernden Lichttupfern erbaut zu sein schien. Dazu umkreiste sie nun auch ein hundert-, ja ein hunderttausendfaches Gewirr von Stimmen, die gleichsam aus allen Poren des Gemäuers stiegen und darin wieder, wie eingesogen, verschwanden. Schwärmen von winzigen, unsichtbaren Vögeln gleich, flatterten die menschlichen, die deutschen Stimmen im Turm auf und ab. Flüstern, Lachen, Schwätzen, Schreien, Beten, Jasagen, Wünschen und Schimpfen, alles war hier zu hören, und auch jede Eigentümlichkeit und jedes Zubehör an Timbre, Dialekt, Volumen, Tönung und was man sonst noch von einer Stimme verlangen wollte, hier war es auf Lager. Eher verwirrt als angetan von diesem schallenden Spuk, wollte die Kauffrau sogleich wieder hinauslaufen, denn sie meinte wohl, einem billigen Jahrmarktsschwindel, einer hohlen Ton- und Lichtschau aufgesessen zu sein. Im Ausgang stand nun allerdings der Turmwärter, und sein breiter Rücken versperrte ihr den Weg. Sie hörte, wie er sich gegen jemanden aussprach, der draußen vor ihm stand und dem er den Einlaß verwehrte. Doch konnte sie nicht hören, was da verhandelt wurde, denn der volle Leib des Manns stopfte die Öffnung beinah schalldicht ab. So rief sie laut in seinen Rücken: »Laß mich raus! Hier gibt es nichts zu kaufen!« »Ach so?!« antwortete der Wärter unmittelbar aus seinem Disput heraus, indem er sich leicht über die rechte Schulter zurückbeugte, »da gäbe es nichts zu kaufen? Und die Stimmen? Haben Sie die nicht gehört?« »Natürlich«, gab die Frau zurück, »die Stimmen, lauter schnelle Stimmen, man wird schier verrückt!« Darauf der Wärter – nachdem er wieder nach vorn gestritten und befohlen hatte –: »Die Stimmen, liebe Frau, sind nun einmal dieserorts die Waren. Hören Sie sich erst in Ruhe um. Prüfen Sie vor allem unsere preisgünstigen Gelegenheiten. Sie werden gewiß etwas Passendes für sich finden. Ich muß unterdessen dieses Monstrum hier abwehren, das seit langem Kaufhausverbot hat und unter keinen Umständen einen menschlichen Ton in seine entartete Kehle bekommen darf.«

Nun kehrte die aufgehaltene Frau ein wenig betrübt zurück in den schimmernden Stimmenladen, und die von den Flämmchen durchschwommene Luft erschwerte ihr das Atmen. Unweit des Eingangs erhob sich eine breite, flache Holztreppe und wand sich in einer Spirale, wie eine säuberlich entfernte Apfelschale, rund an der inneren Mauer des Turms in die Höhe. Hier stieg sie etwas mühsam aufwärts und glaubte dabei mehrere Etagen und Abteilungen zu unterscheiden, bemerkte auch, daß alle Stimmen, die vorher wild durcheinanderschwirrten, in Wahrheit nach vielerlei Ordnungen sortiert in den Mauersteinen einlagen, ganz so wie Kleider, Schmuck und Haushaltswaren in den Regalen und Ständen gewöhnlicher Kaufhäuser. Die gelben Flämmchen hier, vom Hauch der Stimmen genährt, bildeten Aufschrift und Preisschild. Einmal waren die Stimmen und Redeweisen nach Berufsständen eingereiht, man konnte den Automechaniker, den Frisör, den Meteorologen in ihrer jeweiligen Fachsprache reden hören; ein andermal wurden sie nach Klangfarbe, Tiefe und Tragweite unterschieden. In einer nächsten Etage gab es Stapel von Jargons und Redensarten aus den verschiedensten Epochen und Gebieten. Selbst ausgefallene Wünsche konnten berücksichtigt werden. Jugenddeutsch um 1920 war ebenso erhältlich wie Teufelsaustreibung oder Vaterlandspathos. Natürlich gab es auch eine Pornographieecke sowie unter besonderem Verschluß: die Sprache der Dichter und Philosophen, ähnlich den edelsten Weinen, die man im Kaufhaus in der Vitrine oder hinter schmiedeeisernem Gitter verwahrt. Und überall die ›offenen‹ Steine: das waren die Krabbelkisten, die Sonderangebote. In einer solchen kramte die Bankfrau gerade – es waren Dialekte und Mundarten im Ausverkauf –, da plötzlich hörte sie einen westfä-

lischen Klang, jemand aus Münster! Sie beugte sich näher
an den Stein und glaubte schon die Stimme ihres Vaters zu
erkennen – als im selben Augenblick jemand sie hart am
Arm packte, und für den Bruchteil der Sekunde sah sie vor
sich den aufgesperrten haarigen Rachen des Wolfmanns,
von dem die Einsiedelnutte erzählt hatte, und sie erschrak
zu Tode. Glücklicherweise war es aber nur der Kaufhaus-
detektiv, ein hagerer, grauhäutiger Mann, der vorgab, sie
soeben beim Stehlen beobachtet zu haben.

»Aber was soll ich denn hier gestohlen haben?« rief sie
beschämt und erregt, »hier gibt es doch gar nichts, was ich
gebrauchen könnte!« Der Mann mit einer flachen Stirn und
einem verknitterten kleinen Gesicht wies auf ihren Hals:
»Und was ist das da?« »Mein Hals!« »Und darin?« »Darin?
Darin ist . . . meine Stimme.« »Es ist keineswegs Ihre
Stimme. Noch vor kurzem habe ich Sie unten mit dem
Wärter reden hören, und das klang mir doch verteufelt
anders. Es war erstens ein dunkles, zweitens ein durch und
durch dialektfreies Organ.« Daran war nun leider etwas
Wahres. Die Frau hatte es wohl selbst schon bemerkt: im
Augenblick des Schocks, als sie *gleichzeitig* den Vater zu
hören glaubte, hart am Arm gefaßt und vom Bild des
Wolfsmenschen angefallen wurde, da war ihr die Stimme in
die alte heimische Tonart verrutscht, und seither sprach sie
auch ein wenig hell und schroff wie zu ihrer Kinderzeit. Sie
kam da gar nicht mehr heraus, sosehr sie sich auch bemühte
und räusperte.

»Sie haben gestohlen!« wiederholte der Aufseher barsch,
»kommen Sie, wir wollen uns Ihren Fall etwas näher betrachten.« Er faßte sie wieder an, zog sie hinter sich her, die
Treppe hinunter und dann, vermittels einer absenkbaren
Bodenplatte, schwebten sie in sein unterirdisches Büro. Das
war ein seltsamer Raum, rund wie eine Taucherglocke,
ausgestattet mit Video-Schirmen und Lauschanlagen, die
mit restlichtverstärkenden Kameras und Schweigesonden

verbunden waren, so daß man den Turm von hier aus immer beobachten und abhören konnte, auch wenn nachts vollkommene Stille und vollkommene Finsternis herrschten. Der Detektiv hatte zwar kaum eine Nase, dafür aber einen schwabbligen, feuchten Mund, an dem sich beim Reden Speichelblasen bildeten so groß wie Christbaumkugeln. Nun hatte er also die Bescholtene in seinem ungelüfteten Arbeitsraum. Er setzte sich schlaksig vor sie hin auf die Tischkante und zog beständig einen kleinen degenförmigen Brieföffner durch die Fingerritzen. Er beobachtete seinen Fang mit lüsterner Wachsamkeit und warf sich in die Pose eines verhörführenden Beamten. Doch die Frau gab bereitwillig Auskunft zu ihrer Person, nur daß sie durchaus nicht zugeben wollte, eine gestohlene Stimme in ihrer Kehle zu haben. Als er nun weiterhin auf ein Geständnis drang und sogar drohte, die Polizei zu rufen, da mußte sie über den erbitterten Fleiß des Detektivs rundheraus lachen, denn der hatte wohl seit langem niemanden mehr überführt und mußte schon um die Einsparung seiner Stelle fürchten. Erregt griff er zum Telefonhörer und herrschte sie an: »Ich werde Ihre Frau Mutter anrufen und ihr erzählen, was aus ihrer hübschen Tochter geworden ist. Nämlich eine tückische, schmutzige Ladendiebin! Wollen Sie das?«

Die Kauffrau zuckte die Schultern, denn sie wußte ja, daß ihre Mutter immer und in jeder Lebenslage zu ihr halten würde und daß sie sich im übrigen nichts vormachen ließe. Ihr Gleichmut reizte den überflüssigen Turmbediensteten, und er spielte sich nur noch unverschämter auf. Nun stürzte er sich in die sogenannte Motiv-Ermittlung, das heißt, er ermittelte gar nichts, sondern hieb mit einem trockenen Bündel psychologischer Begriffe auf sie ein. Sie sei doch die sattsam bekannte Wohlstandskleptomanin, die aufgrund irgendwelcher sexueller Versagungen nun im Kaufhaus ihr Unwesen treibe, krankhaft nach Dingen greife, die sie gar nicht benötige, und dies nur zu dem

Zweck, endlich entdeckt, gedemütigt und abgeführt zu werden, um sodann das intime Verhör mit dem Detektiv in vollen Zügen zu genießen. So schaufelte er blindwütig in den Hintergründen, wollte sie förmlich zunichte erklären und in den Zusammenbruch hineintreiben. Doch das gelang ihm nicht. Denn obschon ihr seine Ausführungen schmerzlich und widerlich anzuhören waren, fielen sie doch recht musterbogenhaft aus und verloren sich jedesmal im Allgemeinschweifigen, bevor sie ihre Person berühren konnten. Da er nun einsah, daß er seinem Opfer nicht beikommen konnte, plumpste der Detektiv augenblicklich von seiner höchsten Erregungsstufe hinunter in eine Pfütze des Trübsinns. Er wandte sich von ihr ab, brabbelte noch etwas Undeutliches hinterher und sortierte planlos auf seinem Schreibtisch herum. Offenbar war für ihn damit der Fall beendet; sein unglückliches, dreistes Werben um ein Geständnis hatte wieder einmal keinen Erfolg erzielt, und die Sache mußte nun höheren Orts zur Entscheidung gebracht werden. »Ich führe Sie jetzt zum Besitzer der Deutschen. Wenn Sie so freundlich sein wollen, mir zu folgen ...«

»Zum Besitzer der Deutschen?« fragte die Kauffrau belustigt, »seit wann gibt es denn so etwas?«

»Ich spreche vom Eigentümer des Turms und darf ihn wohl rechtmäßig so nennen. Kommen Sie!«

»Eine Frage noch, Meisterdetektiv«, sagte die Frau, »womit bezahlt man eigentlich, wenn man sich eine Stimme kaufen will?«

»Das wissen Sie natürlich nicht«, brummte der Unterermittler, »denn Sie haben ja gestohlen. Bekanntlich bezahlt man bei uns mit gültiger Identitätsenergie. Eine oder mehrere Fingerspitzen werden in die dafür vorgesehenen milden Flämmchen gehalten und der Preis wird sodann in Ich-Quanten abgerechnet und verbucht. Sie hingegen haben sich mit dem Mund an den Stein gebückt und die Ware einfach in sich hineingeschlürft.«

»Ich habe gar nichts in mich hineingeschlürft. Dabei bleibt es.«

Die beiden verließen die Büroglocke durch eine runde Öffnung, die unter dem Schreibtisch aufgedeckt wurde, und nun ging es wiederum ein langes Stück treppabwärts, bis sie eine weitverzweigte unterirdische Kanalanlage erreichten, die sich unter einer niedrigen, tropfenden Höhlendecke wie ein großstädtisches Abwässersystem ausbreitete. Es waren aber keineswegs Abwässer, sondern vielmehr die Grundwässer des Menschen, ›Ströme des Lebens‹, wie es hieß, die hier vielfarbig und still, hell und trüb, glänzend und matt dahinflossen. Unter den verschiedenartigsten Substanzen und Stoffen, die alle in flüssige Form gebracht worden waren, befanden sich solche, die ein Mensch für seine Nahrung und seine Körperkraft braucht, und andere, die er für seine Arbeit benötigt. Die Kanäle verliefen geradlinig nebeneinander, und in keiner Richtung war das Ende der Anlage abzusehen. Der geringe Teil, den man überblicken konnte, ließ keinen Schluß auf die Anordnung des Ganzen zu, so daß es den Anschein hatte, als herrsche eine willkürliche Nachbarschaft unter den Flüssen. Einander unnahe Stoffe wie Knochenmark und weißer Gummi, wie Tränen und Benzin, Wildbret und Tinte rannen Seite an Seite durch die halben, nach oben offenen Betonröhren, und die anorganischen wechselten mit den organischen, die raffinierten mit den rohen; doch Säfte waren sie alle. Selbst Glas und Holz, selbst Dralon, Leder und Quarz hatten sich aus ihrer natürlichen Beschaffenheit gelöst und erhielten sich in dieser strömenden Schmelze. Doch konnten weder Hitze noch Hochdruck die spröden Stoffe derart verflüssigt haben, sondern eine der üblichen Welt unbekannte chemische Berührung oder Einmischung mußte hier wirksam gewesen sein. Aus den Bächen stieg gleichmäßig eine feuchte und eher kühle Luft. »Das ist die große Reserve«, erklärte der Detektiv seiner verwunderten Begleiterin, während sie auf eisernen Stegen und Gitterplatten die bunten Bahnen überquerten, »sie gehört ebenfalls unserem Besitzer, den wir auch kurz nur ›den Deutschen‹ nennen. Dort hinten, wo Sie gar nicht mehr hinblicken können, sind auch jene Stoffe im flüssigen Zustand bewahrt, die oben, unter freiem Himmel, nur als mehr oder weniger materielose bekannt sind, vornehmlich die sogenannten geistigen Güter, Geschichte und Kunst, Magie und Technik und manch anderes mehr. Es ist also kein Mangel, Sie sehen es selbst, und wenn oben – oben in der Gesellschaft – einmal der eine oder andere Stoff zur Neige geht, so kann *er* noch lange für Nachschub sorgen. Seiner Macht wird dann nichts gleichkommen. Denn so gut wie alles, was man oben zu einem menschenwürdigen Leben braucht, ist hier in Hülle und Fülle vorhanden, läuft um und wird frisch gehalten.« Unterdessen waren die beiden vor einer eisernen Hütte angelangt, die auf den ersten Blick an jene Kabäuschen für das Stromaggregat erinnerte, wie sie sich zuweilen auf den Dächern großer Büro- oder Warenhäuser befinden. Auch das Innere erweckte nicht gerade den Eindruck, zum persönlichen Büro des allesvermögenden Deutschen hinzuführen. Es sah eher aus wie in der Schaltzentrale eines Kraftwerks, ringsum standen lange technische Pulte mit unzähligen Tastaturen und Reglern, mit Bildschirmen und schimmernden Tafeln, auf denen es unablässig flackerte, aufschien, pulsierte und informierte, obgleich niemand anwesend war, der Messungen vornahm oder kontrollierte. Auf- und niedersteigende Datensäulen, blitzschnell in den Vorschein geworfene Auskünfte, die im Nu wieder ins Nichts abkippten, vorüberhuschende Pictogramme, vor- und abschwellende Siegel präziser Nachrichten, all dies perlte und zuckte, entwarf und überholte sich und schien einen fernen, lebendigen, kunterbunten Daseinsprozeß zu bewachen und zu bezeugen. Der Detektiv setzte sich hinter ein solches Steuerpult und flüsterte ein unverständliches

Codewort in die Metallknospe eines vorgebogenen Mikrofons. Im selben Augenblick verringerte, mäßigte sich die quirlige Betriebsamkeit von Glühpunkten, Zahlenausschüttungen und Leuchttrufen. Die Bildschirme senkten ihren Schimmer. Das, was zuvor hüpfte und heftig ausschwang, glitt nun in einen ruhigen, mittleren Tonus über, gleichsam als würde der erregte Traum der Apparate von einem tieferen, schweren Schlaf abgelöst. In dem Maße wie sich das Licht von den Bildschirmen zurückzog, dämmerte vor den Augen der Anlageberaterin eine hohe, gläserne Fläche herauf, hinter der allmählich ein schaukelnder Wasserrand sichtbar wurde. Ein riesengroßes, die ganze Wandbreite einnehmendes Aquarium tauchte nun auf, und es dauerte nicht lange, da begannen die Wellen an der Oberfläche sich stärker und angespannter zu bewegen. Aus dem braungrünen Dunkel entstand eine ferne, leichte Aufhellung, und die ganze Stimmung war jetzt so, als ob gleich etwas Übermäßiges und Formgewaltiges herannahte. Aber, da gleichzeitig ein süßer flötenähnlicher Ton durch den Raum drang, mochte es sich auch um etwas kolossal Liebliches handeln. Doch plötzlich, ohne sichtbares Ankommen, war es bereits in Erscheinung getreten: ein Kopfungetüm von unvorstellbaren Ausmaßen schwamm und schwebte körperlos hinter der Scheibe. In seiner oberen Hälfte war es das Gesicht eines reifen, alternden Mannes. Jawohl, bis zu den Backenknochen war es Mensch; darunter aber krümmte sich das mißlaunige Maul eines feisten Hünenkarpfens. Das Haupt des Besitzers . . . der Deutschen. Es ragte wohl gut drei Meter über der kleinen Frau in die Höhe. Die Augen des Wesens blickten gut und gerecht, das Fischmaul aber blickte düster und gemein. Die vier langen Barteln wehten träge wie schlappe Festtagsfahnen. Das dunkelblonde Lockenhaar wogte leicht um seine Stirn und schien immer neu hervorzuquellen. Jedoch – so wenig diese guten treuen Augen irgendetwas sahen, so wenig konnte dieser verächtliche Mund etwas aussprechen. Die Organe der Wahrnehmung und der Äußerung mußten sich noch woanders befinden, und der eigentliche Wesenskern des Besitzers verbarg sich hinter dieser ungeheuerlichen Mißbildung wie hinter der Narrenmaske einer Karneval feiernden Evolution. Es verwunderte daher die Kauffrau nicht, als sie kurz darauf die Stimme des Besitzers vernahm, ohne daß sich dabei sein Fischmaul bewegt hätte. Diese Stimme erklang vielmehr dicht hinter ihrem Ohr und sie war so einschmeichelnd und wohltönend, wie es eine heutige Menschenstimme gar nicht sein kann. Nur ein untergegangener Überirdischer konnte so machtvoll und zärtlich zugleich eine Frau ansprechen.

»Ich bedaure es außerordentlich«, so tönte es gemessen und unbeschwert, »daß sich kein freundlicherer Anlaß gefunden hat, Ihre Bekanntschaft zu machen, meine Verehrteste. Ich meine, wir täten gut daran, diese verdrießliche Geschichte so schnell wie möglich aus der Welt zu schaffen.«

»Das meine ich auch«, entgegnete beherzt die Kauffrau und fügte noch hinzu, indem sie tapfer hinauf in das gespaltene Antlitz blickte: »Und von Ihnen erwarte ich, daß Sie mich von all den üblen Vorwürfen, die Ihr übereifriger Angestellter gegen mich erhoben hat, umgehend lossprechen.«

»Ich finde«, antwortete das Haupt und legte sich ein wenig schief, »Ihre neue Stimme steht Ihnen ganz ausgezeichnet. Wie angeboren. Sie sollten doch dafür einen angemessenen Preis entrichten.«

»Ich brauche für meine eigene Stimme keinerlei Preis zu entrichten. Sie gehört mir. Von Geburt an. Und ich will durchaus keine andere kaufen. Und selbst wenn ich eine zum Wechseln gebrauchen könnte, so würde ich niemals dafür in Ich-Quanten bezahlen.«

Nun lachte das Haupt heiter hinter ihrem Ohr und sagte: »Lassen wir das mit dem Bezahlen. Ich bitte Sie lediglich um eine geringe Abgabe von Ihrer kostbaren Zeit und möchte Sie, wenn Sie es erlauben, zu einem kleinen Abendessen in ›Jerrys Luftblase‹ entführen. Ich würde mich wirklich von Herzen freuen . . .«

Von Herzen, von Herzen, dachte die Umworbene, wo mag bei diesem Nur-Schädel-Monstrum bloß das Herz sitzen?

Dienstfertig, als seien ihm derlei Umschwünge seines Herrn bestens vertraut, rückte nun der Detektiv von seiner Schaltbank ab und begab sich linkerhand zur äußeren Begrenzung des Bassins. Er winkte jetzt die Kauffrau zu sich, während diese noch dem schauderbaren Haupt nachsann, das ebenso plötzlich wieder enteilt war wie es sich vorher offenbart hatte. Aus reiner Neugierde, aus angeborener Unternehmungslust war sie bereit, der sie noch im Ohr kitzelnden Einladung Folge zu leisten. Der Detektiv wies ihr den Gebrauch einer Luftschleuse an, die sich hinter der Glaswand befand und durch die sie, wie er versicherte, ohne mit dem Wasser in Berührung zu kommen, innerhalb eines Sauerstoffschachts nach oben zu dem verabredeten Treffpunkt aufsteigen könne. Gleichwohl wurde sie aufgefordert, zuvor alle Kleidungsstücke abzulegen, da sie von außen durch ein weiches, hautdicht abschließendes Gummiventil in die Schleuse hineingesogen würde. Die Kauffrau verzog ein wenig unwillig die Augenbrauen, denn sie hatte durchaus nicht die Absicht, sich in eine zweifelhafte Situation zu begeben. Jedoch der Detektiv, der jetzt zu einem reinen Knecht und Diener zusammengeschnurrt war und keinerlei Verfügungsgewalt mehr über sie besaß, legte ihr noch einmal die technischen Notwendigkeiten so nüchtern dar, daß sie sich schließlich ihres Popelinemantels sowie aller übrigen Kleidungsstücke entledigte und sie ihm über den Arm gab. Dann steckte sie ihr offenes Haar am Hinterkopf fest und kroch schließlich vollkommen nackt in die engen Ventillappen. Sie hörte noch, wie der Gehilfe von außen die Vorrichtung verschloß, die Saugturbine in Gang setzte, und schon wurde sie mit geschoßartiger Geschwindigkeit verschleust. Die zurückgelegte Wegstrecke konnte ihr kaum bewußt werden, denn eigentlich im gleichen Augenblick fand sie sich schon, freilich halb betäubt, in ›Jerrys Luftblase‹ wieder ausgesetzt. Hier umgab sie ein durchsichtiges, breit ausgefaltetes Sauerstoffzelt, unter dem zu ihrem Empfang eine üppige und festlich geschmückte Tafel vorbereitet war. Frische Austern, warmes Fleisch, Pilze und Früchte, Wein, Tee und allerlei Backwerk waren zur Auswahl hergerichtet, und nichts brauchte mehr angefordert werden. Nur war es lediglich die halbe Tafel, die sich ihr darbot, der andere Teil befand sich jenseits der Zeltplane, setzte sich durch einen luft- und wasserdichten Schlitz nach draußen ins dunkle Wasser hin fort. Dort am anderen Ende saß denn auch, schwebte sitzend oder einfach: thronte das unmäßige Haupt des Gastgebers. Die Entblößte setzte sich an den gedeckten Tisch, ohne sich jetzt noch zu genieren, denn obgleich die guten und gerechten Augen des Kolosses beständig auf ihr ruhten, wußte sie doch ganz sicher, daß es blinde oder nur scheinbare Augen waren. Und das schiefe Maul, das sie freilich nach wie vor entsetzte, konnte ihr durch die feste Plane nicht näherkommen. Allein dieser sonderbare Kitzel seiner Stimme, so dicht an ihrem Ohr, machte ihr noch zu schaffen, und gerade wieder, als er sie auf seine altmodische Weise willkommen hieß, da hätte sie doch lieber seine Worte aus etwas geziemender Entfernung vernommen. Im übrigen war die Luft angenehm trocken und warm in diesem erhellten, gastlichen Zeltpavillon, und sie spürte, wie auf ihrer bloßen Haut die Poren genüßlich aufgingen. Plötzlich aber fuhr ihr ein Schreck durch die Glieder. Etwas gleichermaßen Zartes-Schweres-Kühles hatte ihren nackten Fuß berührt und glitt mit quälender Langsamkeit darüber hin. Der Karpfenkopf, der ihr Entsetzen bemerkt hatte, beruhigte sie sogleich und sagte: »Das ist nun Jerry selbst, der Eigentümer und Küchenchef unserer freundlichen Herberge. Falls es Ihnen an irgendetwas mangelt, so richten Sie sich freimütig an ihn. Er wird für alles Sorge tragen. Nur daß Sie sich unter Umständen ein wenig gedulden müssen.«

Aha, dachte die Kauffrau, eine Schildkröte führt also dieses Restaurant. Kein Wunder, daß bereits alles aufgetragen ist, bevor man sich zu Tisch setzt, und daß es beinahe alle erdenklichen Leckerbissen gibt, nur keine Schildkrötensuppe! Und auch keinen Fisch!

Sie fühlte sich wohl, und beinahe hätte ein frecher Übermut sie dazu gebracht, ihren Appetit auf einen kapitalen Karpfen anzumelden.

Vor dem geteilten Haupt stand ein silbernes, mit Drähten bespanntes Gestell, ähnlich den Schiebebrettern, an denen Kinder früher das Rechnen erlernten. Doch statt Kugeln waren hier faustgroße Fleischbällchen aufgefädelt, die vermutlich aus verschiedenerlei Würmerhaschee geformt waren. Dies war die Speise des gesitteten Monsters und die allesmißbilligende Karpfenschnute schnappte rüde daran herum. Während der Mahlzeit machte ihr der Mächtige viele Komplimente, lobte ihre Schönheit und versetzte ihr ab und an einen sanften, handkußgleichen Hauch hinter das Ohr. Seltsamerweise lobte er aber auch ihre feingewählte Kleidung – die sie doch gar nicht trug. Es mag wohl so sein, dachte die Frau, daß er mich *gegenwärtig* gar nicht sieht und also auch nicht bemerkt, wie ungeniert ich mich nackt auf meinem Stuhl rekle. Während doch Männer gewöhnlich eine Frau mit Blicken ausziehen, scheint dieser hier vielmehr mit seinen manierlichen Blicken mich auszustatten und einer hilflos entblößten Person ein anständiges Gewand umzulegen.

Ihre gute Laune hatte sie jetzt etwas leichtsinnig gemacht, und sie wollte nun auch bei dem Mann einmal hinter seine Manieren blicken und auf sein sagenhaft mächtiges Wesen zu sprechen kommen.

»Wie weit reicht denn Ihre Macht nun wirklich?« fragte sie recht salopp und leckte sich ein wenig schmatzend die Fingerspitzen.

Das Zwitterding wurde auf der Stelle todernst. Sie spürte nämlich, wie eine eisige Welle, das geistig Todernste, sogar durch den undurchlässigen Zeltvorhang zu ihr drang.

»So weit deutsche Seele reicht«, lautete die verschlossene, herrische Antwort.

»Wissen Sie aber auch, daß wir oben mittlerweile zwei verschiedene Deutschlands haben?«

»Ich bin das Wesen aller Deutschen«, erklang es dunkeltönend aus dem Koloß, »keiner denkt deutsch ohne mich.«

Die Kauffrau bemerkte, daß ihr Gastgeber in dieser empfindlichen Materie keinerlei Leichtsinn duldete.

Unbedacht hatte sie an geheiligte Begriffe gerührt, die sich nicht necken ließen, so wie man auch einen gottesfürchtigen Menschen nicht mit Pfaffenwitzen zum Lachen reizt.

Doch dachte sie auch: er lebt hier unten wahrhaftig hinter dem Mond, der Mächtigste. Es steckt doch etwas erschreckend Zurückgebliebenes in unserem Seelengroßbesitzer!

Nun aber hatte sich die Stimme des Haupts wieder an ihr Ohr geschmiegt, doch diesmal verströmte sie keine Schmeichelworte, sondern suchte die Nüchterne mit einem leisen Singsang in eine schummrige Gesinnung zu wiegen.

Es schwebt ein Haupt in tiefer Erde
Es ordnet das Reich, es gründet den Dom
Schon ragen die Türme, es streben die Brücken
Weit über Land legt sich der Arm
Eiserner Arm der Einigkeit

Neuer Ruhm und neue Kraft
Steigt aus dem Feuer einiger Macht
Jeder erspürt's, jeder erbebt

Sonne, zerspringe! Äther, verglühe!
Deutsche Erde, ewig erblühe!

Der unter Wasser Tafelnden mißfiel dies Gesäusel gründlich, ihr einfacher moderner Verstand empörte sich dagegen.

»Was sind das für trübe Verse! Was für ein modriger Sinn! Hören Sie, Turmbesitzer, ich möchte doch wissen: aus welcher Zeit stammen denn Sie?!«

Nach diesen Worten hob ein gewaltiges Donnergrollen an hinter ihrem Ohr; eben noch ein Hauch wurde die Stimme zum Sturm und stieß sie auf die Tischkante nieder, und im Winzigwerden sprangen ihr die hellen Tränen der Ohnmacht auf den Teller, ein krachender Blitz ging nieder und schrie sie maßlos an:

»Ich zeite!«

Da nun im selben Augenblick das enorme Karpfenmaul aufging – es hätte sie mitsamt ›Jerrys Luftblase‹ ohne weiteres verschlingen können –, entstand rings eine finstere Welt, das ganze Restaurant flatterte und schien sich bereits wild um die eigene Achse zu drehen, nur wenig fehlte und der Zeltbau hätte sich aus der Algenverankerung losgerissen und wäre davongeschwemmt worden. Jedoch, glücklicherweise, blieb es bei diesem einen Donnerschlag. Das Zornesgewitter verzog sich rasch wieder. Wie ein abgebogener Grashalm richtete sich die Nackte langsam auf und blickte in die gleichbleibend guten, gerechten und scheinbaren Augen des Mammutgesichts. Gleich lehnte sich auch die herrschaftliche Stimme wieder an ihr Ohr, doch diesmal schwang sie in einem milderen Ton.

Ich komme und gehe
Besetze und weiche
Bin Welle am Strand
Wind in den Bäumen
Dem Neuen entschwunden
Dem Alten entbunden

»Jaja«, seufzte die Kauffrau, »ich sehe schon, in welch
schändlichen Schlaf Sie mich hineinschaukeln wollen.« Da
war sie nun hierhergekommen, aus reiner Neugierde und
angeborener Unternehmungslust, und wo andere Männer
vielleicht eine solche Gelegenheit nutzen, um unzüchtige
Anträge zu machen, da umgarnte sie nun das Wesenshaupt,
nicht weniger zweideutig, mit seinem deutschen Getuschel.
»Nein!« platzte es aus ihr heraus, »ich bin wahrhaftig für die
freie Selbstbeherrschung des deutschen Volks, und das ist
meine unerschütterliche Gesinnung!« Sie hatte schließlich
aus Legende und Geschichte gelernt, daß Mut vor Herr-
scherthronen sich allemal bewährt habe und eine ureigene
Meinung ihren Effekt selten verfehle. Sie wirkte denn auch
auf ihren Gastgeber ebenso abkühlend, als hätte sie sich bei
einem zudringlichen Liebhaber nach dem Essen mit gewissen Unpäßlichkeiten entschuldigt. Die leblose Maske, wenn
man so sagen darf, zuckte regelrecht zusammen. Ein
Schwall bitterer Kälte breitete sich aus. »Ich habe gar nicht
genau verstanden, was Sie meinen«, erwiderte das Haupt,
höflich, jedoch mit eisgrauer Distanz, »ich hatte eigentlich
nichts weiter im Sinn, als mich mit Ihnen in einen offenen
Gedankenaustausch zu begeben. Ich habe indessen das Gefühl, Sie mit meiner Gegenwart ungebührlich zu belästigen . . .« Eben wollte die Kauffrau noch einmal deutlicher
werden und ihm seine verfänglichen Einflüsterungen vor-
halten, da spürte sie plötzlich ein unfreundliches Stupsen an
ihrer großen Zehe.
　　»Es ist Jerry«, sagte das Haupt, »er möchte Ihnen behilf-

lich sein, den Weg zum Ausgang zu finden. Ich weiß es wohl zu schätzen, daß Sie soviel von Ihrer kostbaren Zeit für mich verschwendet haben.«

Die Nackte trat nun auf den Rücken der Schildkröte und ließ sich gemächlich hinaustragen. »Kostbar ist sie, da haben Sie recht«, murmelte die Anlageberaterin und dachte an den Bauarbeiterkönig und seine Frau, die, wie sie hoffte, noch immer unverändert zögerten, sich gegenseitig zu erschlagen. »Das Merkwürdige ist nur, daß ich nicht mehr weiß, wieviel Zeit ich eigentlich zur Verfügung habe. Im Grunde fühle ich mich überall gleichermaßen rechtzeitig zur Stelle. Und auch hier unten bei Ihnen bin ich sehr gerne gewesen und habe nicht im mindesten das Gefühl, auch nur eine Minute verloren zu haben. Ich wollte Ihnen übrigens nichts Böses . . .« Doch in diesem Augenblick steckte sie auch schon im Sauerstoffaufzug und stieg umgeben von vielen anderen, leeren Blasen nach oben.

Es war ein tiefer, moosgrüner Waldsee, in dem sie schließlich auftauchte und wieder ans Tageslicht zurückkehrte. Enten und Bläßhühner flatterten erschrocken beiseite, als unter heftigem Gurgeln und Sprudeln der zusammengerollte Leib herausgestoßen wurde und das stille Wasser durchbrach. Sie mußte gehörig nach Luft schnappen, denn zuletzt war ihr in dem dünnen Aufzug der Atem doch knapp geworden. Mit kräftigen Stößen schwamm sie an das nahe Ufer, das mit hohen Binsen dicht bewachsen war. Dahinter lag ein schmaler Streifen Sand, auf dem sie sich ausstrecken und von ihrem rauhen Abenteuer ein wenig erholen konnte. Als sie die Augen schloß und noch einmal das geheime Haupt der Deutschen in die Erinnerung rufen wollte, da gelang ihr dies nur höchst ungenau. Die Braue ein Aal, die Nase ein Hüne, die Augen zwei feurige Salatköpfe: sein wahres Zwitterbildnis war in ihr ausgelöscht und restlos in ein künstliches Emblem übergegangen.

Über diesem Teil des Walds, in dem sie sich nun befand, lag eine spätsommerliche Güte und Wärme, sie brauchte also keineswegs zu frieren, obschon sie noch immer unbekleidet am Boden lag. Sie blickte hinauf in den matten Azur, und das fahrige Gewölk bedeckte wie aufgewehtes Goldhaar den Abendhimmel. Dorthin, in diese friedliche Entfernung wollte sie eben ein starkarmiger Schlaf entführen, da hörte sie auf einmal ein heftiges Männergemurmel und ernsthaftes Debattieren. Wiederum hinderten Neugier und Unternehmungslust die Kauffrau daran, sich ihrer Erschöpfung zu überlassen. Sie stand auf und sah, nicht weit entfernt, im Hintergrund ein halbes Dutzend Greise, die um einen Eichbaum versammelt waren, vertieft in die Betrachtung eines einzigen grünen Blatts, das an einem ansonsten kahlen Ast hing. Die Frau hielt nun geradewegs auf die seltsame Schar zu und sah es mit an, wie sich die Männer hintereinander aufstellten, der erste das Blatt mit beiden Händen ergriff, und wie nun die ganze Riege, jeder an den Schultern des Vordermanns zerrend, sich zurückbog und offenbar vergeblich versuchte, dieses grüne Blatt vom Baum zu reißen.

Mit der Keuschheit der Wißbegierigen, die sich ihrer Nacktheit unbewußt bleibt, trat die Frau unter die Greise, die sogleich ihre Anstalten unterbrachen und sie mit wirren und ratlosen Gesichtern umringten. Nun sah sie in einen Kreis von dumpfen Männer-Mamas, alte, lederne, indianerhafte Gesichter, faltige Hälse, lange graue Haarzöpfe auf braungefleckten Schultern, eingefallene Brustkörbe mit vorstehenden Rippenleitern, die sich unter den altmodischen Badetrikots abzeichneten. Die Frau bahnte sich entschlossen den Weg zum Eichblatt, legte beide Hände um seinen Stiel, setzte mit gebeugten Knien alle Kraft an und zog. Das Blatt ließ sich jedoch mit der geringstmöglichen Anstrengung, beinahe mit nichts vom Ast lösen, und folglich plumpste die Eichblattpflückerin mit überschüssigem

Schwung nach hinten auf ihren Rücken. Die Greise klatschten vor Freude in die Hände und brachen in ein blödsinniges Gelächter aus. Nur einer blieb ernst, und zwar derjenige, der sich den Unfug ausgedacht hatte und vorher der erste Mann in der Riege war. Er trat zu ihr und mahnte sie, das Blatt, das sie dabei war, wütend in ihrer Hand zu zerdrücken, sorgsam aufzubewahren. Darauf blickte sie es verwundert an und wurde gewahr, daß sie splitternackt am Boden saß. Mit einem Satz war sie auf den Beinen, durchstieß den Ring der kichernden Alten und rannte, so schnell sie nur konnte, zu einem schütteren Erlengrund hinüber, der ihr freilich den benötigten Schutz, das sichere Versteck kaum bieten konnte. Sie suchte, von panischer Beschämung getrieben, der eigenen Unverborgenheit zu entfliehen, rannte immer weiter, obgleich sie niemand verfolgte, und gelangte schließlich auf einen breiten Spazierweg, der, ähnlich wie zu Anfang ihrer Wanderung, plötzlich von einem herabgelassenen Schlagbaum unterbrochen wurde. Nur war dieser hier rot gestrichen und mit einem Stacheldraht-Gewölle umgeben. Außerdem stand daneben ein rotweißgestreiftes Schilderhäuschen. Aus diesem trat jetzt ein junger Mann hervor, der wie ein Bademeister oder Masseur gekleidet war, nämlich ganz in Weiß, mit langen, gespannten Hosen und einem leichten Pulli. Ohne etwas zu fragen oder sich zu verwundern, nahm der Wachmann ihr das Eichblatt aus der Hand und holte aus dem Schilderhäuschen ihre sämtlichen Kleider, die sie zuletzt, in der unterirdischen Maschinenkammer, dem Detektiv über den Arm gelegt hatte.

Vor den Augen des Bademeisters schlüpfte sie nun Stück um Stück, von den Füßen aufwärts in ihre Kleider, und als sie schließlich bis oben an den Hals auch ihren Mantel zugeknöpft hatte, da sah sie zum ersten Mal dem jungen Mann ins Gesicht. Erst jetzt bemerkte sie seine warmen und kräftigen Augen, die ihr die ganze Zeit über zugesehen hatten. Da geschah es auf einmal ganz von selbst, daß sie umgehend alle Handgriffe des Ankleidens rückwärts wiederholte, bis sie wieder in der gleichen, nach vorn gebückten Stellung angelangt war, in der eben noch der Seidenstrumpf über den Fuß gestülpt, nun aber von diesem abgepellt wurde. Und in gerade dieser Vorneigung überließ sich die Strumpfabpellerin dem andrängenden, unbekannten Mann. Dem Garderobier oder Schildsoldaten. Dem aus dem heiteren Himmel eines Blicks Erwünschten.

Nachdem sie einander gefallen hatten, bat sie der Wachmann, einen Augenblick noch bei ihm zu verweilen. »Auf eine Zigarette noch!« sagte er, und sie krochen beide in sein Schildhäuschen. Dort lächelte er und sinnierte: »Es gibt doch immer wieder Menschen, denen öffnet überhaupt nur die Liebe die Augen. Erst dann sehen sie, wo genau sie sich auf der Welt befinden . . .«

»Ich liebe Sie aber nicht«, entgegnete die Frau.

»Nein, ich weiß«, sagte darauf der Mann, »und deshalb werden Sie nun weiter im Unbekannten herumtappen.«

»Wohl oder übel«, beschloß nun die Frau das Gespräch, nahm ihre Kleider und suchte in der näheren Umgebung einen abgeschirmten Fleck, an dem sie sich unbeobachtet ankleiden konnte. Kaum hatte sie sich endlich aufgerichtet und rundherum ordentlich gemacht, da spürte sie unzweideutig, daß ihr Leib getroffen worden war. Diese Wahrnehmung versetzte sie erneut in eine arge Not. Was mußte sie in diesem Wald nicht alles gewärtigen? Hier wo die Gesetze der Zeit so willkürlich wechselten wie die Wege ziellos und selbst bloß Wegweiser waren, könnte wohl auch das Wachsen und Werden einer Leibesfrucht auf ganz unverhältnismäßige Weise vonstatten gehen. Daher war es nun ihr einziges Verlangen, so schnell wie möglich aus dieser Wildnis von Gleicher Zeit herauszufinden und einen Ort zu erreichen, wo sie sich natürlicher Vorgänge sicher sein konnte. Ohne es in ihren Sorgen bemerkt zu haben, war sie

unterdessen schon tief in unwegsames Gebüsch eingedrungen und versuchte einen steilen Abhang zu erklim-
men, an dessen oberer Böschung sie die Rücken von Cara-
vans und Wohnmobilen bemerkt hatte. Dort mußte sich
doch zumindest ein bewohnter Campingplatz befinden,
irgendetwas, das Einlaß und Rückkehr in die moderne,
sichere Welt versprach. Unversehens hatte sie sich in dem
dichten Strauchwerk verfangen, und da sie so sehnsüchtig
nach oben geblickt hatte, war sie nun von undurchdringli-
chem Dickicht umgeben; vielfach verwundene Dornenran-
ken versperrten ihr den Aufstieg nach jeder Seite. Dazu
noch gab jetzt der Boden unter ihren Füßen nach, er wurde
immer weicher und feuchter und mit dem nächsten Schritt
sank sie bis zum Knie in eine schlammige Mergelkuhle. In
wahrer Todesfurcht griff sie in das verwachsene Weißdorn-
gezweig, riß sich die Hände blutig, um nur irgendetwas zu
erfassen, das sie vorm Versinken in der weichen Grube
bewahren konnte. Unter furchtbaren Schmerzen klammerte sie sich an die Ranken und zog sich langsam auf
festeren Grund. Nun wagte sie nicht mehr, aufrecht zu
gehen, kroch vielmehr, schob sich, rutschte unter dem
Gebüsch mühsam vorwärts und drückte den Mantel wie
einen Schild gegen das Gestrüpp, bis er ihr schließlich
entwunden und zerrissen wurde. Es war ihr nicht anders,
als hätte das Dickicht sie ergriffen wie ein vielarmiges
wildes Tier. Sie hielt die zerfleischten Hände vors Gesicht,
sie schluchzte, schrie, sie fluchte und klagte in die Höhe,
denn dort oben am Hang war doch des Leidens Grenze
deutlich zu sehen; warum trat denn keiner aus seiner Freizeit heraus und streckte die Hand nach ihr aus?! Ach, es trat
wohl jemand oben an den Rand der Böschung, doch kam er
nur, um eine Plastikwanne mit Spülwasser den Abhang
hinunterzuschütten, denn dieser diente den Campinggästen
zur Müllablade.

Noch immer umschloß sie der Wildwuchs und sie mußte

sich mit Armen und Füßen und schließlich noch mit den Zähnen vorkämpfen. Dornenzweige schnürten sich um ihre Stirn, sie biß die Stachel ab und zerteilte mit den Zähnen den unlösbaren Strang. So kam sie nur langsam und unter unsäglichen Mühen voran. Als sie sich endlich einmal aufrichten konnte und auch sicheren Boden unter den Füßen hatte, da sah sie vor sich eine freie Mulde, in der ganz allein ein runder, in sich rollender Busch aufragte. Er trug schwarzviolette, breitfingrige Blätter und glich keinem der heimischen Gewächse. Eher mochte es eine zwergwüchsige Brasilkastanie, ein Paranußbaum sein. Die Kauffrau wurde von dem unerklärlichen Busch heftig angezogen, sie trat näher heran und erkannte, daß sich das dunkle Blattwerk unablässig selber verschlang und aus dem Inneren wieder frisch hervorwälzte. Ohne daß der leiseste Windzug ihn berührte, wogte der Busch, brachte sich im laufenden Überfluß hervor und floß wieder in sich zurück. Die Pflanze glich daher eher dem Strudel einer reinen Quelle, aber auch dem bulligen Wallen einer Feuerexplosion, ja in ihrer Bewegung schienen Welle und Flamme vereinigt zu rollen, quellend und lodernd, schaffend und verzehrend und ebenso wie diese Elemente besaß sie die Kraft, alle Materie ringsum aufzuwirbeln und in ihren Sog zu reißen. Dem konnte auch die Schwangere sich nicht entgegenstellen. Die Frucht des eiligen Lebens, die in ihr reifte, wurde nun rund und schwer, sie mußte sich niederlegen. Sie streckte sich unter dem Busch aus und tauchte die geöffneten Beine in die dunkle Quelle. Benommen sank sie zu ihrer eigenen Mitte hinab, in eine tiefe Entseelung, gebar sich selbst und wuchs auf unter dem Busch. Hier entstanden die neugierigen Augen des Kindes und seine leicht verführbaren Sinne, seine frühreife Freude an Wäldern und Flüssen und wenig später auch seine fast schmerzliche Begabung, das Umwälzende inseits der stillen Dinge zu sehen. Sie mochte gerade in das ungeschützte Alter von sechs oder sieben Jahren eingetreten sein, als sie am Ende eines langen Sonnentags, den sie mit der Mutter im Wald verbracht hatte, auf eine erhöhte Wiese schritt, um dort von Hahnenfuß und Schafsgarbe, von Margeriten und Glockenblumen einen vollen Strauß zu pflücken. Sie wußte die Mutter nicht weit entfernt, sie lag bäuchlings auf einer Decke gleich neben dem blinkenden Bach, ein dickes Buch ohne Bilder vor der Nase, die Beine nach hinten aufgerichtet und die nackten Füße aneinanderstoßend.

Als es nun Blumen und Gräser hübsch gebunden hat und der Mutter den Strauß überbringen will, da wird das Kind in seinem heiteren Anlauf jäh unterbrochen. Stocksteif steht es und wie angewurzelt auf der Stelle. Die Mutter liegt halbentkleidet auf dem Rücken, die Beine flach auseinandergeklappt, und über ihr krümmt sich eine fremde Gestalt. Erschrocken zuerst und dann todtraurig läßt die Kleine die Blumen sinken und möchte sich abkehren. Da aber bemerkt sie plötzlich, wie der Kopf der Mutter leblos über die Böschung hängt und ins Wasser blutet. Das Kind schreit aus dem grausamsten Schmerz. Doch nur das Wesen, das wildfremde, scheint es zu hören, es wendet sich um und zeigt sein blutiges, aufgerissenes Maul. Nun verliert das Mädchen jede Besinnung, es rennt, was es nur kann, rennt um das eigene Leben davon, blind für jeden Weg, quer durch den Wald, nur weiter, immer weiter, bis es sich tief im Gehölz verirrt hat und atemlos an einem Baumstamm niedersinkt. Doch kaum hat es für ein paar Schnaufer ausgeruht, da hört es Schritte, knackendes Gezweig, auffliegende Vögel, raschelndes Gebüsch, überall kündigt sich der nahe Verfolger an. Die gelben Augen des Wolfmanns stechen hinter jedem Ast, jedem düsteren Wulst hervor. Schon macht sich das Kind wieder auf und stolpert ziellos vorwärts, immer größer wird nun die Angst, daß es auf seinem Irrweg der Bestie eher entgegen- als ihr endlich davonlaufen könnte.

So rannte das Kind und wuchs auf. Es rannte unter Todesängsten und gewann an Jahren. Am Wegrand traten jetzt dunkle, bekannte Gestalten hervor, um die kleine, entsetzte Läuferin wie bei einem Sportkampf zu grüßen und anzufeuern. Auch mischten sich Idole der Kindheit und Jugend unter ihre Zuschauer. Eine leuchtende Christusgestalt trat aus einem verfallenen Hochstand hervor und schwebte über eine zerbrochene Leiter abwärts. Sie preßte den zerfetzten Blumenstrauß fest an ihre Brust und weinte vor Kummer, daß dies süße Inbild der Behütung hinter ihr zurückblieb und sie alleine weiterwachsen mußte.

Gerade war sie einem giftig schimmerndem Tümpel ausgewichen, da erblickte sie den sanften Sänger, ihren Liebsten mit fünfzehn, oben in einer Eschenkrone und er spielte ihr sein ›Lady D'Arbanville‹ über den Weg. Doch unmöglich konnte sie das Lied zuende hören, das unreife Alter war ja im Nu durcheilt. Wieviel Schönes und Liebenswürdiges irrlichterte da am Rande des Grauens, wieviel Zuflucht täuschte sie auf ihrer heillosen Flucht! Sogar die ›Erste Liebe‹, der schlaksige Eisdielen-Kellner, trat ihr jetzt zärtlich entgegen und hielt seine Arme auf, doch sie wuchs unberührt weiter. Der kranke Vater humpelte ein paar mühsame Schritte neben ihr her, blieb seufzend zurück und hängte den weißen Plastikbeutel mit all seiner Habe an einen dürren Ast. Freundinnen grüßten und riefen sie herbei, ihre Nichten liefen ihr vor die Füße und wollten geküßt werden, der Examensprofessor winkte mit einem Fächer von Zeugnissen und Auszeichnungen. Und als nun immer mehr gute Gestalten sich aufreihten, da glaubte sie schon die Zielgerade vor sich zu sehen und dahinter den bergenden Kreis von Freunden, Lieben, Rettern, in dem sie erschöpft zusammensinken würde. In diesem Augenblick aber – die Kauffrau mochte gerade ihr gegenwärtiges Alter erreicht haben –, lief sie in eine breite Weggabelung hinein und zögerte kurz, welche Richtung sie einschlagen sollte.

Da trat ein Mann mit einer dunklen Mütze an sie heran, den Kopf hielt er gesenkt, und bat sie um Feuer für seine Zigarette. Schon wollte sie entgegnen, daß sie keines bei sich habe, da entdeckte sie jedoch, daß sie längst keine Margeriten und Glockenblumen mehr an sich drückte, sondern ein schmuckloses Einwegfeuerzeug in der Faust hielt, das sie wohl dem Bademeister oder Garderobier entwendet hatte, ohne es selbst zu bemerken. Dieses schlug sie nun an und hielt die Flamme dem Unbekannten unter die Mütze. Da umgriffen zwei rauhe, lederne Klauen ihre Hand und plötzlich klaffte der haarige Rachen vor ihrem Gesicht und fauchte sie an. Erschöpft an Leib und Seele, am Ende ihrer Kräfte, hätte sie sich jetzt wehrlos der Bestie ergeben, wäre ihr sogar in die mörderischen Arme gesunken, wenn nicht im letzten Augenblick eine gewaltige Sturmböe zwischen sie gefahren wäre, die Opfer und Ungeheuer jäh auseinanderriß . . . Das Haupt der Deutschen, sichtbar nur als hoher, elektrischer Umriß im Wind, ein greller Nordlichtring, stieß hernieder und zuckte zwischen ihnen. Das Haupt schlug den Unmenschen in seinen Kreis und nahm ihn zurück, so daß nur ein trüber dampfender Rest Gedärm von ihm übrigblieb.

Die Kauffrau vernahm die Stimme des Besitzers, die jetzt nicht mehr schmeichelnd an ihrem Ohr lag, sondern anscheinend durch Lufttreibung klirrend und künstlich erzeugt wurde und wie aus einer sphärischen Sprechmaschine ertönte. Und indem sich der Leuchtkranz des Schädels bläulich verfärbte und in den sandigen Boden verfloß, sprang krachend das Wort hervor:

»Gründe!«

Und noch einmal: »Gründe!« Daraufhin wurde es still und stockfinster um sie. Sie sank erschöpft, mit einem Seufzer der Erlösung, in den weichen Sand, und das vom Blitz genähte Gedächtnis fand einstweilen seine verdiente Ruhe.

Auf dem Display ihres Citroëns zeigten die roten Uhrziffern 14.48 an, als die Anlageberaterin auf die regennasse B 51 einbog und, um einen gewissen Zeitverlust einzuholen, mit erhöhter Geschwindigkeit in Richtung Köln zurückfuhr.

Sie hoffte dennoch, rechtzeitig genug zu ihrer Verabredung einzutreffen, und ihr neuer Kunde, Herr Wolf-Dieter *Gründe*, sollte sich nicht über eine unzulässige Verspätung beklagen müssen. Dieser Herr, dessen Name ihr einige qualvolle Augenblicke lang spurlos entfallen war, ein wohlhabender Leuchtröhrenfabrikant, besaß umfangreiche Ländereien und Forstgebiete, über deren Veräußerung oder Umschreibung er sich beraten lassen wollte. Darum ging es wohl; soviel war der Kauffrau nun wieder gegenwärtig und verband sich mit dem glücklich wiedergefundenen Namen des Kunden. Sie hatte sich schier den Kopf zerbrochen, sie hatte ihr Bewußtsein von oben bis unten umgekrempelt, um nach diesem ebenso blassen wie sprechenden Namen zu suchen. Und dabei war sie immer weiter auf der Landstraße stadtauswärts abgetrieben. Einen solchen Namen vergißt man vermutlich nicht bloß einmal, dachte sie jetzt, da klebt etwas dran, ein Sperrschutz, der wird auch künftig meine Elektronik blockieren. Ich muß mich in acht nehmen!

Als sie gerade ausscheren wollte, um einen Omnibus zu überholen, und dabei in den Rückspiegel blickte, glaubte sie ihren Augen nicht zu trauen und trat unter eisigem Entsetzen das Bremspedal nieder, obgleich von vorn keinerlei Gefahr angezeigt war. Das Grausen hatte sie indes von hinten gepackt, dort auf dem Rücksitz saß das Unfaßliche, saßen der Bauarbeiterkönig und seine Frau und blickten träge jeder nach einer Seite in die regenverhangene

Landschaft hinaus. Natürlich wußte die Fahrerin, um wen es sich handelte und was es mit den beiden auf sich hatte; doch konnte sie sich nicht erklären, wie diese symboltrüben und zeitscheuen Gestalten in aller Ausgesprochenheit in den Fond ihres Wagens gelangt waren.

»Wo wollen Sie hin?« fragte sie erschrocken und barsch, denn keinesfalls wollte sie mit den Bekanntschaften, die sie während ihrer unpäßlichen Augenblicke gemacht hatte, jetzt noch irgendetwas zu schaffen haben.

»Wie sollen wir das wissen«, brummte der Bauarbeiterkönig, der seine Gefolgschaft bis auf den letzten Mann niedergemacht hatte. »Sie waren es doch, die uns aus dem Wald verschleppt hat.« Und sogleich fiel seine Frau ein: »Sie haben uns verschleppt und fragen, wo wir hin wollen! ›Zurück in die Gesellschaft!‹ Haben *Sie* uns das nicht zugerufen . . .«

»Und haben uns wie die verirrten Hinkel aus dem Wald getrieben?« so brummte wieder der Mann, »›Zurück in die Gesellschaft!‹ Na, was denn nun? Jetzt möchten wir auch wissen, was Sie mit uns anfangen wollen, in Ihrer ›Gesellschaft‹.«

Die Kauffrau wurde puterrot vor Verlegenheit und Bedrängnis, denn von den Vorgängen, die die beiden erwähnten, war ihr partout nichts erinnerlich. Sollte sie denn zuletzt noch, aus dem Schlaf, aus der Ohnmacht heraus, dem streitenden Paar etwas zugerufen haben? Und dieses einzige Schlagwort soll es gewesen sein, zauberkräftig genug, um sie davon abzuhalten, sich gegenseitig umzubringen?

Die Frau sah sich gezwungen, einen solchen oder ähnlichen Ablauf der Ereignisse für wahrscheinlich zu halten. Sie erkannte auch, daß sie weder Handhabe noch sittliches Recht besaß, die Trübseligen jetzt aus ihrem Wagen zu verjagen. Ihr war allerdings, als hätte sich Jerry, die plumpe Schildkröte, geradewegs auf ihrem Herzen niedergelassen, ein solch schweres Gefühl der Behinderung und Beengung beschlich sie. Unmöglich, dachte sie, ich kann mich nicht aus der Verantwortung stehlen. Man muß den beiden den versprochenen Weg ebnen.

Als sie endlich vor der Villa des Fabrikanten vorfuhren, unterrichtete sie die Fremdlinge von ihrem bevorstehenden Besuch und Geschäft. Die wiedereingeführten Bürger wußten mit derlei Angelegenheiten wenig anzufangen und schüttelten teilnahmslos ihre Köpfe. Die Frau ermahnte sie aber, sich nicht weiter gehenzulassen. Jetzt sollten sie ihre Begleitung bilden, und sie würde sie als ihre persönlichen Mitarbeiter ausgeben. Nur mit einem solchen Kopfsprung zurück in die Verhältnisse könnte ihnen jetzt geholfen werden.

Gründe, ein gutaussehender Mittvierziger, ein ebenso höflicher wie herzlich gestimmter Mann, empfing sie ohne besondere Förmlichkeit und führte sie durch streng und spärlich eingeräumte Zimmerfluchten zu seiner Bibliothek, in der er Landkarten, Zeichnungen und Berechnungen für die Unterredung schon vorbereitet hatte. Kaum waren die üblichen persönlichen Erkundigungen ausgetauscht, der Berührungsschutz der Floskeln abgelegt, da kam der Landbesitzer unverzüglich auf seine Pläne zu sprechen und legte seine Entwürfe dar. Es dauerte nicht lange und die erfahrene Anlageberaterin war von dem ernsten Temperament und Unternehmungsgeist ihres Kunden fest überzeugt. Aber auch die verhangenen Gesichtszüge des Bauarbeiterkönigs und seiner Frau klarten deutlich auf, obschon sie sich in der Sache vorerst kaum zurechtfanden. Jedoch vermochten sie sich dem mitreißenden Einfluß, der von den hochgesteckten Zielen des Besitzers ausging, nicht zu entziehen; er belebte ihren fast schon erstorbenen Drang zu praktischem Tun und Besorgen. Hinzu kam Gründes Geschick, immer wieder den Mann vom Bau, den erfahrenen Arbeiter einzubeziehen und mit fachkundigen Anfragen zu beschäftigen. Herzstück seiner Planung war es, in einem geeigneten Bezirk seiner Wälder (welcher noch näher zu bestimmen sein würde) einen schlichten, jedoch wehrhaften ›Turm der Stille‹ zu errichten. Dieser sollte als Eingang und Mitte einer künftigen Waldsiedlung dienen, eines, wie er sich ausdrückte, »wahren Frei-Geheges für Menschen guten Willens«. Es schwebte ihm im ferneren vor, einen Ort der reinen Unterhaltsamkeit und der entlasteten Menschenbegegnung ins Leben zu rufen. Doch der Turm, Wahrzeichen und Prüfstätte zugleich, sollte als erstes erbaut werden. Von seiner inneren und äußeren Gestalt besaß er bereits eine genaue Vorstellung. Inwendig beinahe schmucklos und leer, sollte nur eine flache Spindeltreppe hinansteigen zu einer gen Himmel freien Öffnung, die von keinerlei Plattform oder Zinnenkranz abgeschlossen sein dürfte. Dieser Turm sei später für jedermann zugänglich, der sich mit der Absicht trage, irgendetwas zu schaffen, und sei es das Geringste und Nutzloseste; irgendetwas hervorzubringen, und sei es nicht mehr als eine verlorengegangene persönliche Erinnerung. Der Turmwärter, ein Mann, der sich durch besondere Charakterstärke und Menschenkenntnis auszuzeichnen habe, müsse in jedem einzelnen Fall eine ebenso umstandslose wie gewissenhafte Prüfung vornehmen können. Die Leute, die sich nichts vormachen lassen, sondern zweifellos selber etwas machen wollten, gelte es nämlich auf Anhieb von denen zu sondern, die sich immer bloß verköstigen und abspeisen lassen, die selbst keinerlei Kost schaffen, sondern stets nur bereitete Speisen verschlingen möchten. Diesen letzteren werde der Zutritt zum Turm wie auch zur späteren freien Siedlung verwehrt. Außerdem werde kurzerhand abgewiesen, wer auf die harmlose Anfrage, wie lange er denn zu bleiben gedenke, auch nur die leiseste, auch nur die vagste Zeitangabe vorbringe. Eintritt in den weiteren Wald zahlt man demnach mit einem gewissen geringen Quantum an förderlicher

Energie, an ernster Willensbekundung, mit dem Bruch-
stück eines Lebensplans, ja selbst bloß mit einem einzigen
brennenden Wunsch käme man schon hinein, da ein solcher
angesichts der allgemeinen Niedergeschlagenheit in unserem heutigen Gesellschaftswesen bereits einen positiven
Wert an sich darstelle. Er wolle doch sehen, so meinte der
Besitzer, ob sich in seinem Forst nicht ein gemeinschaftli-
ches Leben unter selbständigen Menschen entwickeln ließe;
eine Ordnung, in der zwar für alle gesorgt sei, dennoch aber
der Einzelne nicht an Tatkraft und Willensstärke verlöre,
sondern vielmehr deren besserer Entfaltung sich widmen
dürfe.

Die Kauffrau, die diesem kühnen Bauwerk die finanziellen und steuerrechtlichen Stützen verschaffen sollte, hatte
doch ein wenig beunruhigt den Ausführungen des Fabrikanten zugehört. Wieviel Bekanntes und Halbbekanntes
war ihr in seinem fantastischen Entwurf wiederbegegnet!
Die Ähnlichkeit, die dieser mit ihren eigenen Erlebnissen
aus der Zeit der Vergeßlichkeit aufwies, war ihr nur schwer
erklärlich, aber eine dunkle, innere Verwandtschaft verband sie umso impulsiver mit dem gutwilligen Mann.

Wahrhaftig! dachte sie, mir träumte, was er denkt! Und
was er plant, das habe ich gottlob schon hinter mir. Ich
könnte ihm doch wohl zu etwas Besserem noch dienen als
bloß seine Gelder betreuen! Doch weiter dachte sie nicht.
Sie zündete sich, um ihr Erröten zu verbergen, rasch eine
Zigarette an. Sie konnte allerdings nicht vergessen, welche
Schrecknisse sie in einem derartigen Forst, wie er hier
entworfen wurde, bereits durchlitten hatte und wie wenig
menschenfreundlich doch das meiste war, was sich dort
zugetragen hatte. Denn was hinter seiner hellen Stirn sich
noch als ein kluger Lustgarten erstreckte, das hatte sie mit
dem Herzen als ein Labyrinth voll haltloser Erscheinung
und greulicher Menschenjagden erfahren. Und wo er die
taghelle Erziehung zu Frieden und Schaffensfreude ansie-

deln wollte, genau dort war sie durch einen fürchterlichen Höllenflur gerannt, durch eine barbarische Nacht, und nur knapp dem Unheil entkommen. Doch schwieg sie von alledem. Sie wollte den hochherzigen Mann, sein weises und spielerisches Vorhaben auf jedem Weg wirksam unterstützen. Sie wußte wohl, daß die hohe Kraft, die das Gründen erforderte, nicht durch zwiespältige Ahnungen, ja nicht einmal durch das sichere Wissen um seinen verhängnisvollen Ausgang geschwächt werden durfte, wenn anders Mut und Unternehmungsgeist in der Menschengeschichte weiterhin etwas gelten sollten.

Dennoch hatte sie den Wald nun einmal hinter sich und konnte sich's niemals ganz verhehlen. Und jedesmal, wenn sie, durch ihre Erlebnisse beschämt, unter sich blickte, verschwamm das heitere Gesicht des Besitzers mit dem karpfenmäuligen Haupt aller Deutschen. Kaum aber sah sie ihm wieder in die klaren, von Hoffnung und bestem Gewissen erhellten Augen, da hatte sie nur noch einen schönen und entschlossenen Menschen vor sich, durchdrungen von der rettenden Idee.

Die Kauffrau verliebte sich unsterblich in ihn, sie versah seine Geschäfte unter selbstlosem Einsatz und sie verschmolz mit seinem glücklichen Wesen.

So befand sie sich denn im Besitz der beiden höchsten Mittel, die dem Menschen verbleiben, um sich bis zuletzt gegen sein unabwendbares Schicksal zu erheben: die verschwenderische Liebe und die unerschrockene Tatkraft.

Die Siedlung
(Die Gesellschaftslosen)

Manchmal wurde die Langeweile schier unerträglich. Es nützte dann wenig, wenn ich mich auf der Terrasse unserer kleinen Pension in einen Liegestuhl warf und mir ausmalte, ich kampierte im zentralamerikanischen Regenwald und müßte die Geduld eines Forschungsreisenden aus dem vorigen Jahrhundert aufbringen, der vielleicht monatelang untätig auf die erste Begegnung mit einem wilden Indianerstamm wartete. Die altmodische Bildung solcher Männer sowie die ungeheuren Beschwerlichkeiten, die sie auf ihren Reisen zu überwinden hatten, mußten ihnen ein außerordentlich reißfestes und dehnbares Zeitgefühl verschafft haben. Hinzu kamen wohl auch Pionierfieber und Entdeckerstolz, die eine solche Ur-Begegnung begleiteten und die tödliche Langeweile vertreiben halfen. Für unsereinen war dagegen das zähe Ausharren, das bleierne Nichtstun zu einer schweren Belastungsprobe für Herz und Verstand geworden, eine ausgesprochen unzeitgemäße Mühsal, die uns noch den letzten Rest an geistiger Regsamkeit, die wir für unsere Arbeit dringend benötigten, zu rauben imstande war. Mein ›Volk‹ konnte ich beliebig oft und umstandslos besuchen und durfte seinen bizarren Beschäftigungen zusehen, wann immer ich es wünschte. Es siedelte nur einen halben Kilometer von unserem Quartier entfernt, jenseits der vom Gestrüpp überwucherten Tennisplätze, in den Hütten und Bungalows eines aufgegebenen Freizeitzentrums, das vor nicht allzu fernen Tagen hier im Gründschen Forst errichtet worden war. Meine Entdeckerfreude hinsichtlich des Volks der *Synkreas* war mittlerweile längst einem mehr oder minder faszinierten Ekel gewichen. Ich beobachtete sie jetzt schon im dritten Jahr und hatte jeweils mehrere Monate in ihrer nächsten Umgebung zugebracht.

Ines dagegen, meine scheue Gefährtin, meine schöne,

gelehrige Mitarbeiterin, die mir die Kommission großzügigerweise beigestellt hatte, befand sich zum ersten Mal auf einer Außenstation. Sie legte also noch die größte Rührigkeit und Wißbegierde an den Tag. Ich erfreute mich an ihrem geschmeidigen Arbeiten. Es versüßte mir ein wenig das abgestandene und lahm gewordene Projekt, in dessen Dienst wir beide tätig waren. Ihre gewissenhafte und still entzückte Beschäftigung mit irgendeinem bildsprachlichen Mitbringsel aus dem *Syk*-Gebiet erschien mir oft weitaus beobachtenswerter als das Fundstück selbst. Das Schönste, was ich am ganzen Tag zu sehen bekam, war ihre anmutige Gelehrigkeit.

»Ist dir etwas Neues aufgefallen?« fragte ich Ines, als sie mir das Fragment einer Geister-Fabel brachte und den ersten Versuch einer Umschrift vorlegte.

»Hm«, machte sie nur und ging mit ernster Stirnfalte den Text noch einmal Zeile für Zeile durch. »Oh ja! Sie gebrauchen neuerdings nur ein Wort, ein und dasselbe Wort für Zerschnittenes und Zusammenfließendes.«

Ich warf einen Blick auf die Collagetafel, die über und über mit Bildzeichen und Materialien bestückt war.

»Stimmt«, sagte ich. »Was meinst du? Mir scheint, sie kommen immer mehr dazu, gegensätzliche Begriffe auszuschalten und sie durch Ambivalenz-Terme zu ersetzen. Sie haben doch jetzt schon eine ganze Reihe von diesen Mehrzweck- oder Joker-Wörtern eingeführt, bei denen die eindeutige und herkünftige Bezeichnung für immer verlorenging. Nicht einmal durch Satzstellung oder Stilfarbe werden diese Bedeutungscluster noch aufgetrennt, man muß immer den gesamten Nimbus mit- und unterverstehen.«

»Sie benutzen jetzt sogar schon dasselbe Zeichen für Fotografie und Zeugungsakt«, ergänzte Ines besorgt.

Ich lachte und sagte: »Sie wollen eben die leidigen Gegensätze überhaupt aus der Welt schaffen!«

Ines holte die Vokabel-Listen, die wir im Auftrag der Kommission und zum besonderen Nutzen unserer Freunde, der Zeichenkundler und Pictogrammatiker, anlegten. Sie trug ihre kleinen neuen Entdeckungen sorgfältig in die verschiedenen Rubriken ein. Damit war für mich oft genug die Arbeit eines ganzen Tags bereits beendet. Ich half Ines, ich lenkte ihren Blick auf die wesentlichen Kleinigkeiten, die unserem Bericht den größtmöglichen Anschein von Pedanterie und Wissenschaftseifer verleihen sollten. Daraufhin versank ich wieder in der endlosen Faulheit und Gedankenleere unserer schwülen und stickigen Waldeseinsamkeit. Der einzige Zeitstrang, an dem ich mich festklammern und durch den Tag hangeln konnte, waren die Mahlzeiten und Zwischenmahlzeiten, mit denen uns die Wirtsleute reichlich und regelmäßig versorgten. Wir lobten beide unsere gute kleine Pension, die viel zu abgelegen war, um noch andere, zufällige Gäste zu finden, und von einem älteren italienischen Ehepaar sehr häuslich und liebevoll geführt wurde.

Es gab auch kritischere Tage, an denen selbst Ines' Lerneifer erlahmte, und da sie jedem persönlichen Gespräch mit mir auswich, blieben uns im wesentlichen nur diese paar lobenden Worte, unsere Gastwirtschaft und Unterkunft betreffend, die wir häufiger, als es Sinn hatte, und mit wechselndem Nachdruck wiederholten.

Trotz der hohen, schattenspendenden Eichen, die unsere Terrasse umgaben, herrschte hier eine gleichbleibende, bedrückende Schwüle. Eine alte, ungesunde Hitze hatte sich zwischen die Bäume gesenkt und entzog dem Waldboden und den Pflanzen große Mengen an Feuchtigkeit. Von den verwilderten Tennisplätzen, die ohne Baumschutz im diesigen Sonnenlicht lagen, stiegen überall kleine Wärmelöckchen auf. Angesichts einer ringsum schlappen, verdurstenden Natur hielten wir uns vergleichsweise gut in Form. Man hätte schließlich meinen können, die in etlichen Zukunftsszenarien beschriebene Klimaverschiebung sei nun tatsächlich über den nördlichen Erdkreis gekommen. Die abrupten gesellschaftlichen Veränderungen, die wir binnen kurzem erlebt hatten, der kulturelle Erdrutsch, von dem überall die Rede war und der zweifellos auch stattgefunden hatte, wie gern hätte sie der überforderte Verstand mit einem höheren, meteorologischen Wandel in Verbindung gesetzt! Aber so verhielten sich die Dinge nicht. Es hatte sich lediglich ein langer starrer Sommer über uns ausgebreitet, den drei oder vier vorangegangenen im übrigen zum Verwechseln ähnlich, so daß man im Hitzedämmer manchmal die Jahre nicht mehr unterscheiden konnte. Vielleicht hatte uns das Pan-Wetter, die endlose Mittagsstunde auch nur empfänglicher gemacht für das Mysterium einer Benommenheit, das aus dem raschen Auseinanderfallen unserer westlichen Erfolgsgesellschaften hervorgegangen war; die Benommenheit, die zum Lebensgefühl einer Vielzahl von Menschen Mitteleuropas wurde und sie tiefgreifend verändert hatte. Erste Folge des wärmeerzeugenden Zerfalls waren die weitverbreiteten Gruppennester und Bürgerbünde, die jedoch allesamt innerhalb des alten Gemeinwesens operierten und aushielten. Die Situation änderte sich grundlegend erst mit dem plötzlichen Auftauchen von ausgedehnten Migrations- und Siedlungsbewegungen, über Länder- und Staatsgrenzen hinweg. Hier sammelten sich auf einmal moderne Menschen des dritten industriellen Zeitalters nach Art von Stammesgesellschaften, ungeachtet ihrer Herkunft, ihres Alters, ihrer Nationalität, bildeten große Familien bzw. kleine, bewegliche Völkerscharen.

All dies war viel zu sprunghaft und überraschend geschehen, als daß man es aus den herkömmlichen Erklärungsmustern der Krise und des Wandels noch hätte ableiten können. So abwegig es auch sein mochte, nun unbedingt auf kosmische und außerplanetarische Einflüsse zu spekulieren, die den gleichzeitigen Ruck im Bewußtsein unzähliger Bürger bewirkt haben sollten, so einleuchtend war es andererseits denn doch, daß sich das verprellte Menschengemüt im Notfall lieber mit solch gleichnishaften Vermutungen als mit ausgemergelten Analysen behalf. Aber wenn man schon, wie es geschah, von galaktischen Schockwellen und Fluktuationen sprach (und dabei unsere kleine gesellschaftliche Abdrift mit nichts Geringerem als der Supernovaexplosion eines verbrauchten Sterns verglich, die gewöhnlich zur Entstehung neuer Planeten führt!), dann möchte ich mir diese Ereignisse größten Stils wieder bescheiden ins Irdische übersetzen und dazu bemerken: daß diese neueren Ausstreuungen von Lebens- und Verhaltensformen in der Tat von einer Fluktuation getragen werden, von einer Schockwelle, die unser aller Bewußtsein angeweht hat und die nach meiner festen Überzeugung von den gleißenden Schätzen der Vernichtungswaffen ausgeht, die wir auf unserem kleinen Planeten angehäuft haben, als wollten wir eines Tages Sonne spielen.

Natürlich, auch mein Bewußtsein war angeweht worden. Nur war ich noch in der Lage, mir darüber Rechenschaft abzulegen. Jedenfalls vorläufig noch. Nach außen hin durchaus auf meinem Posten, bemerkte ich doch, wie ich häufig in meinem Dösen sachte verschwand, wie die schaukelnden, glitzernden Wellen des Mittags über meinem Kopf zusammenschlugen, und nichts, keine Selbstkritik und kein Pflichtbewußtsein konnten mich aus dieser abgrundtiefen Passivität und Loslösung heraufrufen. Es war mir dann, als triebe ich gemächlich einem *anderen* Wissen entgegen, als wollte mich von drüben ein gütigerer, reicherer Geist über holen. Doch stets verblieb ich auf halbem Weg, ich zögerte und sträubte mich auch, ganz hinüberzutreten, ich lungerte lieber stundenlang in diesen bald wohligen, bald schmerzlichen Scheidewässern herum, in denen die Erinnerungen schneller zu strömen begannen und eine *abfließende* Geschwindigkeit annahmen. Wie gesagt, meine heimliche Befangenheit hinderte mich nicht, zumindest in gewissen Abständen meine Beobachterpflichten bei den Syks wahrzunehmen. Wenn ich nach außen hin auch abwesend, ja trantütig erscheinen mochte, so wurde ich andererseits doch immer ›gespüriger‹ für alle möglichen verdeckten Gefahren, sich anbahnende Konflikte, für hintersinnige Motive im Gespräch und in der Handlungsweise anderer Menschen. Unter all meiner Trägheit entwickelte sich ein System hochgradiger passiver Schläue. Vielleicht hatte ich mich inzwischen an das feiner ausgebildete Reaktionsvermögen der Synkreas angepaßt oder sie darin sogar schon übertroffen. Ich erinnere mich, daß wir uns eines Tages alle miteinander – 322 Männer, Frauen und Kinder, Ines und ich – in der Schutzhöhle versteckten, weil wieder einmal ein Säuberungskommando aus einer der umliegenden Kleinstädte uns einen unfreundlichen Besuch abstattete. Der Trupp baute sich schließlich vor dem Eingang der Höhle auf und nahm uns unter Strahlenbeschuß. »Schon wieder haben Sie sich rechtzeitig geduckt«, sagte der damalige Anführer zu mir, offenbar etwas ungehalten darüber, daß ich die lichtschnellen Salven schneller gewärtigt hatte als er und seine Leute. Das Zeug war außerordentlich schädlich für die Haut, und wenn es einen direkt traf, hatte man des längeren unter Erbrechen und Erstickungsanfällen zu leiden. Die meisten Syks hatten etwas abbekommen. Mir war es peinlich genug, denn es durfte mir nichts daran liegen, ihren ersten Mann in irgendeiner für sie lebenswichtigen Fähigkeit zu übertreffen. Wir hatten im Gegenteil Weisung, ihnen in nichts als Vorbild zu dienen, ihnen unter keinen Umständen, selbst nicht bei Gefahr für ihr Überleben, behilflich zu sein. Wir hatten sie rücksichtslos sich selbst zu überlassen und besaßen keine Befugnis, auf irgendeine Weise in ihr Leben und ihre Gewohnheiten einzugreifen. Unsere Tätigkeit beschränkte sich ausschließlich auf die

116

gewissenhafte Beobachtung. Wir durften uns daher auch nicht an ihren Spielen und Arbeiten beteiligen, durften sie nicht einmal zu irgendeiner Tätigkeit anregen, ja wir mußten sogar unseren Rat verweigern, falls sie um ihn ersuchen sollten. Unsere Aufgabe war mithin klar umrissen. Einmal im Jahr verlangte die Dienststelle einen umfassenden Bericht, in dem alle bemerkenswerten Vorfälle und Veränderungen, die wir in der Siedlung feststellen konnten, zusammengefaßt und ausgewertet wurden. Unsere Behörde – ein zwischenstaatliches Gremium, das eigens zur Untersuchung und Kontrolle der neuen Gründungsbewegungen bestellt worden war und seine Hauptgeschäftsstelle in Frankfurt unterhielt –, diese Behörde beugte sich natürlich besorgt und verständnislos über dies ›neue Bewußtsein‹, wie sie es nannte, das sich über die Länder hin breitmachte, und konnte sich beim besten Willen nicht vorstellen, wie so etwas einem Menschenhirn von mitteleuropäischen Prägungen plötzlich entspringen konnte. Übrigens war keines dieser neuen Völkchen bislang in der Lage, aus eigener Wirtschaftskraft zu überleben, auch meine Syks nicht. Sie erhielten wie alle anderen eine Reihe von materiellen Zuwendungen und Versorgungsleistungen, über die auf der Grundlage unseres Berichts entschieden wurde. Als Gegenleistung wurde von ihnen gefordert, daß sie sich als ›soziales Experiment‹ einstufen, von allen Seiten begaffen und durchleuchten ließen. Die Kommission war natürlich eigennützig daran interessiert, ›menschenwürdige Überlebens-Modelle‹ zu studieren, die in einer ›Gesellschaft mit beschränktem Arbeitsbedarf‹ vielleicht einmal für weitere Bevölkerungsteile von Bedeutung sein könnten. Daneben wollte sie selbstverständlich die Ausbreitung der Bewegung unter Kontrolle halten und überwachen.

Wie wir feststellen konnten, hatten sich unsere Syks trotz weitgehender Entlastung vom Arbeits- und Erwerbsleben keineswegs der Faulheit und Apathie ergeben, sondern sie pflegten vielmehr in besonders regem Maße ihre sozialen Bindungen, entwickelten eine schöpferische Fantasie, so etwas wie einen reifen Spieltrieb, der zur wichtigsten Kraft ihres Gemeinwesens wie ihrer persönlichen Individualität geworden war. Auffallend war dabei, daß sich das Übergewicht an zweckbestimmter, formallogischer Vernunft – entsprechend der Kulturleistung unserer linken Hirnhälfte – deutlich verminderte und sich zugunsten eines kombinatorischen und ausgesprochen ›sammelwütigen‹ Denkens verlagerte. So produzierten (›erinnerten‹) sie eine große Menge an Riten und Gebräuchen, die allerdings sehr rasch wechselten, und ebenso plötzlich produzierten (›erinnerten‹) sie einen beträchtlichen Vorrat an fantastischen Fabeln und zusammengeklebten Erzählungen, die auch sehr rasch wieder in allgemeine Vergessenheit gerieten oder bewußt ›umgeschmolzen‹ wurden. Derart war bei ihnen fast alles in einem beschleunigten, merkwürdig leerlaufenden Wandel begriffen. Denn wo ein echtes Naturvolk mit seinen Manen und Geistern in festem und bleibendem Bunde war, da waren auf die Syks letztlich ja nur die Geister der Erfolgsgesellschaft überkommen. Zwar hatten sie mit dieser gebrochen und sich von ihr abgesondert, deren kulturelles Strandgut aber, deren geschichtliche Reste und Bruchstücke waren zu ihrem wesentlichen Spielzeug und Bastelmaterial geworden. Sie waren daher *kreativ* – aber eben nur als erfinderische *Synthetiker*, als Sammler und Resteverwerter. (Nicht wir Feldgänger, sondern irgendein Sachbearbeiter in der Kommission hatte im Scherz dieses Kunstwort von den ›Synkreas‹ geprägt, und es war dann bald in den Rang einer amtlichen Bezeichnung aufgestiegen.)

Infolge ihres verspielten Denkens gestalteten sich alle ihre Äußerungen und Zielsetzungen höchst instabil und zusammenhanglos, so daß es uns erhebliche Schwierigkeiten bereitete, auf zugrundeliegende Strukturen und Regelwerke ihres Verhaltens zu schließen und sie zuverlässig zu beschreiben. Schöpferische Hervorbringung und Vergeßlichkeit, Scharfsinn und Inkonsequenz griffen beliebig ineinander. Nach einigen Monaten, die man bei ihnen zugebracht hatte, besaß man kaum etwas, an das man sich hätte halten können. Man wußte durchaus nicht mehr zu entscheiden, ob man dem schlußförmigen Reigen beliebiger menschlicher Verkehrsformen zugeschaut hatte, der raschen Wiederholung, der munteren Stretta vor dem unwiderruflichen Zerfall; oder aber vielmehr der mühsamen Ankunft des Neuen Menschen, der sich durch ungeheure Ablagerungen von Gerümpel allmählich seinen Weg bahnte.

Meine scheue, unverzagte, der Sache ganz ergebene Gefährtin bewahrte mich oft genug vor allerlei verdrießlichen Mißdeutungen, vor niedriger Polemik, wenn mir an all den wirren Synkreationen nichts mehr gelegen war; einfach durch ihr geduldiges Interesse, ihr gefälliges Aufmerken und Lernen erlegte sie mir Gleichmut und Nüchternheit auf. Aber sie besaß noch einen weiteren Einfluß auf mich. Es war ihre tief eingewurzelte Liebesfurcht, die ich in manchen plötzlich dunklen, schutzlosen Blicken bemerkt hatte und die nun wiederum meinen Erkundungsdrang lebhaft beschäftigte.

Leicht, allzu leicht hätte man angesichts gewisser Erscheinungen bei den Syks von Rückbildung, Verkommenheit, Niedergang und Schlimmerem sprechen können. Die Sprache war nicht mehr der oberste Kulturträger; traditionelle Ordnungsvorstellungen im menschlichen Zusammenleben, die Herrschaft der logischen Intelligenz, all dies war in die Verwehung geraten. Jedoch würde sich einer groben Fehleinschätzung schuldig machen, wer hierin nur das Entschwindende und Ruinöse erkennen wollte. In Wahrheit brachte der mentale Windwechsel eine Reihe von positiven, überlebenstüchtigen Elementen ins Spiel – nicht unbedingt neue, jedoch seit langem vernachlässigte, abgedrängte Befähigungen des Menschen gewannen wieder an Geltung. So war im wesentlichen ihre Intelligenz (und auch ihre Wirtschaftlichkeit) auf den einfallsreichen Umgang mit verbliebenen, vorgefundenen Dingen abgestimmt und nicht auf die Entwicklung immer neuer, immer ›besserer‹ Produkte und Leistungen. Hier galt Kombination mehr als Innovation. Traum, Spiel, Sammeln, ganzheitliche Vorstellung hatten sich gegen die eiserne Vorherrschaft von abstrakter Logik, Plan, Fortschritt und Traditionszwang erhoben und sie bedeutend eingeschränkt.

Jene uns das ganze Leben über belauernde, immer draußen gehaltene Infantilität, der Quell nimmermüder Verwandlungen, das Modell der Fabeln und des Märchens, war an die Stelle des seriösen Bewußtseins gerückt, das bis dahin als das einzig erwachsene gegolten hatte.

So nisteten sie also, vorsichtig angepaßt, in ihrem abgeschiedenen Wald-Hort, eine kleine, verständigte, friedliebende Gemeinschaft – und hatten doch alle Hände voll damit zu tun, sich ihre maßlosen Freiheiten einzuschränken, um nicht in das schwarze Loch der totalen Gesellschaftslosigkeit zu stürzen. Denn hierin ahnten sie wohl selbst ihre ärgste Gefahr: der hohe Grad an Beliebigkeit, der sämtliche erspielten Pflichten und Bindungen auszeichnete und sie von jeglicher Notwendigkeit fernhielt, konnte jeden Augenblick zu sozialer Selbstentleerung und Implosion führen. Ohne nach irgendeiner Seite hin *Widerstand* leisten zu müssen, sei es gegen ein Staatswesen oder gegen die rauhe Natur, konnten sie sich plötzlich in ihrem Freiraum wie im allerengsten Freiraumkäfig eingesperrt finden und an ihrer allein durch Wunsch und Gelüst geregelten Ordnung zugrundegehen. Auch der friedliebendste Mensch wird dies ja nicht auf Dauer bleiben, wenn ihm gar kein weiteres Ziel vorschwebt, als nur sein friedliebendes Verhalten beständig zu pflegen. Er muß schon etwas *darüber hinaus* wollen, etwas mehr als den nackten Frieden, sonst bekommt er auch den nicht. Ohne tätigen Entwurf, ohne eine übergeordnete Notwendigkeit kann er nämlich nicht einmal auf seinem Fleck stehenbleiben, er versinkt auf der Stelle im Schlamm seiner Ausscheidungen.

Der Reservat lag gut 25 Kilometer nordöstlich von Köln mitten im Gründschen Forst. Es war von überall her leicht festzustellen, denn ein hoher tempelartiger Bau überragte hier weithin sichtbar die Baumwipfel. Er bildete die Mitte eines ehemaligen Erholungs- oder Animationszentrums, doch sein ursprünglicher Zweck und Nutzen schien niemandem mehr bekannt zu sein. Im Inneren vollkommen düster und leer, führte lediglich eine hölzerne Wendeltreppe in die Höhe, die aber zugemauert und ausblicklos war. Manches deutete darauf hin, daß die früheren Bewohner oder Gäste die Siedlung eines Tages fluchtartig verlassen hatten, denn in ihren Häusern war fast alles so stehen- und liegengeblieben, wie sie es eben noch gebraucht haben mochten. Die Ausstattung war allgemein von hohem technischen Komfort. Daneben gab es aber auch altmodische Handwerksstätten und Kleinbetriebe und außer den Wohneinheiten auch größere Verwaltungsgebäude, Sportanlagen und eine Krankenstation. Als die Syks hier einzogen, waren die Kühltruhen noch bis an den Rand mit Nahrungsvorräten gefüllt. Was sich aber in dieser Turm- oder Wald-Stadt wirklich zugetragen hatte, vor wem und weshalb hier Menschen die Flucht ergriffen hatten, darüber war nie etwas an die Öffentlichkeit gedrungen.

Die Syks – selbst nur das Absprengsel einer großen Nord-Süd-Wanderung, deren Kern ein wunderliches Schmelzprodukt aus isländischen Fischereiarbeitern, einer französischen Schauspieltruppe, türkischen Schneidern und deutschen Psychagogen bildete –, die Syks also hatten sich der vorgefundenen Anlage bedient und waren in die flachen, meist nur aus einem Großraum bestehenden Wohnbauten eingezogen, ohne größere Veränderungen vorzunehmen. Lediglich alle visuellen Geräte, Bilder, Fotos, Plakate und dergleichen wurden beseitigt und aus dem Wege geschafft. Sie waren zwar keine Bilderstürmer, besaßen aber eine tiefgründige Scheu und Abwehr gegenüber vorgefertigtem und reproduziertem optischen Material. *Bild*, das galt ihrem Verständnis stets soviel wie *Bilden*, etwas unbedingt Aktives verband sich hiermit. Ein Bild stellte man her und löste es wieder auf, es war ein Geschehen. Und vor allem war es das Grundelement ihrer Sprache, ihrer eigentümlichen, ebenso naiven wie ideenreichen Pictogrammatik. Ihre Rede, ihre Sprech-Akte waren ein bewegtes Kombi-System aus Gebärde, gezeigten Gegenständen, einzelnen Wörtern und einer Unzahl fein abgestufter Gefühlslaute. Jede Mitteilung besaß einen beliebig tiefen Bedeutungsflur, den nur das aufmerksame Erfassen der Sprech-Situation genau erschließen und begrenzen konnte. Ihre Schrift dagegen, ihre Aufzeichnungen glichen eher abstrusen Kunst-Objekten. Es waren dies meist sehr ausladende Collagetafeln, auf denen sie ihre Fabeln erzählten, und diese waren im übrigen bedeutend fragmentarischer gehalten als ihre lebendige, vielgestaltige Rede. Die Tafeln dienten uns als ein vorrangiger Forschungsgegenstand. Dabei kostete es Ines, der umsichtigen Entdeckerin, und mir, dem zuweilen etwas ungestümen Deuter, eine nicht geringe Mühe, zunächst einmal ein halbwegs brauchbares Lexikon zu erstellen, mit dessen Hilfe wir ihre gedrängten Erzähl-Komplexe zu entwirren und in die ›alte‹ Logik unserer deutschen Sprache zu übertragen versuchten – wie wir hoffen, ohne dabei den Eigenarten ihrer Fantasie und späten Einfalt Gewalt angetan zu haben.

Diese Fabeln, Gesprächsspiele, synthetischen Mythen, die einen so herausragenden Platz in ihrem Gemeinschaftsleben einnahmen, zeugten allemal von ihrer hochentwickelten Verwendungs-Intelligenz, verfolgten aber zunächst nur den Zweck, bei Jung und Alt die Fantasie auszubilden und zum Nachmachen anzuregen.

Man hat uns entgegengehalten, daß in diesen *Ideen-Geschichten* die ›Nachtseite des Denkens‹ ein allzu großes Übergewicht erlange. Davon kann insofern nicht die Rede sein, als den Syks gewissermaßen aus Tag und Nacht, aus Wacht und Traum längst ein Ganzes, ein ausgeglichenes Erkennen entstanden ist. Diese Tagundnachtgleiche ihres Bewußtseins machte sie auch unanfällig gegenüber den herkömmlichen Machtblöcken des Heils, der Utopie vom glücklichen Naturzustand ebenso wie der von der erlösten, gerechten Weltordnung. In dieser Hinsicht sind sie wahrhaftig, um ein Dichterwort abzuwandeln, ›ausgeträumt Träumende‹ und schreiten als solche über unseren Horizont.

DIE HÄNDLERIN AUF DER HOHEN KANTE

Eines Morgens wurde die Edelsteinhändlerin durch einen rohen, feuchten Windzug unsanft geweckt, und als sie sich von ihrem Bett erheben wollte, da erblickte sie unter sich, in einer Tiefe von einigen hundert Metern, die blaßroten Dächer der kleinen Stadt, in der sie ihr Geschäft betrieb. Hauslos, ohne jede schützende Umgebung ragte ihr Bett, das sie im Scherz zuweilen ihr ›Allerheiligstes‹ nannte, in Wolkenkratzerhöhe hinauf und schwankte auf seinen vier dünnen Pfosten frei in den Lüften.

Es war, als hätte Gott ihrem Jungmädchenbett, in dem sie sich mehr als zwanzig Jahre gekrümmt und ausgestreckt hatte, die Hammelbeine langgezogen. Oder es war, von der Kehrseite betrachtet, als sei ihre Schlafstatt wie der Sprungfederteufel aus der irdischen Kiste gefahren, so daß nun, als sie erwachte, ein dunkler, unförmiger Wolkenbauch über ihr lag. Es fehlt in den Sprachen der Völker ein Wort für die Anwandlung des Grauens, welche der Händlerin jetzt zugemutet wurde, aber es fehlt ja auf der Welt auch an einem vorangegangenen Beispiel, nach dem je ein Mensch in eine ähnlich freie und katastrophale Lage versetzt worden wäre. Selbst wenn man sich an die atemberaubenden Kunststücke von Hochseilakrobaten erinnern mag, die über Häuserschluchten hinwegbalancieren und oft genug einem plötzlichen Windstoß nicht mehr standhalten konnten und in den sensationsgierigen Rachen der Menge hinabstürzten – die einsame Aussetzung der Händlerin war dennoch weit gefahrvoller und furchtbarer. Ihr Bewußtsein war in diesen ersten wachen Sekunden selbst nichts als ein einziger Absturz, ein wirbelnder Fall, eine dumpfe Zerschmetterung. Sie wagte nicht sich zu regen. Sie lag mit aufgerissenen Augen und erstarrten Fingerkrallen in der Offenbarung der absoluten Furcht. Aber ist es nicht schon überirdische Grausamkeit, daß ein Mensch sich in einer solchen, seinem Verstand nicht mehr begreiflichen Lage befindet und trotzdem bei wachen Sinnen bleiben muß, die Regenluft riecht, den Wind fauchen hört, die Tiefe unter sich nach Metern abschätzt, anstatt daß er ohnmächtig wird oder daß ihm das Herz stehenbliebe? Das Bett schwang in einer leicht kreisenden Bewegung, das Gestell ächzte und knarrte, doch die dünnen Pfosten schienen weit elastischer, als gewöhnliches Lindenholz überhaupt sein kann.

Plötzlich brach über ihr der Regenbalg auf, und ein gewaltiger Guß überschwemmte ihr Bett, sickerte durch Laken und Matratze und rann ihr über die blanken Augen, die die vom Entsetzen gelähmten Lider nicht mehr beschützten. Kurz darauf dehnte sich die wulstige Wolke und ein gelber Sonnenstrahl stach hervor. Er blendete sie, so daß sie für eine Weile nur schwarze Fasern tanzen sah. Bald schien sich der Strahl jedoch zu mildern und räumlich zu erweitern, denn jetzt sah sie eine Art Kanal oder Schacht sich auftun, und dann konnte sie auf einmal eine lange Reihe von glitzernden Stegen erkennen, die schräg in die weitere Höhe führten. Wie denn? Noch höher hinauf? Sollte dies ihre einzige Rettung sein, nämlich in diesem Sonnenschacht höher und immer höher hinaufzusteigen? In eine völlig ungewisse Höhe, und dann ohne *jede* Verbindung zum Erdboden, die doch immerhin mit den langen Bettbeinen unterhalten wurde, und später vielleicht, mit schwindendem Licht, plötzlich selbst erloschen und fortgenommen sein? Nein, keinesfalls wollte sie in diese ganz andere Gefahr hinübertreten, obgleich sie die unterste Sprosse bequem hätte erreichen und umklammern können. Jedoch, verglichen mit dem Aufstieg ins Unbekannte, wenn nicht gar Endlose, schien ihr selbst das entsprungene, schwankende Bett mehr Sicherheit zu versprechen, zumal es für sie trotz allem noch immer mit Wärme und Geborgenheit zu tun hatte. Mit äußerster Behutsamkeit drehte sie sich vom Rücken auf die rechte Seite und drückte ihre Wange in das nasse Kopfkissen. In einiger Entfernung zog ein Bussard seine stille Runde und schwebte, ohne um sein Heil bangen zu müssen, in derselben freien Höhe, in der auch sie sich befand, die Emporgeschossene, die dem sicheren Fall Vorbehaltene. Plötzlich stand der Vogel, spähend über die Feldflur, rüttelte heftig und schoß pfeilschnell in die Tiefe. Nie hatte die Händlerin einem Vogelflug sehnsüchtiger zugesehen. Wann endlich werde ich fallen? dachte sie, wann geschieht das Unvermeidliche, wann bricht das Gestell? Ein Mensch, bloß, ohne Hilfsmittel, von der Natur nicht für die Lüfte gerüstet, ausgesetzt in seiner tödlichen Wiege, er kann ja nur fallen, nichts als fallen und sich zu Tode stürzen. In diesem Augenblick vernahm sie ein mächtiges Flügelsausen, und als sie leicht den Kopf anhob, da erblickte sie den Bussard wieder, der nun am Fußende ihres Bettes hockte und eine dicke Kröte in seinem Fang trug.

Vor Schreck und Ekel riß die Frau die Beine und die Decke an sich. Der Vogel ließ seine Beute auf das Laken fallen, und die Unke versuchte noch einmal davonzuspringen. Da schlug sie der Greif mit seinem braunen Hakenschnabel, mit seinem im Stil der reinen männlichen Bosheit geformten Waffengesicht. Dann richtete er sich auf, wölbte seine Brust und blickte mit zornflammendem Auge anderswo aus, als hätte er jedes Interesse an seiner Beute verloren. Erst als die Kröte einen letzten plumpen Sprung tat, stieß er wieder zu, packte sie und schlug ihren glitschigen Leib. Er riß die Eingeweide, zerstörte Kopf und Kehle, rupfte und warf, damit noch der leblose Kadaver ihn durch Bewegung reizte, und kröpfte alles in wütiger, gezackter Eile. Es blieb nur ein schleimiger dunkler Fleck auf dem Bettzeug zurück, darin aber schimmerte ein helles Ding. Die Händlerin, die sich von dem grausamen Schauspiel nicht hatte abwenden können, starrte auf den blutverschmierten Opal, der da aus dem Inneren der Kröte übriggeblieben war und auf dem der Bussard nun übellaunig herumhackte. Dabei flossen ihm unzählige kleine Feldspinnen aus dem Gefieder, huschten über das Bett und auch über die Hände und das Gesicht der Frau. Sie spuckte sie von den Lippen und schüttelte sie von den Fingern. Da spannte der Raubvogel die Schwingen aus, als wollte er sich gleich auf sie stürzen, doch hob er sich plötzlich seitwärts in die Höhe und verschwand. Irgendetwas mußte ihn unterbrochen und vertrieben haben. Von dem leuchtenden Augenstein heftig angezogen, versuchte sich die Händlerin aufzurichten, um nach ihm zu greifen, doch da kam ihr ein kleines fischiges Händchen zuvor und nahm ihn ihr weg. Denn es war, ohne daß sie es bemerkt hätte, unterdessen aus dem offenen Sonnenschacht ein ruhmloses, giftiges Männlein heruntergeklettert und hatte sich auf dem Bettrand neben ihr niedergelassen. Dieses nun war ein grünschimmerndes Wesen und gehörte der Gattung der Halbflügler an, welche zwar nicht fliegen können,

sich jedoch äußerst behend im elektrischen Feld der Licht-
strahlen fortzubewegen wissen. In dem sphärischen Mittel-
bereich, in dem sie sich tummelten, waren sie gleichwohl
nur wenig vermögende Geister, und obgleich sie beinahe
über alles und jedes Bescheid wußten, war ihnen doch ein
eigenes Wirken unter den Lichtgestalten verwehrt. In unseren Verhältnissen hätte man sie zu den Intellektuellen
gezählt und ihnen ein gewisses Ansehen zugebilligt. Hier
oben aber waren sie gezeichnete Leute. Während ihr Körper einem nicht enden wollenden Verfall unterworfen war,
befanden sich ihr Geschlecht und Verstand im Zustand
einer schmerzhaften und stets gleichbleibenden Dauererregung. Kein Ariel und kein weibliches Luftgeschöpf hätte
sich je mit ihnen eingelassen, alle flohen ihre unverschämte
Gegenwart. Ein Wesen dieses Schlags hatte die Händlerin
in ihrem Höhenbett ausfindig gemacht und sich zu ihr
gesellt. Es war von Kopf bis Fuß mit grünlichem Schimmel
bedeckt. Seine Wangen waren aschgrau und sein Gebiß
bestand aus einer Kette von verdunkelten Goldzähnen. Die
Frau wurde von Abscheu ergriffen, warf sich jäh auf den
Bauch und drückte ihr Gesicht fest in das Kissen. Das
Männlein konnte aber offenbar seine Stimme über ihren
Körper wandern lassen, ohne sich selbst zu bewegen. Sein
brüchiges Flüstern kitzelte sie mal am Ohr, dann in den
Kniekehlen und unter den Achseln. In ihrer namenlosen
Furcht war sie sich keiner Scham mehr bewußt, so daß sie
nun mit einem bis über die Hüfte aufgerollten Nachtkleid
dalag und nicht einmal bemerkte, daß die Decke von ihrem
halbentblößten Rücken gerutscht war. Über diesen strich
nun der schmierige Schwärmgeist hin und ergoß sich in
einem Schwall von lüsternen Gebeten. Sein Äonenlebtag
sei er der Erfüllung seiner Wünsche niemals so nahe gewesen wie jetzt, da er diese reine Gänsehaut auf ihrem Rücken
betrachten dürfe; nur um dieses gespreizten blonden
Flaumhaars willen sei er durch die Jahrhunderte geirrt und

habe schon einen dicken Schimmelpelz angesetzt; nur zu dieser in abgrundtiefe Faulheit versunkenen Kehrseite sei sein Geist von Anbeginn unterwegs gewesen, zu dieser einzigartigen Rundung des Nicht-erhört-Werdens, zu dieser fleischgewordenen Taubheit Gottes, die nur ein Schrei aus der tiefsten Seele der Lust durchstoßen kann . . .

Die Händlerin bemerkte nun, wie seine Stimme immer zudringlicher wurde und seine Erregung, von Schwatzsucht aufgepeitscht, ihrem Höhepunkt entgegeneilte. Da unterbrach sie ihn plötzlich und rief nach dem Opal. Sie erklärte, daß sie manches zu seinem Wohlgefallen tun wolle, wenn er ihr bloß vorher den Edelstein aushändigte. Ohne es weiter zu bedenken, reichte ihr das drangvolle Männlein, wonach sie verlangte, und sie legte den mit Krötenblut und -gedärm verschmierten Augenstein in ihren Mund. Im nächsten Augenblick überwand sie ihren Ekel und wurde nun selbst von einer großen Begierde erfaßt. Sie griff sich den Schimmelpelz und setzte ihn auf ihre Hüfte. Doch wie sie ihn auch zu packen, zu drücken, zu empfangen suchte, er fühlte sich überall an wie morsches Geäst. Unter ihren erhitzten Händen zuckte das Männlein einmal schwächlich auf und schon war die Erfüllung seines Äonenlebtags vorüber, es war zu gar nichts mehr zu gebrauchen. Sie wollte es aber nicht lassen und zog und preßte es an sich, doch der Halbflügler entwand sich ihr mit flatterhaftem Gewäsch, versetzte sich in eine aufgeplusterte Hysterie und hangelte blitzschnell am nächsten Strahl hinauf und zurück in den Sonnenschacht. Die Händlerin aber schrie vor beleidigter Lust und wand sich in ihrem Bett. Da öffnete sich der Schacht und wurde zum herrlichen, weiten Sonnenhof; eine große, feierliche Musik strömte hernieder, im gleißenden Licht ragte ein vieltürmiger Palast empor, aus dessen offenen Fenstern schwebten goldglänzende Elfen und strömten zusammen, sie bildeten und ballten sich unter Jubelklängen zu einem einzigen prächtigen Mannesleib, der langsam herniedersank. Die Händlerin öffnete ihre Arme und stellte den Opal auf die Spitze ihrer Zunge. Da begegneten ihr zwei feste und weiche Lippen und nahmen den Stein in Empfang. Sie sah kein Gesicht und spürte niemandes Gewicht, aber doch hielten sie kraftvoll zwei Hände und floß eine gnädige Wärme über ihren Körper. Eine Masse aus Licht und Musik hielt sie umschlungen, und das Herrliche küßte sie mit feuerroten Lippen. So jagten sie beide das Glück und rollten den Stein von Mund zu Mund. Nun erkannte sie auch, weshalb sie so furchtbar erhoben worden war, nicht um zu stürzen und zu zerschellen, sondern weil die Gnade nicht bis zur Erde hinunter kann, um zu lieben, und man ihr auf halbem Weg entgegenkommen muß. Aber wie sie nun doch im höchsten Schwindel ihr Glück nicht bei den Haaren, den Schultern, dem Rücken zu fassen bekam, riß sie sehnlichst die leeren Arme empor, und die Überwältigung schüttelte so sehr das Bett, daß es die dünnen Pfosten nicht mehr trugen, sie knickten splitternd und brachen, das steile Gestell ihrer Weihe, es legte sich schief, der turmhohe, schwanke Aufbau stürzte nun endlich doch in die Tiefe. Im selben Augenblick ergriffen ihre aufgereckten Hände das verknotete Tau, das ein Helikopter über ihr ausgeworfen hatte, und sie ließ sich aus den Lüften bergen. Die Händlerin fügte sich aber teilnahmslos in ihre glückliche Rettung. Sie spürte nur immer ihren entleerten Mund, und in der grausamen Loslösung war ihr Gesicht zu einer unveränderlichen Schmerzensmaske erstarrt. Wie ein eben Geborenes, eingemauert in den ewigen Schreck, schwebte sie zur Erde hinunter.

Kurz darauf versammelten sich am Ort die verschiedensten Wissenschaftler, um diesen sonderbarsten Fall von Levitation, von dem man je gehört hatte, von allen Seiten zu untersuchen und zu erörtern. Alsbald schon erhob sich vor den Resten des zerschollenen Betts und hohen Gerüsts, die man sorgfältig sichergestellt hatte, ein bedeutendes Stimmengewirr von Theorien und Deutungsversuchen. Stritten die Theologen noch darüber, ob hier eine göttliche Hervorhebung oder eine teuflische Aussetzung stattgefunden habe, wußten doch die Soziologen bereits, daß sich in unserer bedrängten Gesellschaft gewissermaßen vulkanische Zonen gebildet hatten, aus denen plötzlich ein unfestes Individuum wie ein Lavabrocken emporgeschleudert werden könne. Die Parapsychologen hingegen lenkten ihr Interesse vornehmlich auf den Edelsteinhandel der Levitierten. Sie vermuteten, daß die Frau aus ihrer täglichen Berührung mit einem seit altersher geheimnisvollen Material einen Strahlenimpact abbekommen habe, der sie schließlich mit der Wirkung eines hochgehenden Sektpfropfens aus ihrer Sphäre gerissen hatte.

Eines Tages trat dann ein junger, unabhängiger Mann, den sich die Sachverständigen zu ihrem Sprecher gewählt hatten, vor die quengelnde Öffentlichkeit und gab das vorläufige Ergebnis der Untersuchungen bekannt.

»Es wird sehr schwer sein«, so begann er, »das *Ganze* dieses ungewöhnlichen Vorfalls zu verstehen. Wir sind durchaus in der Lage, fast sämtliche Motive und Einzelteile des Geschehens zu entschlüsseln und abzuklären. Teilerkenntnisse aus den verschiedensten Wissensgebieten lassen sich ja heute blitzschnell abberufen, zusammentragen, feinabstimmen und auf Passung hochrechnen. Daher fehlen uns jetzt praktisch keine Zwischenglieder mehr in der Motivkette, in der das Geschehen festgelegt und vorgezeichnet ist. Was uns aber fehlt, ist die Fähigkeit zu erkennen, welcher Ordnung des Seins das Geschehen denn letztlich im Ganzen angehört. Wir befinden uns sozusagen in der Lage eines Archäologen, der an seiner Ausgrabungsstätte alle Bruchstücke und Scherben eines Gefäßes gefunden hat, tatsächlich *alle*. Und siehe da, sie passen auch haargenau aufeinander, sie fügen sich nahtlos zu einem formschönen

Ganzen. Nur stammen sie offenkundig aus den verschiedensten Epochen und Zeitschichten, und das Gefäß, das sich daraus so mustergültig und harmonisch rekonstruieren ließ, das kann es zu keinem *einzigen* Zeitpunkt der Menschengeschichte je gegeben haben.«

Mit diesem Vergleich erheiterte und verblüffte der junge Sprecher seine Zuhörer. Doch einer von ihnen gab ihm darauf eine nachdenkliche Antwort. »Nein«, sagte er, »ein solches Gefäß kann es natürlich niemals gegeben *haben*. Denn das wäre am Ende der *fertige* Krug, in dem man alle Geschichte verschließen und davontragen könnte.«

»Nun ja, Sie sehen selbst«, erwiderte der Sprecher ein wenig verwirrt, »wir tun unser Bestes, es nicht bis dahin kommen zu lassen. Denn das wertvolle Material unserer Erkenntnisse lassen wir vorerst in Scherben liegen, wir bieten es unter völlig offenen Gesichtspunkten dar, offen bis auf den Grund, wenn Sie mich recht verstehen. Wir werden den quer durch die Geschichte reichenden Krug nicht zusammenfügen, obgleich wir dazu unglücklicherweise imstande wären.«

2

Nichts lag den Syks ferner als Anarchie und Gesetzlosigkeit. Das Leben der ›rechten Hälfte‹ (nämlich des Großhirns), in der bekanntlich Bild, Raum, Musik, Synthese stärker vorgestellt werden als Zahl, Wort und Analyse, bewahrte sie nicht nur vor schmalem Zweckdenken und dem Anschluß ans digitale Weltsystem, es erhielt ihnen auch eine halb kindliche, halb philosophische Frommheit, die sich keiner radikalen Politik verbinden mochte. Die Syks waren im Gegenteil nicht nur imstande, sondern innerlich auch ganz und gar dafür eingerichtet, überall auf *Gesetze* zu achten, sie zu erlauschen, beinahe wie die Alten vor der Schrift, in Baumwipfeln und im Kieselgrund des Bachs, aber auch im Motorengeräusch, im Flirren der Fahrradspeichen, in den Interferenztönen der Verstärker-Boxen. Ihr Gehör oder auch: ihr intuitives Gehorchen war vielleicht das am höchsten entwickelte Organ, ihre empfindlichste Bereitschaft. Hierdurch erlangten sie Zugang zu Gesetz *und* Imagination. Aber so wie sie allenthalben überkommene und vorgefundene Güter sammelten, verwerteten und immer wieder umkrempelten, machte es ihnen auch die größte Freude, die Politiken ihres Gemeinwesens je nach dem Walten der Stunde zu verändern und völlig auszuwechseln. Denn auch ihr ganzes Sozialgebilde war ja ein traumförmiges und wurde beherrscht vom Gesetz der offenen Verwandlung. Es kannte mithin keine haltbare oder tragende Verfassung. Hatte man heute die große Persönlichkeit entdeckt, den schamanenhaften Ordnungsstifter, so trat morgen schon ein beratendes Kollektiv an seine Stelle. Man empfand aber auch das Nachahmen eines absolutistischen Zwergstaates als wohltuend, oder war sogar eine Zeitlang mit der bitteren Strenge einer Glaubensdiktatur einverstanden, um dann ein paar Wochen später umso erleichterter zur Wahl eines demokratischen Parlaments zu schreiten. Wie es sich beinahe von selbst versteht, vollzogen sich diese Übergänge ohne Revolte und Machtkämpfe, sie waren ja dem ›Walten der Stunde‹ und sie waren den Bedürfnissen des kulturellen Gedächtnisses abgelauscht. Im übrigen glaubte man, je mehr Politiken man erprobt und sozusagen im Repertoire hatte, umso besser gerüstet zu sein für den Fall irgendwelcher Veränderungen der gesellschaftlichen Umwelt. Gegebenenfalls könnte die eroberte Nische nämlich nicht im Widerstand verteidigt, sondern müßte durch geübte Anpassung behauptet und bekräftigt werden.

Es zeigte sich bei alledem: der politischen Anwandlungen eines Menschen sind viele und oft sogar mehrere auf einmal. Die Syks trugen sie fleißig von innen nach außen, setzten sie in Handlung um und verhielten sich jeweils gesetzestreu bis zum nächsten Regime, bis zur nächsten Verfassung.

Ähnlich wechselhaft waren auch ihre Bekleidungssitten. Eine Zeitlang bestimmte ein farbenfroher, zierdereicher Aufputz das allgemeine Gruppenbild, selbstentworfene und bunt montierte Fantasiekostüme für Mann und Frau. Eines Tages aber schien es einen kollektiven Geschmacksumschwung gegeben zu haben, und nicht ein einziger Farbtupfer war mehr zu sehen. Die Syks gingen allesamt in einem schlichten Mausgrau, trugen alle das gleiche schmuck- und geschlechtslose Büßergewand. Dann wieder folgte eine Phase, in der sich die Frauen mit jeder Stilgebärde von den Männern unterscheiden wollten. Das führte sogar soweit, daß sie zu gewissen Anlässen gänzlich nackt und unbekleidet, nur mit bemalter Körperhaut erschienen, während ihre männlichen Begleiter dagegen gerade die vornehmsten Anzüge, elegantesten Stoffe trugen. Aber auch hier hatte sich die freie Laune durchaus nicht ohne Gesetz und natürliches Bedürfnis entfaltet. In der Berührung von nackter Haut und kostbarer Tuchware versuchten sie nämlich die geschwächte Geschlechterspannung zu erfrischen. Die Mode diente ohne Zweifel als ein künstliches Reizmittel, den schwindenden Geist des Begehrens zurückzurufen. Denn mit dem wachsenden Versöhnungsstreben innerhalb der Gemeinschaft war auch ein fortschreitender Verfall an Polarität und Gegensatz verbunden. Die große synkretische Eintracht wirkte ganz und gar nicht befördernd auf die Anziehungskraft der Geschlechter. So mußten häufig, der Natur zu gehorchen, allerlei künstliche, oft abwegig erscheinende Anreize geschaffen, rituelle Maßnahmen getroffen werden, um den nötigen ›Spannungsrahmen‹ für die Liebesvereinigung herzustellen. Der entblößte Körper allein konnte jedenfalls dazu nicht mehr verführen. Geradezu sprichwörtlich wurde uns jener Typ, jener etwas schläfrig-sterile Typ der stillen Nackten, die angelehnt und versonnen nebenan in der Tür stand, während Gäste im Haus versammelt waren, und irgendwann kam sie dazu, setzte sich, wie ein Kind in der Unterhaltung Erwachsener, auf jemandes Schoß, ohne Interesse, ohne gebieterischen Wunsch, eigentlich nur, um vom leisen Rauschen des Gesprächs behütet einzuschlafen. Jenes Ansehen und jene Ausstrahlung, welche die Frauen einst besaßen, als sie noch in rauheren Männer-Gesellschaften die Idole des Andersseins darstellten, waren auch bei den Syks endgültig dahin und konnten selbst durch die ausgepichtesten Inszenierungen nicht wieder zurückgewonnen werden. Im übrigen: mit der furchtbaren Anwehung, mit der Rechtswerdung des Phänotyps hatten sich ja bei *beiden* Geschlechtern Formen einer weiblichen Intelligenz Vorrang verschafft und nahmen größten Einfluß auf die Sitten und das Gedächtnis der Siedler. Ganz gleich, ob es sich nun um die wesentliche Inkonsequenz und Vergeßlichkeit, um den spontanen Erfindungsreichtum, um Intuition und Verwertungsgeschick handelte, nach herkömmlicher Auffassung waren es allemal weibliche Eigenschaften, die hier den Ton angaben und das tägliche Leben bestimmten. Damit war der langwierige Streit, der in der alten Gesellschaft um die Gleichberechtigung der Frau geführt wurde, in diesem abgeschiedenen Winkel der Erde auf unerwartete Weise entschieden: alles Wissen war weiblich geworden. Zugleich aber hatte sich auch das männliche Bild (und ebenso das weibliche Selbst-Bildnis) von der begehrenswerten Frau merkwürdig verflüchtigt und mit ihm die Idee und das Empfinden des allernatürlichsten Gegensatzes. Ein Frausein wirkte in jedermanns schöpferischem Willen, in jedermanns offenem Gemüt, jedermanns verträumtem Erkennen.

Dauerhafte Bindungen wie Ehe, Familie, Verwandtschaft, Lebensgemeinschaft wurden bei den Synkreas nicht ausdrücklich gepflegt oder spielten nur eine untergeordnete Rolle. Wichtiger, für die soziale Eingliederung von entscheidender Bedeutung waren hingegen die kleinen provisorischen Gruppen, die communities, die ›Wärmeverbände‹, wie wir sie nannten. Sie umgaben jeweils jene Stammesangehörigen, die sich im Zustand einer erhöhten *Teilhabe* befanden, d. h. deren geistige Energie zeitweilig stärker erregt oder reicher war als die ihrer Nachbarn, so daß sie damit gut vier oder fünf andere Menschen versorgen konnten und dazu auch angehalten waren. Ein solcher Verband umfaßte Kinder wie Greise, Frauen, reife und jüngere Männer, und der Gestärkte in ihrer Mitte konnte ebenfalls in jedem beliebigen Alter stehen, Mann oder Frau sein, hier gab es keinerlei Einschränkung. Ließ seine Kraft irgendwann nach, so löste sich die Nutzgemeinschaft ohne Verdrießlichkeiten wieder auf und ging in eine andere über. Teilhabe und Einberaumtsein, das waren die Schlüsselbegriffe ihrer Gläubigkeit und ihres Weltvertrauens. In der Vorstellung der Syks suchte jede Existenz Anschluß an den Großen Schmelzfluß, in dem alles Menschen- und Naturwissen, aber auch die außerirdische und göttliche Intelligenz enthalten waren. Er umrundete das Universum sowohl wie das einzelne Menschenleben. Um mit ihm, dem Fluß aller Güter und Geister, in Verbindung zu treten, Teilhabe also zu erlangen, war es für den Einzelnen das beste, sich selbst in eine schöpferische Tätigkeit zu begeben, sei es im Spiel, im sozialen Gestalten, im Sammeln und Erfinden von Riten und Moden, sei es in der Hervorbringung eben jener Ideen-Geschichten oder auch nur im intuitiven Gehorchen, in der reinen Naturversenkung, im Staunen, im Nachvollzug der zuhandenen Dinge. Nach der tiefen Überzeugung der Syks gab es in der Welt nichts Isoliertes, alles war durchdrungen von dem *einen* Geist, dem der unaufhörlichen Schöpfung, die von der Entstehung des Alls bis hin zum geringsten Hühnergackern alles Seiende hervorgebracht hatte und deren Geschichte ohne Ende sein würde, selbst wenn sie dereinst den Menschen überschreiten, den jetzigen Gattungstyp auslöschen sollte. Sie sagten: ich stamme vom Urknall ab. Der radioaktive Zerfall in Millionen Lichtjahren Entfernung und mein Wimpernzucken jetzt bilden eine unendlich ausgedehnte Einheit. Und doch ist der Abstand zwischen beiden so unerdenklich groß, daß er nur in der magischen Fühlung und in den Träumen gewußt und erfahren werden kann. Daher ist der Mensch zwar nicht die Krone der Schöpfung, wohl aber der erste Schritt auf dem unendlichen Weg des sich selbst zu Bewußtsein kommenden Universums. Denn die Welt hinter unserem physischen Erdenleben ist voll von höherem Bewußtsein, zu dem die Schranke unserer Art uns jeden Zugang verwehrt. Erst mit unserem Tod werden wir in die Welt des überlegenen Geistes eintreten, die Gattung überschreiten und zur ›Fortsetzung des Menschen‹ werden. Denn nach der Hervorbringung des menschlichen Bewußtseins wird alle weitere Evolution eine geistschaffende sein und keine materiell irdische mehr.

Gelang nun einem Syk die Teilhabe, so fühlte er sich kaum noch als ein Individuum, sondern eben als Teil, als Element eines urtümlichen Wissens, einberaumt, allempfindlich. Gelang sie nicht – und das war nun doch für jedermann der Alltag –, dann suchte er eben die Nähe eines Gestärkten auf und schloß sich an. Allein wäre er nämlich unbedingt verschlossen geblieben und hätte schmerzlich darunter gelitten, wie eine Plastikkapsel auf dem organischen Strom zu treiben und vielleicht an ein wüstes Ufer gespült zu werden.

Erziehung zur Teilhabe stand auch im Mittelpunkt der zärtlichen Pädagogik, die das Völkchen seinen Kindern, seinem nicht eben zahlenstarken Nachwuchs zukommen ließ. Dazu gehörte, daß bereits die Jüngsten im Spiel und in Bildgeschichten vom Einberaumtsein in den Mutterkörper der Schöpfung erfuhren und sich vor nichts Fremdem zu fürchten brauchten. Dazu gehörte ferner die Lehre für die Heranwachsenden, daß das Schöne und das Komplexe, die Wissenschaft und der Glaube einander nicht ausschließen. Daß die Entwicklungsgeschichte des Lebens (auf der Erde) nicht von der Fülle in die Verminderung und Verarmung herabsteige, nicht vom Paradies zur Wüste führe, sondern gerade umgekehrt vom Einfachen zum Komplexen, von der Einzahl zur Vielzahl, von der Armut zum unvorstellbaren Reichtum sich entfalte; und daß von daher es auch dem Menschen aufgegeben sei, im Herzen und im Verstand nicht ärmer und roher (auch nicht spitzer und spezialisierter) zu werden, daß er vielmehr schauen *und* spielen müsse sein Lebtag. Daß er dabei die gleiche Freude und Achtung empfinden solle vor dem künstlerischen Symbol wie vor der nützlichen Pflanze, denn der ästhetische und der natürliche Artenreichtum sind lediglich zwei Ausformungen ein und desselben Lebensprinzips. Daher wirke denn auch jeder schöpferische Prozeß, jede tätige Teilhabe unbedingt arterhaltend und diene der Erweiterung und Fortentwicklung des ganzen Geschlechts. Es gibt keine Spaltung und keinen Widerstreit zwischen Natur und Geist, zwischen Materie und Bewußtsein! Alles liegt vielmehr in demselben einigen Gesetz des Wandels beschlossen, in der unerschöpflichen Geburt der Differenz, vom Baum zum Lied, vom Feuer zur Elektrode, vom Einzeller zum Numinosen. Gott, so sagten die Syks, ist der kürzeste Name für jene Geschichte, die nur Anfang kennt und kein Ende. Und diese Geschichte vollzieht sich in der von niemandem erfundenen Ordnung eines Termitenhaufens ebenso wie im Machwerk des kleinsten Halbleiterelements. Nicht in Rivalität sondern in besserer Übereinstimmung mit seinem Gerät, im *Gehorchen* seiner hohen technischen Bestückung wird der Mensch über seine gegenwärtige Erkenntnisstufe hinausgetragen, und erst ein neues, eben ein ›synkretisches‹ Bewußtsein wird es vermögen, die Technik wieder an den Menschen rückzubinden, und ihn vor ihren zerstörerischen Auswirkungen bewahren. Ihre dauernden Vorsprünge ins Unüberblickbare, durch die uns die Apparate heute noch die ärgste Bedrohung bereiten, werden uns nicht mehr beunruhigen, sobald sich der Raum unseres Schauens erweitert hat.

Nach Meinung der Syks wurden die Menschen in den alten Massengesellschaften allenfalls dazu ertüchtigt, einen Haufen von Konflikten zu erkennen, auszutragen und möglichst unbeschadet zu überstehen. Ihr geistiges und tätiges Leben war am Ende der neueren Geschichte in tausend Widersprüche zerfallen. Sie studierten am liebsten und erspürten vornehmlich Unversöhntes. Die Furcht vor ihrem eigenen kleinen Tod hatte einen weit größeren Einfluß auf ihre Ideen-Welt als das grandiose und mannigfache Leben selbst. Sie erstarben ihre Existenz mehr, daß sie sie erlebten. In ihrem Streben nach Teilhabe erlangten die Syks zwar bedeutsame Fortschritte im Gehorchen, in der sinnlichen und naturgeschichtlichen Anpassung, jedoch verloren sie beinahe vollständig die Fähigkeit zur streitbaren Auseinandersetzung, entbehrten sie der Kampfbereitschaft im Inneren wie nach außen hin. Schon ihr Erziehungsprogramm sah dafür keinerlei Übung vor. Die Jungen widerstritten den Älteren nicht. Erfahrung, Eingeweihtsein, das Spiel beherrschen, diese Werte standen in hohem Kurs und wurden von niemandem angezweifelt. Trotz aller Erfindungsfreude galt Überlieferung mehr als Neuerung. Und so kam es, daß wir in ihren Reihen Verweigerung, Opposition, Außenseiterverhalten so gut wie überhaupt nicht beobachten konnten. Die elementaren Tugenden hießen allemal: Schauen, Bewundern, Dienen und Preisen. Streiten, Kämpfen, Konkurrieren, dafür gab es nicht einmal Bildbegriffe.

Natürlich, man darf nicht vergessen, es handelte sich schließlich um ein ausgehaltenes Völkchen, das sich um seine Wohlfahrt nicht zu sorgen brauchte, das gefällig

›Modell stand‹ für eine alte, um Fassung ringende, verbrauchte Erfolgsgesellschaft. Wenn mich wieder einmal der Überdruß packte und ich mich in höchst abschätzigen Gedanken über die Siedler erging, dann waren sie plötzlich für mich auch nur eine Horde von Sektierern unter vielen anderen. Das synkretische Rezept von Verwertung und Collage, von Traum und Wissenschaftsfrömmigkeit, welches sie in ihrem Schilde führten, unterschied sich mir dann kaum noch von irgendeinem anderen geschickt gemischten Heilmittel, das eine ins Gigantische gewachsene Lebensgefühl-Industrie laufend auf den Markt warf. Und doch, wenn ich dann ihre Fabeln studierte, wenn ich mich wirklich einließ auf ihr naives, neugieriges, ja zuweilen kopfloses Denken, dann konnte ich ihnen meinen Respekt nicht versagen. Sie hatten eines tatsächlich geschafft, um das wir anderen sie beneiden konnten. Sie dachten gerade so weit und so tief, wie es der Seele guttat. Sie dachten – um der Stärkung ihres Wohlbefindens willen.

Die Synkreas waren auf dem Weg der Intuition und der Teilhabe von den Gesetzen berührt worden, doch sie konnten sie nicht darstellen, sie besaßen keine naturwissenschaftliche Ausbildung. Die Einheit von Materie und Bewußtsein, die sie so gläubig behaupteten, damit begannen sich die empirischen Wissenschaften eben erst vorsichtig anzufreunden. Die ›rechte Seite‹ der Syks hatte hier eine moderne Weisheit erschlummert; ihnen ward die Formel eingegeben und doch unter träumerischem Verschluß gehalten. Denn wie heißt es in dem schönen Wort des Romantikers Görres? »Im tiefsten Schlaf sind wir an die Natur verloren, die unendliche Substanz hat sich uns angeeignet.«

Den Syks erhellte sich das Märchen um das Naturwissen, und dieses verklärte sich zum emphatischen Gleichnis. Am Ende einer langen, komplexen Fabel, die wir von einem jungen Bastler erhielten, heißt es: »Ich war ein Frachtschiff in einem einsamen Hafen, der längst von seinen Bewohnern aufgegeben und verlassen worden war. Nur die Dohle war da und nahm die Schiffstaufe vor. Sie pickte eine Kordel entzwei, welche mit einem gespannten Katapult verbunden war; die Sektflasche wurde gegen meine Bordwand geschleudert und zerschellte. Lautlos lief ich Frachter vom Stapel. Führerlos glitt mein Name hinaus aufs offene Weltmeer. Ohne Groll nahm ich Abschied von der (*sc. alten*) Gesellschaft.«

Und dann wenig später: »Unser Leben ist so kurz, und doch ermessen wir in jeder der 100 Billionen Zellen unseres Körpers eine kosmologische Zeit, und im Traum wie in der Ekstase reichen wir weit hinter die menschliche Geschichte zurück. Daher soll sich das Leben für uns schon lohnen, wenn es auch nur dies wunderbare Fenster ist, durch das wir einen flüchtigen Blick in die Ferne der Zeiten werfen dürfen. Nur um zu wissen, daß wir einberaumt sind, tot oder lebendig.«

Man mag leicht den Eindruck gewinnen, als wären wir bereits im Besitz eines kunstvollen Plans, mit dessen Hilfe wir das Reich der Synkreas umfassend entdeckt und durchmustert hätten, um es nun bald für jedermann zugänglich zu machen. Das ist in Wahrheit aber nicht der Fall. Diese Siedlungskommune, irgendwo zwischen kindlich-esoterischem Geheimbund und künstlicher Stammesgemeinschaft befindlich, gibt uns noch eine ganze Reihe beschwerlicher Rätsel auf. Allzu viel blieb uns bis heute schleierhaft und wird uns vielleicht niemals verständlich werden. So manche ihrer Einrichtungen, ihrer Verhaltensweisen erscheinen uns durchaus abwegig, auch abgetrennt von der vielbeschworenen ›Einheit des Ganzen‹, deren Idee sie doch über alles stellen und nach der es strenggenommen keine toten Gleise, nichts Abgespaltenes, unnütz Doppeltes, Uneingefügtes und bloß Einmaliges geben dürfte.

Was für Kopfschmerzen hat uns nicht schon der verdammte Käfig bereitet! Ein Käfig, ein Geheg aus engstem Maschendraht, viereckig, langgestreckt, etwa zweieinhalb Meter hoch, mit einer dicken Gummimatte ausgelegt, die Pfosten tief in die Erde geschlagen. Er stand unweit des leeren, steinernen Turms auf der Lichtung, also ein wenig abseits vom eigentlichen Wohngebiet, bildete deshalb aber doch ein heimliches Zentrum aller Begebenheiten, die sich in der Siedlung zutrugen. Aber wir kannten seine genaue Bedeutung nicht, wir kamen einfach nicht dahinter. Das Gestell wurde meist von zwei, manchmal gar von drei Wärtern umgeben, die mit langen hölzernen Stangen bewehrt waren und das Innere des Käfigs mit größter Aufmerksamkeit im Auge behielten. Von Zeit zu Zeit brachen sie in ein greuliches Gebrüll aus und schlugen ihre Stangen auf den Draht, als gelte es, darunter wilde Tiere zu scheuchen. Es war aber – wir haben es wahrhaftig an die hundert Mal überprüft –, es war im Inneren des Käfigs nichts, er war absolut leer. Wenn man versuchte, mit irgendjemand über diesen seltsamen Umstand ins Gespräch zu kommen, erntete man nur ein verwundertes Achselzucken. Für die Syks war der Käfig nämlich durchaus belebt und erfüllt, es hausten *ihre Bestien* darin, soviel hatten wir inzwischen zur Antwort bekommen. Mehr aber war nicht aus ihnen herauszubringen. Der inhaltlose Käfig ließ mir aber keine Ruhe, und immer wieder schlich ich mich zu ihm hin. Doch erst sehr viel später, nachdem mir auf einem ganz anderen Gebiet eine wertvolle Entdeckung gelungen war (von der noch die Rede sein wird), wagte ich es, mir eine ungefähre Erklärung zurechtzulegen und den sonderbaren Betrieb, der sich um den Käfig drehte, ein wenig aufzuhellen. Ich kam zu der Überzeugung, daß es sich um die geistigen Tiere handeln müsse, die sie hier gefangen hielten, nämlich die Fluide, jene Strömungskräfte, die die persönliche Energie jedes Einzelnen wie auch den seelischen und sozialen Zusammenhalt der Gruppe ernährten. Diese Kräfte stellte man sich gewissermaßen als wesenhafte Geschöpfe vor, die, obgleich unsichtbar, den Käfig in großer Masse erfüllten und ihn zu einem ›Kraftwerk der Kommunikation‹ werden ließen. Aber wann und warum schlugen die Wärter mit ihren Stöcken auf den Draht? Sie schlugen wohl immer dann, wenn sich die Fluide gefährlich verknäulten und sich wechselseitig zu ersticken drohten. War das nun eine zutreffende, eine elegante Erklärung? Ich weiß es nicht. Eines stand zumindest fest: der Käfig wurde als ein Ort betrachtet, von dem jede mögliche Bedrohung und Störung für die Gemeinschaft ausgehen konnte. Es wurde darüber mit Ehrfurcht, ja oft sogar mit unverhohlener Angst und Sorge gesprochen. Die geistigen Tiere, um ihre schlimmstmögliche Wendung abzuwehren, nannten sie also ›ihre Bestien‹. Ich erlaubte mir, dies mit ›Bestien der Gesellschaftslosigkeit‹ zu übersetzen, denn es waren doch *auch* die Ausstrahlungen von etwas wesentlich Fehlendem, die sie in ihrem Käfig unter Kontrolle zu halten suchten.

Nicht minder verständnislos haben wir lange Zeit einen Vorgang beobachtet, der unter der Bezeichnung ›die Lutz-Arbeit‹ in unsere Berichte Eingang fand. Dies war nun unter den Säumenden der Wald-Stadt eine weitverbreitete und auf den ersten Blick kuriose Erscheinung. Jemand, der eine offenkundig unnötige und nutzlose Arbeit verrichtete, benannte sie kurzerhand nach sich selbst. Kraft, Zweck und Wert seiner Arbeit blieben vollkommen der Tatsache einbeschlossen, daß sie ein Mann namens Lutz (oder wie immer er heißen mochte) ausführte. Da saß jemand vor seinem Haus oder stand an der Werkbank und nahm etwa einen durchaus intakten Sonnenschirm oder ein Kassettendeck auseinander, zerlegte das heile Ding in alle seine Einzelteile und verbrachte Stunden oder Tage damit, es komplett in seinen vormaligen Zustand zurückzuversetzen. Was tat er also? Er ›vernichtete‹ zunächst einmal ein fertiges, funktionstüchtiges Industrieprodukt und nahm dabei dessen Plan, dessen Gestalt und Geist in sich auf, um es dann durch seiner Hände, seines Verstandes Arbeit neu zu erschaffen. Verbarg sich nun in dieser ökonomisch leeren und überflüssigen Betätigung wirklich ein magischer Sinn oder hatten wir es vielmehr mit einem beliebigen Beschäftigungsprogramm zu tun, das der eigentlich Arbeitslose nur zu seiner persönlichen Befriedigung ausführte? Eine kleine Mühsal, die er auf sich nahm und seinem grenzenlosen Müßiggang abrang? Fragte man einen derart beschäftigten Syk: »Nol, was tust du da gerade?«, so antwortete er vollkommen ernst und in seine Sache vertieft: »Ich verrichte die Nol-Arbeit, mein Herr.« Das klang dann immer auch so, als habe er seinen Namen an sein Werk verloren und könne ihn nur zurückgewinnen, wenn er seine Arbeit zu einem guten Ende führte.

Wir nannten es die Lutz-Arbeit, aber der Name Lutz kam bei den Synkreas nicht vor, genausowenig wie alle sonst gebräuchlichen Rufnamen. Es gab stattdessen eine (beschränkte) Anzahl von einsilbigen, nicht geschlechtsspezifischen Kunstnamen, die sie untereinander verteilt hatten und die alle ein wenig den Eindruck machten, als wären sie in der Mitte abgebrochen: Rin, Zuk, Ter, Pak, Om und Quan. Dazu meist ein Bildzeichen oder Emblem. Es zählte übrigens zu den auffallendsten Stops und Tabus, die wir in der Siedlung beobachten konnten, daß man sich allgemein scheute, den anderen bei seinem Namen zu nennen. Auch der Gruß wurde eher verdruckst und verlegen entrichtet als offen und freimütig. Kaum je blickten sie sich dabei geradeaus ins Auge. Auch darüber wurden wir uns nicht schlüssig. Einerseits bewegten sie sich in Konventionen, von denen wir nur träumen können. Zum anderen zeigten sie Hemmungen und Macken, die den alltäglichen Verhaltensstörungen in der Alt-Gesellschaft zumindest zum Verwechseln ähnlich sahen. Es gab sogar Phasen, in denen ihre

Gesichtsscheu sich anfallsartig und wie eine ansteckende Krankheit ausbreitete. Das gesamte Völkchen wurde dann von einer Schamwelle erfaßt, und alle Welt rannte mit gesenktem oder durch beide Hände bedecktem Gesicht herum, eilte zu den Masken, um sich dahinter in Sicherheit zu bringen. Diese Masken waren keineswegs kunstvolle Gebilde. Meist handelte es sich nur um einen einfachen Pappkarton mit Luft- und Sehschlitzen, dessen Vorderseite mit den gemalten oder ausgeschnittenen Bildnissen historischer Persönlichkeiten oder anderer Idole beklebt war. Die Larve diente gleichwohl weder als Totem noch als Schmuck, sie sollte nicht abwehren und nicht gefallen, sie lag wie eine lindernde Mullbinde auf dem brennenden Ausschlag der Scham.

Wenn wir nun Zeugen eines solch notgeborenen Karnevals, solcher Irrläufe und panischer Anwandlungen wurden, mußten uns da nicht berechtigte Zweifel kommen, ob sich die Syks wirklich auf dem richtigen Weg befanden? War das noch die seligmachende, die gesellschaftslose *Kolonie*?

Im ›neuen Hain‹, nämlich im Schoß einer weitgehend heruntergekommenen, zersiedelten Natur untersuchten wir den umgedrehten Magen kultureller Abfallfresser und sollten uns wohl hüten, die Letzten für die Ersten, die Sammler und Mischer für Stifter- und Gründernaturen zu nehmen.

Ich füge an dieser Stelle als einen weiteren Beleg meiner Verwirrung eine Passage ein aus einem sogenannten ›Manifest‹, das zeitweilig unter den jungen Syks kursierte. Auf den ersten Blick liest es sich wie eine Meditation im Cola-Rausch, wie Anstandsregeln für kühle Badekachel-Teenies. Die Welt als Werbung und Design; stille Zukunft eines fortzeugenden Narzißmus der zweiten, dritten, gottweiß welcher Generation . . .

»Während du die kleine Harfe eines Eischneiders säuberst, träumst
du vielleicht von einem langen, weißen Strand. Nicht zu glauben,
was das kleine blitzblanke Ding auf dich abstrahlt! Was es in dir
auslöst. Den Traum vom weißen Strand gibt's immer noch. Aber
man fährt nicht mehr hin. Zuviele Leute, zuviel Dreck. Bleib zu
Hause, sprüh deine Wände ab, putz deine Schuhe und dein Silber,
sieh in den Spiegel und finde Gefallen an deiner täglich frischen
Wäsche. Das Wichtigste für dich ist: sauber sein, gepflegt. Alles
Weitere kommt von selbst. Du fühlst dich wohl. Du fühlst dich aber
nur wohl, wenn du blitzsauber bist und erstklassig modern aussiehst.
Wenn nette Leute kommen, dann sei zufrieden. Aber laß niemanden
mit ungewaschenen Haaren rein. Die Leute sollen nett sein und von
Kleidung etwas verstehen. Achte darauf, daß du immer die passende
Musik spielst und daß sie nicht zu laut ist. Laute Musik ist fies.
Wenn du nicht weißt, was du mit deinen Gästen anfangen sollst,
dann hol dein Album und deine Tafeln. Das bringt immer Spaß.
Wenn Leute unpassende Wörter gebrauchen, gewöhn dir eine spezielle Art an, stutzig zu werden und sie klar zu fragen, was sie
eigentlich meinen. Du mußt absolut Herr deines Stils sein, und
deshalb darfst du unpassende Wörter und unanständige Ausdrücke
in deiner Umgebung nicht einfach durchgehen lassen. Wenn du deine
schöne, reine Wohnung verläßt und draußen mit Leuten zusammen-
triffst, dann kommt zwangsläufig eine Unmenge von Eindrücken
auf dich zu, mit denen du möglicherweise gar nichts zu tun haben
willst. Falls irgendwo ein Problem auftaucht, bleib höflich und
flexibel. Vermeide jede Form der Auseinandersetzung. Du weißt
ja immer: ›Ich passe mir‹, und das ist die Hauptsache. Vergiß nie,
daß du ein schöner Mensch bist vom Scheitel bis zur Sohle. Du bist
ein Herr, weil du das absolute Wohlgefühl besitzt. Und du besitzt
es, weil du Stil hast. Er ist dein Schutz und dein Schild. Stil ist dein
Radarsystem. Wo du auch wohnst, deine größte Sorge gilt der
perfekten Klarheit und Reinheit deiner Umgebung. Hier muß sich
deine Edelklasse auf den ersten Blick beweisen. Es gibt keine
allgemeinen Rezepte, keine Vorschläge; du mußt es in dir haben oder
du hast es eben nicht ... Vermeide aber grundsätzlich folgendes:

Velourteppiche, Lampenschirme, Vorhänge. Das sind drei Dinge,
die deinen Empfangsbereich empfindlich stören und den Psychocom
fast lahmlegen . . .
    Es ist wirklich nichts da außer dir. Gar nichts. Die weißen
Heizungsrippen spalten sich. Die Erde wackelt – und beruhigt sich
wieder. Nein, es war nichts.«

Soweit dieser Auszug aus der Reinlichkeitsfibel der jungen
Siedler. Was aber war der ›Psychocom‹? Wir befanden uns
doch zweifellos an einem Ort, der entschiedener als jeder
andere auf der Erde sich den fragwürdigen Segnungen des
Telecom entzogen hatte – sollten wir nun auf ein anderes,
nicht minder perfides und totalitäres Verbundsystem stoßen? Nun, was sich zunächst las wie ein albernes Traktat
über den Nutzen der unterkühlten Eigenliebe, das brachte
uns nach und nach auf die Spur zu recht ungewöhnlichen
Beobachtungen. Von der besonderen Empfänglichkeit der
Syks für geistige und seelische Energien war bereits die
Rede; bei der Untersuchung des Käfigs und der Teilhabe-
Zustände haben wir manches darüber erfahren. Jetzt gewannen wir auch zunehmend Einblick in die Gesetze ihrer
seltsam abgekürzten und unvollständigen Redeweise. Das
Unausgesprochene, in dem sich der Hauptverkehr ihrer
Verständigung vollzog, lichtete sich allmählich und enthüllte das hochentwickelte Informationssystem, das hinter
und zwischen ihren rein sprachlichen Verlautbarungen
wirksam war. Um es in aller Kürze zu sagen: ihre Verständigung war eine montierte Leistung aus Teil-Sprache und
direkten Ausstrahlungsimpulsen. Wo es uns anderen bestenfalls gegeben ist, in den Regungen, Körperhaltungen,
Mienen eines Menschen zu lesen (oft auch nur, um unser
Mißtrauen hinsichtlich seiner ›wahren Absichten‹ zu näh-
ren), da empfingen die Syks durch ihre Fluide, durch sinn-
tragende Strahlenemission präzise und unverfälschte Nach-

richten vom anderen und konnten sie auf gleichem Weg umgehend beantworten.

Natürlich war diese Begabung im höchsten Grade störanfällig. Es bedurfte des ständigen Trainings, der vorbereitenden und schützenden Maßregeln, um sie zu erhalten und zu pflegen. Dazu gehörten auch so lächerlich erscheinende Vorkehrungen, wie sie im ›Manifest‹ erwähnt wurden, etwa die Wohnung blitzsauber zu halten und mit möglichst wenig Stoff auszukleiden; oder sich – mit Hilfe einer schamlosen Selbstbeweihräucherung – in eine innere Leere einzuschwingen, die zweifellos die unerläßliche Voraussetzung für den erfolgreichen Psychocom darstellte. Denn erst wenn der Teilnehmer ein ›Herr‹ ist, jemand, der zum unbedingten Wohlgefallen seiner selbst gelangt war, erst dann konnte er in den freien, in den erschreckend schutzlosen Abtausch von Fluiden, von Strahlen und winzigen Wesensteilchen eintreten. Dann erst unterhielt er sich pur: von Unbewußt zu Unbewußt. Und es erfolgte nur noch das eine, das einzig richtige Verstehen, bei dem alles Doppeldeutige, Vorbehaltliche und Hintersinnige von vorneherein ausgeschlossen blieb. In einer solch scharfen und blendenden Durchsichtigkeit des Inneren lebten und verständigten sich die Syks. Ein normaler Verstand, ein gesundes Gemüt hätten dies kaum aushalten können. Man hat denn auch eine ähnliche, jedoch weitaus abgeschwächtere Anlage zur Hellsicht bislang nur bei Schizoiden feststellen können. Diesen drängt sich mitunter zwanghaft und ausschließlich der unbewußte Sinn von Mitteilungen und Verhaltensweisen auf. Wie auf einem Röntgenschirm erfassen sie dann nur noch die verborgenen Motive und Regungen und vermögen die äußere Haut, die schützende Konvention nicht mehr wahrzunehmen.

Man sieht also, daß unsere altmodische Sprache, die begrenzte Logik der linken Seite mit ihren etwas knirschenden Folgerichtigkeiten auch ihre gediegenen Vorteile be-

sitzt gegenüber dieser hochentwickelten Psycho-Elektro-
nik. Sie schirmt uns immer noch recht zuverlässig ab gegen
einen unverträglichen Überschuß an zwischenmenschlicher
Information, an ›Hintergrundturbulenz‹.

Die Syks fürchteten indessen umgekehrt, daß gerade die
herkömmliche, abstrakte Wort-Sprache ihr Bewußtsein be-
drohe und eines Tages über sie herfallen könne. In der
gesamten Siedlung gab es nur einen einzigen Ort, der über
und über mit Schrift ausgestattet war. Das war jene Höhle,
in die sie sich bei kollektiven Angstanfällen oder äußerer
Gefahr zurückzogen. Sie war vollgekritzelt mit Wörtern,
ganzen Sätzen, Zitaten, Redensarten und Sinnsprüchen aus
den verschiedenen Literaturen und Volksgütern. Sie war
ausgehängt und ehrerbietig geschmückt mit reinen Schrift-
tafeln und Wandtexten. Hier wurden aber nicht etwa
Sprach-Schätze gehortet, sondern das Ganze diente vielmehr als banaler Abwehrzauber, der sie vor der rächenden
Rückkehr der Sprache bewahren sollte.

In der Grotte suchten sie Schutz vor mancherlei Unan-
nehmlichkeiten und Unglücken. So unvergleichlich geschwind ihr Verständigungsverkehr, so tief eingegeben andererseits ihre Angst vor allem Jähen, sofern es von außen
kam. Das Plötzliche, was es auch sei, mochte sie verscho-
nen. Sein Geist aber, davon waren sie fest überzeugt, saß ein
und verbarg sich am tückischsten in der alten Schriftspra-
che, deren Überfall sie denn auch mehr als alles andere
fürchteten. Jeden Augenblick konnte diese abgedrängte
und überlistete Macht zu einem Vergeltungsschlag ausho-
len und ihr synkretisches Spiel für immer beenden.

Von welcher Instanz aber erflehten sie eigentlich Beistand und Schutz? Die Frommheit der Teilhabe erkannte
zwar die Existenz einer persönlichen Gottheit, doch ließ
sich diese in ihrer Größe nur bewundern und um nichts
bitten. Wir haben lange in ihren wechselnden Mentalitäten
herumgestöbert, in ihren verstreuten Glaubensartikeln, bis

wir endlich bemerkten, wie aus dem dichten Nebel aller Verwandlungen nach und nach ein Dämmer, ein unvermischtes Licht stärker hervortrat. Eine unsäglich langsam zur Erscheinung kommende Erlösergestalt. Keineswegs handelte es sich hierbei um ein weiteres Geist-Wesen, sondern was sie betrieben, das war die Heranbetung einer geradezu kraftstrotzenden, einer massiven körperlichen Gottespersönlichkeit. Waren sie auf Erden schon abhängig genug vom ›Käfig der geistigen Tiere‹ und anderen luftigen lästigen Schemen, so erwarteten sie von jenseits des Horizontes ganz entschieden den nackten sinnenprächtigen Leib, die Ankunft des Großen Verwalters von unvergleichlichem Körperglanz. Wen sollte es auch wundern? Unter all den Verflüchtigungen des sozialen Geschicks, der Verströmung der Worte, bei soviel Ideen-Geschichten und Fluiden-Tausch war die Luft in der Siedlung von körperlosen Wesen schwer und dick geworden, man hätte den kommenden Leib mit Messern herausschneiden können. So wie die warme Zunge der Kuh einst Buri, den Riesen, aus dem salzigen Eis geschält hatte.

3

O diebische Gesellschaft, die Deutschen! Aus der wir kommen und die uns kleingekriegt hat. Merk ich es doch an meiner schönen Gefährtin, die sich die feinste Mühe gibt und gewiß die gelehrigste Person ist, die sich nur denken läßt – auch sie: eine Beraubte! Die Gesellschaft hat Beute gemacht an unserem Wissen; am Stolz und am Staat jedes Einzelnen, jedes forschenden, vorschreitenden Geistes. Sie hält ihn gefangen, sie zwingt ihm ihr unbeseeltes Dilemma auf.

O blasse blutzehrende Gesellschaft! Von uns Grenzgängern hat sie's genommen; und jenen, die zum Überflügeln ausgestattet, hat sie das Mark aus den Knochen gesogen und an die Masse ihrer mausgrauen Gesellschaftsinsassen verteilt. Denn ohne unsere innerste Substanz, ins Kleinste zerrieben, ins Weite verstreut, könnten sie nicht einmal ihr faules Meinen und Möchten ernähren.

Ines hatte allen Grund, unzufrieden mit mir zu sein. Wie das unglückliche Weib, das jeden Abend seinen trunksüchtigen Gatten aus den Wirtshäusern holt, so mußte sie hinter mir herlaufen, um mich irgendwo bei den Syks aufzutreiben, wo ich mich in einer stillen Ecke verkrochen oder an einen Wärmeverband herangeschlichen hatte. Tage- und nächtelang blieb ich nun der Pension fern und ließ mich nicht am gemeinsamen Arbeitsplatz blicken. Irgendetwas war mit mir im Gange. Ein mächtiger Schatten, warm wie ein Fittich, hatte mich überdeckt und zog mich mit; ein seliges Gehorchen. Ich konnte es aber selbst nicht mehr genau beobachten, geschweige denn verhindern. Ich lungerte herum, schwerfälliger und dumpfer als je zuvor. Ich besaß kaum mehr als nur eine verschwommene Vorstellung von meinen Pflichten, vom amtlichen Auftrag, den ich für eine gewisse Kommission zu erfüllen hatte. Ich nutzte jede Gelegenheit, um nach drüben, in die Siedlung, zu entwischen. Es zog mich nun unwiderstehlich nach dort, und jedes Mal verstärkte sich die Erwartung, hinter den überwachsenen Tennisplätzen zu einer wohltuenden Unbeschwertheit und zu ganz entlegenen Gelüsten zu finden. Auf dem nüchternen Feld meiner Forschung war ein zauberischer Garten ausgeschlagen, in dem ich voller Beglückung einherschritt, der feinsten Konventionen teilhaftig, von einer erquickenden Dämmerung immerzu beschützt. So ging ich jetzt zu den Syks.

Nicht daß Ines mir mit herben Vorwürfen zugesetzt hätte, dazu war sie viel zu duldsam und auch zu klug. Doch zeigte sie sich im stillen besorgt, daß mir der Gegenstand unserer Erkundungen aus allzu geringer Entfernung undeutlich werden und der kritischen Beurteilung entschwinden könnte. Mit schüchternem Druck griff sie mich, der ich bis dahin ihr Führer war, wie einen entlaufenen Zögling am Arm und geleitete mich zurück zur Terrasse unserer Pension, wo auf dem breiten Tisch die Begriffslisten und Übersetzungsentwürfe auslagen und meiner Prüfung harrten. Für eine Weile vermochte ich mich dann zu bezwingen, blieb am Ort und hielt mir die Papiere vor die Augen. Doch es gelang mir nicht mehr, an der gewohnten Materie anzuhaften; ich glitt an dem, wofür ich zuständig sein sollte, untätig ab, ich verstand es nicht mehr. Ob ich denn keinen Gefallen mehr an der gemeinsamen Arbeit fände, fragte Ines ein wenig traurig. »Doch, doch«, gab ich kleinlaut zurück und versann in einem ratlosen Lächeln.

Bisweilen geschah es jetzt, daß mir ein beschwerlicher Zungenschlag zu schaffen machte. Das Sprechen holperte und rotierte. Wortwiederholungen auf engstem Raum ließen sich nicht mehr unterdrücken, Kreisbewegungen der Sätze, und auch in die Glieder fuhr es, so daß ich manchmal halb linkische, halb entzückte Tanzschlenker von mir gab. Ich spürte es wohl deutlich heraufkommen und schämte mich seiner auch noch: dies Lallen, Vorlaut einer neuen, noch unbegriffenen Weise, das meine klammen Worte überholte.

. . . endlose Dünung des Schauens, sanfter Schaukelgang des Dahinterkommens. Das Stundensegel gestrichen. Ich berührte mit den Spitzen meiner Ruhe . . . das *Neue* . . . das rettende *Neue*, das uns überflügelnde . . .

Dann wieder späte Heiterkeit. Die gute alte Ironie. Jedoch wie unter Glas. Unschädlich. Ines beim Entziffern beobachtet. In der Minute zweimal schiebt sie mit den Fingerspitzen das vorfallende Haar hinters Ohr. Fleißig, geradezu emsig. Wozu könnte ich sie jetzt noch anleiten? Wenn sie mich anblickt, wen mustert sie da? Schöne Buchführende! Ich sehe dich wohl, ich beobachte dich ganz genau aus meinem gläsernen Hinterstübchen. Was alles noch willst du verstehen, ohne zu wissen? Bist du nicht selbst wunderbar genug? Befugt, drüben einherzugehen und Eingeborene zu sein? Weshalb zögerst du? Ist dies die Schwelle, da ich dich nehmen soll und umarmen, damit du – im Schutz der Begierde – leichter hinübergelangst? Wohin aber begäben wir uns? Du, hold wie die Fabel, zarter, dunkler Lehrling, einzig wahrhaft Fremde, die mir unter all den bloß Verwandelten im Wald begegnete – dir kann mein Gelüst nichts anhaben; ein dunkler Mensch wird nicht, indem man mit ihm schläft, offenbarer.

Ach, die tüchtige junge Kraft, wie schnell sie sich eingearbeitet hat! Wieviel Selbständigkeit und wieviel Umsicht sie bereits an den Tag legt! Sachbearbeiterin der Geheimnisse, zuständig für Unverlautetes und umschriebene Schrift; zuständig für ... *Dichter ohne Gesellschaft, Allegorien ohne Hierarchie!*

Doch keineswegs gleicht sie jenen leichtsinnigen Beamtinnen der Aphrodite, Kleta und Phaenna, Fräulein Schall und Fräulein Schimmer, die dem unersättlichen Träumer den Mond auf Erden versprechen ... Ines! Komm mit! Zurück führt kein Weg in diesem Wald. Wir müssen hindurch, und er durch uns ...

Ja, ich wollte Ines mit hinübernehmen, so wie ich es verstand. Aber sie widersetzte sich meinen schläfrigen Worten, meiner formlosen Verführung mit der ganzen ungehorsamen Grazie ihres Arbeitseifers. Die keusche Jägerin, Allegorie der Behörde wie einer grausamen Wißbegier, wies mich stumm und endgültig zurück. Ich sah mich daher gezwungen, allein, wie all die vorigen Male, aufzubrechen und mich auf den Weg zu den Syks zu machen, nun aber mit dem festen Entschluß, nicht wieder zur Pension zurückzukehren, auch nicht an Ines' züchtiger Hand. Ich hinterließ, als ich mich eines Mittags davonstahl, kurz nach dem Essen, als die Gefährtin auf ihrem Zimmer ausruhte, kein Zeichen des Abschieds, nichts, was auf meine unwiderrufliche Flucht hätte schließen lassen.

Ich wußte sehr wohl, daß es für mich keinen Platz bei den Syks geben würde. Es genügte ja nicht, ein Sympathisant und Gleichgesinnter zu sein, um Einlaß in ihre Gemeinschaft zu finden. Seit der Gründung der Siedlung hatten sie von außen niemanden mehr in ihre Reihen aufgenommen. Und sie würden auch bei ihrem ersten Chronisten, ihrem großzügigen Fürsprecher und Zahlmeister gewiß keine Ausnahme machen. Ich war nicht von ihrem Stamm, war nicht mit ihnen gewandert, nicht eingeschmolzen und nicht angeweht worden. Ich war lediglich unter ihren Einfluß geraten . . . Gleichwohl hoffte ich, die Rolle des geduldeten Beobachters wahrend, fristlos bleiben zu können und mich unauffällig anzugliedern.

Nun kam ich aber diesmal in nicht ganz einwandfreiem Zustand. Die schamlosen Gedanken, mit denen ich Ines umworben hatte, hingen in meinem schummrigen Kopf wie Fledermäuse an der Höhlendecke, hoch reizbar und dicht gekuschelt; ich schleppte einen schweren lüsternen Infekt mit über die Grenze.

Als erstes zog es mich zu der ehemaligen Trinkhalle der Freizeitstadt, wo um diese frühe Nachmittagsstunde gewöhnlich eine kleine Schar von Siedlern lose versammelt war und sich erging. Der einfache Säulentrakt mit seinen hohen Rundbogenfenstern diente auch den Syks noch zum Kuren. Hier schritten sie zerstreut und absichtslos umher und tranken hin und wieder von dem stark eisenhaltigen Brunnenwasser, das in gleichmäßigem Strudel in ein breites Marmorbecken floß. Jeder blieb hier schweigend für sich und schien ein wenig Erholung von seinen Aufgaben in der

Gemeinschaft zu suchen. Ich setzte mich bescheiden auf eine der dunklen Holzbänke, die an der Längsseite der Halle aufgestellt und deren Lehnen mit schmuckvollem Muster durchbrochen waren. Unverzüglich sonderte mein Blick aus der müßigen Promenade jene einzige Person, die mir bisher stets geschickt und hartnäckig ausgewichen war und sich allen meinen amtlichen Erkundigungen zu entziehen wußte. Es war eine junge Frau, und sie wurde Zinth genannt. Offenbar hegte sie ein ursprüngliches Mißtrauen gegen mich und meine Tätigkeit. Jedesmal, wenn ich sie ansah, schien mir aber, als wäre es doch nicht Mißtrauen, sondern eine tiefere, erlittene Kenntnis meiner Person, weshalb sie mich scheute, und eine in grauer Vorzeit verlassene Freundin wiche mir aus. Ausgerechnet jetzt in meinem angegriffenen Zustand, bei höchst unreiner Interessenlage mußte sie mir unter die Augen kommen! Ich spürte, wie mein Gesicht rot anlief, ich holte das Notizbuch hervor und senkte meinen Kopf darüber. Sie war keineswegs besonders hübsch, eher etwas zu klein, etwas kurzbeinig, jedoch ihre ganze Art unterschied sich auffallend von der abgedämpften und ausgeblichenen Sinnlichkeit der übrigen Syk-Frauen. Auf einmal waren es die gröbsten äußeren Reize, die mich beschäftigten, ihr voller runder Lockenkopf, der sonst hier nicht getragen wurde, ihre hohen Korksandalen, die dicken rotgrünen Lidstriche. Ich konnte mich einer herkömmlichen Habgier, eines Schubs von ausgesprochen unfraulicher Intelligenz kaum erwehren. Ich fürchtete, daß meine Wärmewellen mich sogleich verraten würden und versuchte meine Unruhe hinter beflissenem Stirnrunzeln und angestrengter Kritzelei zu verbergen. Was ist es eigentlich, so frug ich mich zum Allgemeinen vor, was ist es, das uns so heftig wünschen läßt, dies kleine, halbwegs interessante Geschöpf in seinem rauhen Kittel, leicht erhoben über den Brüsten, das in der Halle mehrfach vorüberging, ohne uns im geringsten zu beachten, und doch unverkennbar je länger es schreitet, umso mehr erfüllt, ja bald schon überschwemmt wird von dem Bewußtsein, begehrlich betrachtet zu werden – was denn nur läßt uns so unverschämt fordern, daß diese besonders kleine, ferngesteuerte Person sich augenblicklich stumm über uns niederließe, uns wie einen flachen Stuhl besetzte, ohne auch nur den schmalsten Winkel einer Zuwendung einzuschlagen, und lediglich durch die förmliche, instinktgetreue Bewegung der Hüfte zur Erfüllung einer beinahe unmenschlichen Glücksvorstellung beitragen möge? Was also, das uns diesen eine tierhafte Ungeniertheit erfordernden Akt oder Zwischenfall mit einer Person, deren Miene unerschütterlich die einer achtlos in der Halle Dahinwandelnden bliebe, aus allen Leibeskräften herbeisehnen läßt?

Es ist der urtümliche Wunsch, auf das gleichgültigste besucht und genommen zu werden; das Inbild der unveränderbar Fremden, die uns liebt ohne Widerschein und Reflex, ohne mit der Wimper zu zucken . . . Ach, es ist *deine* an Raserei grenzende Bestimmung, bis zur unzerstörbaren Virginität des anderen vorzudringen und ihn unberührt von dir zu finden. »Hör auf!« rief in diesem Augenblick die umgarnte Zinth, »laß mich doch in Frieden.« Sie rief in meiner Sprache, laut, böse, urvertraut: »Könntest du mich bitte in Frieden lassen?!« Sie stand abseits in einiger Entfernung, verdeckt von anderen, die sie nun durch ihre Rufe heftig erschreckt hatte. Eben noch verschlossene Einzelgänger, fanden sie sich sofort zu kleinen Gruppen zusammen, wie sie es zu tun pflegten, wenn irgendeine Gefahr drohte, wenn das Jähe geschah. Nur Zinth blieb allein. Darüber erschrak nun ich. Wer war sie? Gehörte sie denn zu niemandem? Weshalb blieb sie unverbunden stehen? Durfte es eine solche Lücke in dieser lückenlosen Gemeinde überhaupt geben?

Kurz darauf betraten zwei Abgesandte des amtierenden Volksrats die Trinkhalle. Sie kamen ruhigen Schritts heran und setzten sich zu mir auf die Bank. Den anderen wurde ein Zeichen gegeben, daß sie allmählich die Halle räumten und sich entfernten. »Zinth!« rief ich da plötzlich, von einer unbekannten Erinnerung erschüttert, und die Volksvertreter mußten mich zurückhalten. »Zinth!« Ich wußte ihren anderen Namen nicht mehr. Und sie hörte mich nicht. Sie zog hinter den anderen still hinaus, ohne sich noch einmal umzuwenden. Alles was nun folgte, geschah ebenso absehbar, wie es mir schleierhaft blieb. Die Kommissare unterrichteten mich im freundlichsten Ton, daß meine Schwägerin – nein, sie sprachen von der Frau meines Bruders – eingetroffen sei und ›draußen im Chalet‹ auf mich wartete. Das Chalet, ich wußte es wohl, lag bereits außerhalb des Bezirks, es lag vor den Grenzen der Siedlung, und zwar auf der unserer Pension entgegengesetzten Seite des Walds. Dort beherbergten die Syks ihre Gäste, Angehörige oder Freunde aus früheren Tagen, denen der Zutritt zur Siedlung nicht ohne weiteres gestattet wurde.

Jedoch: die Frau meines Bruders? Wer mochte das sein? Soweit ich es verfolgen konnte, hielt sich mein Bruder, Manager einer Hotelkette, seit vielen Jahren in verschiedenen Ländern des Nahen und Mittleren Ostens auf. Jedoch war unsere Verbindung seit langem unterbrochen, und es mochte wohl sein, daß er inzwischen geheiratet hatte, ich wußte nichts davon. Die beiden Männer nahmen mich in ihre Mitte und geleiteten mich durch die Siedlung, wo die Syks vor ihren Häusern standen, sich scheu und beklommen abwandten, als wir uns näherten, geradeso als würde ich zum Richtplatz geführt oder müßte doch jedenfalls einen schweren Gang tun. Mir war aber durchaus nicht so bange zumute, denn obgleich ich schon ahnte, daß ich nie wieder zu meinem Völkchen zurückkehren würde, hatte mich auf einmal eine unruhige Neugierde gepackt, und die neue Erwartung war größer als der Abschiedsschmerz. Wir schritten vorüber am Käfig der geistigen Tiere, an dem die

Wärter dösend neben ihren Stöcken lehnten, vorbei auch am steinernen Turm, der unerforschlichen Ruine einer früheren Gründerepoche, und gelangten schließlich in einen dichten Nadelwald, von dem mir bekannt war, daß er die natürliche südöstliche Begrenzung des Reservats bildete.

Infolge der andauernden Hitze war das Unterholz stark ausgetrocknet und brüchig geworden, so daß unter unseren Schritten der staubige Mulm hervorpufffte. Meist hielten wir alle drei die Köpfe gesenkt. Gesprochen wurde nicht mehr. Der Waldpfad mündete auf einen großen asphaltierten Parkplatz, der in der Mitte von einer Drahtsperre durchschnitten wurde; das war die befestigte Grenze der Siedlung. Meine stillen Begleiter übergaben mich einem Wachposten, der aus seinem Schildhäuschen hervortrat und in seinem weißen Sportdreß eher an einen jungen Tennislehrer als an einen Soldaten erinnerte.

Der Abschied fiel recht knapp aus, es sollte mir wohl verheimlicht werden, daß es sich um einen letzten und endgültigen handelte. Nun, nachdem mich der Wachmann übernommen hatte, wies er mir in der Höhe ein niederes Haus, das auf einem Wiesenhügel, wie es schien, einsam stand und als das Chalet anzusehen war, in dem ich angeblich dringend erwartet wurde. Als aber kurz darauf das Grenztor hinter mir mehrfach verschlossen wurde, da kam es mich denn doch bitter an, und ich fühlte mich ausgewiesen wie ein räudiger Köter, verstoßen als ein kranker Wüstling aus dem heiteren, idealischen Verein.

Die Sonne war eben untergegangen. Grau und dunkel hing jetzt die Wolkenwand über dem Hügel. Vielleicht würde nun endlich ein Gewitter heraufziehen und die erdrückende Hitzeglocke zerbrechen. Zu dem kleinen Haus mit seinem flachen Dach führte kein Pfad, und ich mußte in längeren Windungen durch das verdorrte Gras den Hügel hinaufklettern. Als ich mich schließlich auf der Anhöhe noch einmal umdrehte, konnte ich im zurückliegenden

Wald den aufragenden Turm und nebenan die friedliche Siedlung der Synkreas erkennen, aus einer mir ungewohnten Richtung und aus schmerzlicher Entfernung.

DIE FRAU MEINES BRUDERS

Als ich das abgelegene Haus, in dem die Frau meines Bruders mich erwartete, betreten hatte, blieb ich jäh angekommen wie ein Verfolgter nach langer Flucht, mit dem Rücken gegen die Tür gepreßt, stehen und verriegelte, bevor ich einen Gedanken fassen konnte, hinter mir das Schloß. Vom ersten Augenblick an gab es zwischen diesem Wesen und mir kein Ausweichen mehr. Die Frau trug ein wadenlanges Kleid aus brauner Rohseide mit weißen Aufschlägen an den halben Ärmeln. Sie war nicht fremdländisch gekleidet. Doch ihre bronzefarbene Haut, ihr schmaler, scharfer Gesichtsschnitt ließen mich nicht an ihrer levantinischen Herkunft zweifeln. Ihre Augen, ein wenig auseinanderliegend, zu den Schläfen angezogen, hatten einen warmen, dunklen Glanz. »Was ich gesehen habe!« sagten diese Augen lange, und ich hätte gern in ihr Erschautes geblickt. Denn uns trennten die Sprachen. So standen wir auf engstem und ausweglosem Raum stumm voreinander. Wieviel Kraft, wieviel künstlichen Widerstand kostete es schon in den ersten Minuten, uns gegen den Sturm, der uns zusammentrieb, anzulehnen und zu sträuben, uns wie die Enden einer ausgespannten Schriftrolle auseinanderzuhalten! Der Sog hätte uns schnell überwältigt, wäre nicht im gleichen Maß auch die Ehrfurcht gewachsen, die uns vor einer schuldhaften Verfehlung bewahren sollte. Zwischen beiden Gewalten beinahe zerrieben, gerieten wir alsbald in eine tiefe, urtümliche Not, in der wir von jeder leichten, modernen Gesittung vollkommen abgeschnitten wurden. So brachen denn längst versiegte Quellen des Empfindens und Betragens in uns wieder auf, und ein milder Zustrom von geprägtem Gehabe, von frommen Formen rann durch unsere erschrockenen Glieder. Sie besänftigten fürs erste die Gewaltsamkeit, in der wir uns gegenüberstanden. Sie dämpften das unheimliche Grollen, das ängstliche Wimmern, welche die Entstehung der Welt in des anderen Angesicht begleitet hatten.

Stumm, streng und nicht abreißend erfolgten zwischen der fremden Verwandten und mir die Wendungen und Kehren der Ergebenheit. Zahllos waren die Neigungen des Grüßens, erleichternd das Knien Seite an Seite mit erhobener und gesenkter Stirn, mit zum Schutzflehen oder zur Abwehr ausgestreckten Armen; ballastabwerfend das immer wiederholte Küssen der Füße. Denn dies waren unsere einzigen Auswege aus dem engen, verschlossenen Ort, und wir beschritten sie rasch und sehr scheu. Ohne Aufenthalt eilten wir durch die fernen Handlungen wie durch endlose Flure, durch Zeit-Fluchten, die uns zu den entlegensten Bräuchen und Sitten führten, ja sogar noch weit hinter sie hinaus, bis zu den dumpfen Formeln eines vormenschlichen Wissens. Einmal von der Gebärde erhoben und von ihr durchdrungen, war uns in diesem beschränkten, einräumigen Haus (das daneben nur Küche und Bad umschloß) eine ungestalte Bewegung kaum mehr erträglich. Kein Schritt, keine Stellung ohne Maß und Vorbild, ohne das Zeichen eines übergeordneten Anstands. Daher kam es zwar zu gewissen Berührungen zwischen uns, doch niemals zu solchen, deren ritueller, ja *öffentlicher* Charakter sich nicht wie ein sicherer Isolationsschutz um unsere gespannte Haut gelegt hätte. So konnte ich wohl die Frau meines Bruders an der Hüfte oder am Hals fassen, sofern wir eine bemessene Figur des Danks oder der Erwartung vollführten; unmöglich war es hingegen, ihr im Vorübergehen bloß einmal die Wange zu streicheln. Das hätte uns auf der Stelle zueinander hingerafft. Auch unsere Nahrungsaufnahme wurde von wechselseitigem Dienst beschirmt und von

Speise- und Trankopfern begleitet, die wir regelmäßig abhielten, um den erbitterten Dämon zu beschwichtigen, der
uns nur mehr die Wahl zwischen Schandtat und Wahnsinn
lassen wollte. Solange wir aber den Tag in gefestigtem
Umgang verbrachten, konnte uns auch die Nacht, da wir
auf dem gemeinsamen Lager ausruhten, nicht umstürzen.
Es waren häufig modrig naßkalte Träume, die in eine Gruft
hinunterführten, wo Aufbahrung und Leichenbegängnis
die Szene beherrschten. Das Zimmer unserer Zucht verkehrte sich dann in einen blumenüberladenen Katafalk, die
verschwenderische Keuschheit ging über in die stille Pracht
der letzten Dinge.

Wir näherten uns indessen dem Zeitpunkt, da das vielfältige Gehabe, das bis dahin wie ein Prisma unsere Sinne
gebrochen und abgelenkt hatte, nun deutlich in seiner Wirkung umschlug und unser Verlangen erst recht zum Äußersten trieb. Von Demut erfüllt, wahrhaftig bis an den Kra-
genrand, durch eine geradezu frenetische Achtung aneinan-
dergekettet, waren wir eines Tages nicht mehr bereit oder
gar imstande, zwischen unseren Körpern mehr als eine
Handbreit Abstand zu dulden. Mit verdrehtem Blick, unter
Schütteln und Beben, steigerten wir die Zeremonie, und
ihre Rhythmen trugen uns über die Grenze der Art, verban-
den uns mit anderen Lebewesen, und gerade so, als hätten
wir den Erbteil der Bienen in uns aufgerührt, erzitterten wir
in Wipptänzen und Vibrationen, mit denen sich diese im
Fluge verständigen.

Jedoch: mehr war nicht zu ertragen; die Reise zu weit, die
Spannung zu übermächtig, ich brach aus dem Reigen aus.
Ohne Bewegung, formlos und nichts als da, so blieb ich vor
ihr stehen. In der jähen Ruhe federte mich ein üppiger
Blütenkelch ab, wie der Luftsack, der vor dem Aufprall aus
dem Steuerrad springt, so wollte er mich vor der brutalen
Vergegenwärtigung schützen, mit seinem Staub und Duft
mich vorsichtig betäuben – doch da war es schon zu spät.

Ich riß meine Kleidung auf und gab meine Haut frei. Die Frau kniete vor mir nieder und bedeckte meinen starren Vorsprung mit beiden Händen. Sie versah ihren Dienst mit einer ebenso gewandten und scheuen Hingabe, als wäre unser schönes Benehmen durch nichts beeinträchtigt. Für sie schien es im Gegenteil noch längst nicht unterbrochen. Jedoch erhob sie, während sie mich berührte, ihr stummes, regloses Gesicht und sah mir zu ihren Handlungen gerade ins Auge. Doch ich, in eine ungeahnte Höhe der Lust entschwindend, erkannte nicht mehr, wer mich dort unten anblickte und was er zu ergründen suchte.

Niemals verspürte ich eine gewaltigere Hervorschleuderung meiner Kraft als in jenem Augenblick, da die weißen Peitschenhiebe über ihr aufgerichtetes Gesicht schlugen, welches nicht einmal zuckte und vom gehorsamen Schauen nicht abließ.

Wenig später aber wußte ich vor Scham und Reue nicht, wie ich mich vor ihr verbergen sollte. Ich war mir gewiß, gegen das Gesetz, dessen Wurzeln ich in der tiefen Religiosität und Heimattreue dieser Frau vermutete und dessen Gewalt ich immerhin in der leidenschaftlichen Achtung verspüren konnte, die wir ihm beide lange Zeit gezollt hatten – ich war mir gewiß, gegen dieses fremde und abgründige Gesetz auf eine unversöhnliche Weise verstoßen zu haben. Jedoch die Liebreiche kam nun zu mir mit Schüssel und Tuch, sie wusch mich und schloß meine Kleidung mit geübter Sorgfalt. Kaum war aber dies geschehen, da setzte sich das Regelwerk unseres Gegenüber-Seins auch schon wieder in Bewegung. Der kostbare Umgang, das schöne Benehmen entfalteten sich aufs neue und prangten in ihrem Formenreichtum nicht anders als ein morgenfeuchter Garten unter den ersten Sonnenstrahlen. Das Gesetz, das sanftmütige, war über dem Vergehen rasch zusammengewachsen, nahtlos und fein, wie frisches Zellgewebe über der Wunde. Das enge, entlegene Haus – auf welch geheimen Gründen und Quelladern mochte es wohl errichtet sein, daß hier soviel Nieempfundenes in einem Menschen emporstieg? –, es füllte sich wieder mit unseren bald geweihten, bald galanten Wendungen und kleinen Kulten, es entbarg wieder seinen schier unermeßlichen Zeit-Raum. So ging es eine gute Weile ohne neuerliche Anspannung, und das Spiel bewegte seine Figuren nun mit leichterer, zuweilen auch etwas faulerer Hand.

Eines Morgens erwachte ich von einem Zug stechender, übler Luft. Als ich mich umblickte, befand sich die Frau meines Bruders nicht mehr neben mir und auch nicht in unserem einzigen Zimmer. Augenblicklich befiel mich ein starker Brechreiz, ich sprang vom Lager, um rechtzeitig das Bad zu erreichen. Als ich dort durch die schmale Tür stürzte, hielt mich ein gewaltiges Entsetzen an. Das Wesen, dem ich durch die beglückendsten Tänze verbunden war, empfing mich, auf das fürchterlichste verändert, in einem Zustand unvorstellbarer Besudelung und Erniedrigung. Es lag träg in der zur Hälfte mit Kot gefüllten Wanne und erbrach sich fortwährend über die eigene Brust. Es sah mich mit einer entseelten, scheinbar grienenden Fratze an, es lallte aus dunkel rinnendem Mund etwas, das ich nicht verstand – und dies waren überhaupt die ersten Laute, die ersten Worte, die ich von meiner Gespielin vernahm. Von grausigem Ekel ergriffen, stürzte ich blindlings davon, rannte zur Haustür, nur fort aus diesem dreckigen Chalet, diesem mörderischen Gestank. Doch die Tür war seit meiner Ankunft versperrt, der Schlüssel achtlos verlegt. Ich lief zur Fensterfront, riß die Vorhänge zurück, doch anstelle einer Jalousie war dort eine dichte Stahlplatte heruntergelassen, die gegen Luft, Freiheit und Licht uns nun abriegelte, den kotigen Dämon und mich. Es schnürte mir die Kehle zu, ich glaubte, jeden Augenblick ersticken zu müssen in dieser ätzenden, verseuchten Gefangenschaft. Schon halb besinnungslos, taumelte ich zurück in den Baderaum, stolperte dort über leere Behälter, Chemiecontainer, in denen die Spiel-Brüchige offenbar während all der feierlichen Tage ihren Abfall gesammelt und unter Verschluß gebracht hatte. Ich fiel zu Boden, und als ich mich umdrehte, sah ich, wie hinter mir die Frau sich in der Wanne aufrichtete und mich mit schwerem, verdorbenem Blick zu sich rief. Nein! Nicht mehr dieses Ungeheuer sehen! Ich drückte das Gesicht fest gegen die Kacheln und versuchte reine Luft aus ihren Poren zu saugen. Wie lange ich, niedergedrückt von Abscheu und Furcht, dort reglos verharrte, weiß ich nicht; doch irgendwann enthob sich sachte das schaurigste Gefühl, und eine erste Welle des Erbarmens durchfloß mein Herz. Und das Mitleid schwoll an wie sonst nur der Zorn, es wurde immer stärker und steigerte sich zuletzt bis zur reinen Heilsidee, einem Erlösungseifer, einer kaum geringeren Besessenheit, als sie der Widernatürlichen selbst innewohnte. Denn rang dort nicht eine Edle mit einer höllischen Verdorbenheit? Und selbst wenn beide zusammen ihr wahres Wesen ausmachten, war es nicht an mir, ihrem besseren Teil zu Hilfe zu eilen und ihn zu befreien aus der Umklammerung des üblen? Waren ihre gurgelnden Laute, die ich nicht verstand und zuerst für ein Grunzen der häßlichsten, abartigsten Behaglichkeit hielt, nicht in Wahrheit qualvoll geknebelte Rufe um Gnade und Beistand? Ich stand also auf und trat wie ein christlicher Ritter an ihren Pfuhl. Ich muß zugeben, ich erblickte ein Geschöpf, das in unendlicher Entfernung von der Sphäre des Menschen niederkauerte, am Rand, nein schon inmitten der breiigen Zuflüsse der Verdammnis hing, das aber dennoch weit die Arme ausgebreitet hatte, um genommen und gerettet zu werden. Nur meinem hohen Bekenntnis war ich es schuldig, in diese flehend geöffneten Arme hinabzusteigen, um diesem Wesen die Freude zu bringen und es dem ewigen Umlauf des Unflats zu entreißen. Kaum hatte ich mich über die Entstellte gebeugt, da ergriff sie meinen Leib und umschlang ihn mit moorigen Gliedern. Die gewaltsame Jagd unserer Körper, die nun erfolgte und die einzig dazu diente, das Ungetüm ihrer Verdorbenheit zu erlegen, führte uns durch einen schauerlichen Rausch, zu einer blinden Raserei, wo Mord und Werden eins sind und Schreie Feuer spucken. Es geschah denn auch, daß ich im selben Augenblick, da ich die Bestie tödlich getroffen hatte, das Bewußtsein verlor und in eine dumpfe Ohnmacht sank.

Ich weiß nicht, wie viele Stunden ich ruhte. Als ich jedoch wieder zu mir kam, lag ich allein auf einem blüten-weißen Bettuch und standen vor mir die Fenster des Chalets weit offen, ich blickte auf eine muntere, leicht ansteigende Wiese aus und in das wuchtige Haupt einer alten Eiche. In ihrem Schatten saß halb verborgen ein altes Weib auf einem Klappstuhl und blätterte in einer Zeitschrift.

Ich bemerkte auch, daß ich säuberlich angekleidet war und nicht die geringste Spur meiner im niedrigsten Schmutz vollzogenen Handlung an mir verblieben war. Es mochte wohl schon später Nachmittag sein; ein mildes Licht fiel über den wehenden, warmen Hügel. Mir war, als hätte sich diese kleine Landschaft eigens zu meiner Schonung und Genesung dort vor das Haus gelegt; ich schloß wieder die Augen, und meine erwachenden Lebensgeister zogen ins Freie, wanderten draußen wie in Blüten stöbernde Falter.

Wenig später aber griff ein leicht erzürnter Wind in die Eiche und schlich durch ihr dunkles Blättergewölbe. Es erhob sich ein tausendstimmiges Rascheln, doch kam es nicht von unruhigen Blättern. Endlose Schleifen tanzten im Baum, schmale Bänder von aufgelösten Kassetten und Spulen umwanden die Zweige. Das ganze Gedächtnis-Gekröse, die Luftschlangen des Wissens und Verwaltens verknäulten sich zu dicken, lockigen Haufen. Aufgelassen waren die Speicher der Töne und Daten, die ordentlichen Archive des Zeitvertreibs, unbrauchbar und gänzlich verheddert flatterte die große Sammlung im Wind. Aufgelassen aber auch der magische Bund der verkürzten Geschöpfe, Gesellschaft genannt, welcher seit langem unsere Eigenschaften schlicht hält. Die Worte, die Namen, die Kenntnisse, den Insassen entfielen sie nun wie Perlen von der zerrissenen Kette.

Da rollte der Donner ›Vollkommener Verstand‹ im tiefen Baum, und kurz darauf kroch der Vogel Bren, der graue, erd-unterschlüpfige Greif aus einem Spalt im Schaft hervor. Doch konnte er sich nicht erheben, denn seine riesigen schlammstarren Schwingen waren wie Schieferplatten so schwer. Unglücklich behindert, schlug er sie dröhnend zwischen den Ästen. Dem Greif stand aber eine spitze Licht-haube aus leichter, sonniger Flamme auf dem flachen Schädel. Jedoch schien sie ihn sehr zu bedrücken, denn er senkte den Kopf darunter und hielt den Nacken immer schief.

Wie denn? Belastet die Flamme die Kerze? Und das Licht unseren Kopf? So fragte ich, als ich den erhabenen und plumpen Erdgreif betrachtete, der eingeklemmt unter den Zweigen seine Kraft nicht entfalten konnte. Wieder spreizte er sich und schlug auf, als wollte er sogleich mit seiner schwarzen Schwere hervorbrechen aus dem dichten Blattwerk. Doch es gelang nicht. Als er aber am höchsten und bebendsten sich emporreckte, da befreite sich aus sei-nem dunklen Gefieder – gerade als habe das angstvolle Herz es ihm aus der Brust geklopft – ein leuchtender Strah-lenring, ein schlingernder Schein, und er schwebte, sich mehr und mehr entfaltend, vom Baum davon, kam langsam niedersteigend zu meinem Lager herüber. Und dieses Ge-sicht, welches nun vor mir entstand, dies gewittrige Glück, dies menschliche Gesicht! Welch unbändige Freude ergriff mich: es kommen, es werden zu sehen! Mit Augen so groß und glänzend, daß vereinte Völker sich darin spiegelten, mit Lippen so beginnend geöffnet, daß alle Sphäre Ohr ward . . . »Das Neue, das Neue!« stammelte ich und wollte mich aufrichten, »das uns alle überflügelnde Neue . . .« In

diesem Augenblick waren mir die Umrisse einer wohlbekannten Gestalt ganz nah, und ich wurde sanft auf mein
Lager zurückgebeugt. Ines, meine schöne Gefährtin, lehnte
über mir und beruhigte mich. »Du mein Freund«, sagte sie
mit einer milden, endgültigen Ankunft. »Du mein Freund.«
Ich lag aber, ein winselndes Häufchen Unverstand, weit,
weit unter ihr im Geröll und hörte ihre warme Stimme noch
immer in den Lüften. »Das Neue, das Neue!« stammelte ich
abermals und wies ängstlich nach draußen, wo indessen
jegliche Erscheinung aus dem Baum gewichen war.

»Nein«, erwiderte Ines, »nicht das Neue. Hier gibt es
eigentlich gar nichts, was diesen Namen verdiente. Sieh
dich nur um. Du wirst rasch bemerken, wie unnütz ein
solches Wort für uns geworden ist.« Ich verstand nicht, was
sie meinte. Sie hieß mich aufstehen, sie nahm mich bei der
Hand und zog mich langsam hinaus. Wir verließen also das
Haus, diese schreckliche Druckkammer der Lüste, in der
ich unter hohen Belastungen geprüft worden war. Vor
seinen Eingang hintretend, war mir, als zöge die schöne
Gefährtin erst jetzt die schlaffen, ergrauten Vorhänge beiseite, die ich so lange angestarrt hatte, während ich mit der
fremden Verwandten durch Höhen und Tiefen, durch
Kreise und Fluchten, durch die weite Ideen-Welt der Liebe
gewirbelt war. »Sieh nur«, rief Ines, »hier hast du die ganze
bekannte Rosensippschaft. Und dort stehen die Fresien und
Fuchsien, die Hyazinthen und die Gladiolen. Und alles, was
zu deiner Ermutigung angetan ist, trägt doch einen sicheren, altgedienten Namen.« Tatsächlich zog sich gleich unter
dem Fenster des Chalets ein schmaler Rosenhag hin, in dem
die vielfältigen Hybriden wie zu einem großen Familientag
versammelt waren. Manch andere Blumenbeete schlossen
sich an, die ich, vom Bett nur nach der sagenhaften Eiche
ausschauend, alle nicht bemerkt hatte. Und Clematis, unzählige Blüten, hingen über der Hauswand und bedeckten
sie mit tiefem Himmelsblau. Nach und nach erkannte ich

die begrenzten Abteilungen, buchstabierte die reichlichen Arten dieses Gartens, den die Syks hier oben angelegt hatten und der wohl auch zum freundlichen Übergang in die alte Ordnung dienen mochte, wenn jemand die Siedlung verlassen wollte oder mußte. Von jedem Gewächs vertrieb ich nun seinen wunderlichen Fabelstaub und stellte an ihm seinen zugehörigen Namen fest. Und in jeder Benennung empfing ich einen zarten Anklang von aller Materie, ein winziges Signal aus der unermeßlichen, rasenden Räumlichkeit, die durch dichte, lückenlose Verkettung von Schicht zu Schicht, vom Größten und Fernsten bis hinunter zum Nächsten scheinbar langsamer wird und doch in Wahrheit auch im stillstehenden, innerlich aber bebenden Aufbau der Pflanze und des Minerals niemals zur Ruhe kommt, die nie und nirgends Einhalt findet, so wie sie auch nach unserem, dem Menschenverstand, ewig noch andere hervorbringen wird. Doch wieviel Ordnung begreift nicht schon, wenn er sich ganz selbst überlassen ist, der augenblickliche Geist! Nur die teilnahmslos Beschäftigten, die Männlichen gleich welchen Geschlechts, die immer glauben, ihr Dasein allein der Gesellschaft abringen zu können, die berührt es noch nicht . . .

Für einen Moment wurde ich stutzig, nämlich als mich Ines fragte, ob ich bereit sei, mit ihr zur Kommission nach Frankfurt zu reisen, da man von dort dringend ›ihren Bericht‹ angefordert habe. *Ihren* Bericht? Hm. Ich zuckte nur die Achseln und sagte nichts. Mochte sie mich mitnehmen und fahren, wohin sie wollte. Mir war es vollkommen gleichgültig. Zu den Syks durfte ich nicht mehr zurück. Da war mir Ines' Nähe entschieden das Zweitliebste.

Auf unserem Weg hatten wir uns bald der alten Frau genähert, die immer noch unter der Eiche in ihrer Illustrierten las. Nun blickte sie auf und nickte uns freundlich herbei.

Aus ihrer Schürze zog sie einen Zettel hervor und streckte ihn mir entgegen. Meine Verwunderung war nicht gering, als ich ihn besah und eine säuberlich ausgeführte Rechnung über meinen Aufenthalt im Chalet in Händen hielt. Sie belief sich im übrigen auf eine nicht gerade zimperliche Summe. Ein beigeheftetes Blatt wies unter dem Aufdruck ›Kur und Verpflegung‹ im einzelnen aus, was mir zugute gekommen war. Jeder Dienst und jede Prozedur, mit denen die ›Frau meines Bruders‹ mir aufgewartet hatte, waren hier in geläufigen Kürzeln verzeichnet und nebenstehend berechnet. Nicht anders, als hätte ich ein Luxussanatorium in Anspruch genommen. Gewiß hätte ich diese Forderungen sogleich als unbillig zurückweisen können, denn schließlich war ich nicht auf eigenen Wunsch zum Chalet und zu der zweifelhaften Verwandten gekommen. Und woher hätte ich wissen sollen, daß es unumgänglich war, das Reich der Synkreas durch diese hygienische Schleuse, diese kostspielige Seelenwaschanlage zu verlassen? Natürlich verzichtete ich darauf, irgendwelchen Einspruch zu erheben und beglich umstandslos die Rechnung. Eine solch kitzlige Geldangelegenheit hätte mich allzu leicht in Empörung versetzen können; Spott und gemischte Gefühle hätten sich in mir geregt, und damit wollte ich mir keinesfalls den Abschied von den Syks verderben. Spott und gemischte Gefühle sind die heimtückischen Agenten der linken Hemisphäre.

Auch als ich nun in einigem Abstand hinter der deutschen Eiche ein weiteres, gleichförmiges Chalet entdeckte, und dann im ferneren Umkreis auch noch einige andere, und also vermuten durfte, daß die Syks für ihre Kult-Kuren bereits ein ganzes Feriendorf eingerichtet hatten, ließ ich mich nicht umstimmen, sondern nahm es mit Ruhe und Wohlwollen hin. Ich lehnte mich bei meiner schönen Gefährtin an, mit der ich mich noch immer im besten Geist der Siedlung vereint wußte.

Auf dem Weg zu Ines' reisefertig geparktem Wagen kamen wir an einem Sportplatz vorbei, der mit einem hohen Maschendraht umzäunt war. Dort hatte sich eine Schar junger Männer und Frauen in ein Ballspiel geteilt, und sie waren mit solch anmutigem Eifer bei der Sache, daß ich einen Augenblick als Zuschauer verweilen wollte. Ich trat näher an das Gitter und erfreute mich an den schnellen Abwürfen und der kämpferischen Eile der weißgekleideten Spielerinnen. Plötzlich aber erkannte ich unter ihnen meine stille, unheimliche Hosteß. Die Frau meines Bruders spielte hier ausgelassen, anfeuernde Rufe verteilend, mit ihresgleichen Völkerball. Kaum hatte sie auch mich erblickt, da winkte sie freudig herüber und kam in ihrem kurzen Faltenrock, der ihre langen dunklen Beine freigab, an den Zaun gesprungen. Sie drückte ihr schönes, morgenländisches Gesicht gegen den Draht. Sie lächelte fragend, ein wenig verlegen sogar; unsicher, wie ich denn alles hingenommen und für mich verwunden hätte. Ich trat aber geradewegs auf sie zu und küßte ihre in die Maschen greifenden Fingerspitzen.

Sie, die mich auf schwindelerregendem Paß bis weit über die Schaudergrenze der Lust hinausgeführt hatte, verdiente sie nicht jetzt erst recht meine ungeschmälerte Bewunderung, zumal ich nun wußte, daß *sie* mit subtiler Gewohnheit gehandelt hatte, wo *ich* ganz dem Einzigartigen und Niedagewesenen hingegeben war? Und wo ich in die einsamste, gottverlassene Paarung einwilligte, da hatte sie nur eines ihrer kundigen Spiele vollendet. Wie sollte ich nun nicht ihre hohe sinnliche Überlegenheit und Meisterschaft anerkennen? Als Frau meines Bruders nächtlich und begehrenswert, erschien sie mir nun, als Künstlerin entlarvt, hell und verehrenswürdig. Fast wäre ich also, wie im ersten Ansturm unserer Begegnung, erneut vor ihr niedergekniet, doch da trat Ines zwischen uns und zog mich lästig beiseite. Sie drängte zur Abfahrt. Ein letztes Mal grüßte ich die vollkommene Fremde und nahm Abschied auch von dieser äußeren, schon leicht entglittenen Wirkstätte der Syks.

4

Nur noch wenig lichte Momente gestand mir der kühle und niederträchtige Bericht zu, den Ines über mich angefertigt hatte. Des weiteren war dort die Rede von meiner verminderten Selbstkontrolle, von meinem umtriebigen Verhalten, vom kritiklosen Verschwinden im Beobachtungsfeld, von Verformung, Umwertung, Auflösung des gesamten Persönlichkeitsbildes ... So meine schöne Gefährtin in ihrem verräterischen Bericht an die Kommission.

Wie es schien, hatte sie die längste Zeit damit zugebracht, sich der synkretischen Kultur zu widmen. Irgendwann war sie dazu übergegangen, ihren Lehrer zum eigentlichen Beobachtungsobjekt zu erheben. Diesen hatte sie angeblich mehrere Male in der heiligen Grotte der Syks bei Geisterbeschwörungen angetroffen. Diesen hatte sie dabei beobachtet, wie er in die Wärmeverbände der Siedler vorzudringen suchte. Wie er unbeschreibliche Erniedrigungen über sich ergehen lassen mußte, nachdem er Syk-Frauen nachgestellt und daraufhin mit der Ausweisung aus dem Reservat bestraft worden war. Welch gemeines, welch einsames und ödes Erwachen!

Ines, die ich am Ende nicht nur für meine Freundin, sondern sogar für meinen Schutzengel halten mußte, stand nun als ein ehrgeiziger Behördenspitzel vor mir, ein schwindendes Menschengesicht, eine Denunziantin.

Wenn nichts anderes sonst, so hätte mir allein dieser schmutzige Verrat angezeigt, wo ich mich nun wieder befand, nämlich in den Niederungen des Schönen-Bösen-Falschen, im Herzen des Zwiespalts, in der Erfolgsgesellschaft.

Ihr Bericht übertrieb in allen Punkten schamlos; er war in schlechtem Deutsch und äußerst liebedienerisch abgefaßt. Wir trafen uns zufällig auf dem Flur vor dem Zimmer des Kommissionsleiters, in dem die mühsamen und dämlichen Befragungen stattfanden, die mich nun tagelang in Anspruch nahmen.

»Warum hast du es getan?« fragte ich sie, eher traurig als feindlich.

»Ich war sehr unglücklich mit dir«, antwortete sie in einem angepaßt traurigen Ton, der ihr als Verräterin wahrhaftig nicht zustand. Obendrein klang es trüb und seelenvoll, geradeso als stünden wir beide vor dem Scherbenhaufen einer gescheiterten Liebesgeschichte. Aber davon konnte ja nun keine Rede sein.

»Behandelt man so einen Freund?«

Ich erschrak über den engen, fanatischen Glanz, der jetzt in ihre Augen trat.

»Ich will zurück in die Siedlung«, sagte sie, »mit dir zusammen aber ist das unmöglich. Sie werden dich nie wieder hineinlassen.«

»Alles, was du über sie weißt, das weißt du durch mich.«

»Ja. Und ich vergesse es dir nicht«, erwiderte sie. Und plötzlich war da wieder dieses weiche, scheue Lächeln. Wie an einem jener warmen Abende, als wir draußen vor der Pension auf der Terrasse saßen und sie mir voller Stolz ihre ersten Übersetzungen vorlegte. Nun spürte ich hinter all meiner bitteren Enttäuschung die Genugtuung der Erinnerung und bereute es nicht, meiner schönen Gefährtin so blind und restlos vertraut zu haben. Mochte sich hinterher alles als falsch erwiesen haben, meine Freude und meine Ermutigung, die ich so lange in ihrer Begleitung genossen hatte, waren es dennoch nicht; sie durfte ich zu den Gütern zählen, zu den lebenswichtigen Ersatzstoffen, die beständig unsere Naivität erneuern.

Meine Befragung vor einem Sonderausschuß der Kommission litt erheblich unter unseren Verständigungsschwierigkeiten. Den Vorsitz führte ein junger dänischer Sozialdemokrat, ein beflissener und blasser Schlaumeier, der meiner Meinung nach nicht die geringste Befähigung für sein Amt mitbrachte. Er besaß weder Gespür noch Neugierde für irgendetwas Ungewöhnliches. Den neuen Siedlungsbewegungen stand er eher ratlos bis skeptisch gegenüber. Mit seiner – aus synkretischer Sicht – abstoßend unfraulichen Intelligenz setzte er sich über alles Wichtige in meinen Aussagen hinweg, und was ihn von berufswegen eigentlich brennend hätte interessieren müssen, das entging ihm, das bemerkte er nicht einmal. Zu welchem Zweck aber unterhielt man diese Kommission, wenn nicht zur aufmerksamen Beachtung und Förderung neuer Lebens- und Denkformen? Und weil diese sich offenbar in den Kulturschutzgebieten gedeihlicher entwickelten als im rauhen Klima der Restgesellschaften, nur deshalb war man doch hier mit einer Unmenge an Geld und Personal auf den Plan getreten. Doch das natürlichste Interesse war unter die politische Alltagsroutine gekommen und schrecklich zerrieben worden.

Mich vor Augen, hätte sich der stickige Büromensch ein gutes Stück Feldforschung ersparen können. Wenn er mich nur ein wenig anders angeschaut hätte, dann wären ihm wohl meine Aussagen nicht so ›zusammenhanglos und unlogisch‹ erschienen, wie er behauptete. Dann hätte er nämlich an einem fortschrittlich assimilierten Grenzgänger erkunden können, was die Synkreas bewegt und wie sie sich befinden. Aber ihm lag einzig daran, den übergelaufenen Beobachter, den pflichtvergessenen Beauftragten nachzuweisen, den Forscher-Gaga, den verschwundenen Interpreten.

Das helle Köpfchen schaukelte also recht unruhig auf dem bunten, unklaren Abfallbrack, den meine Aussagen und Berichte über die Siedlung ihm zurückließen. Jedesmal, wenn ihm schließlich doch etwas auffiel, erhob er

einen bezichtigenden Zeigefinger und traf eine grundle-
gende Feststellung. »Sie haben ein verschrobenes Zeit-
Empfinden, Herr Kollege« . . . »Sie denken nicht mehr
demokratisch! . . . »Sie glauben an Gesellschaftsdämonen!«

Seine Technik bestand im wesentlichen darin, mich mit
seinen kurzatmigen Erkenntnissen zu löchern und mich zu
irgendwelchen klärenden Widerworten zu reizen. Doch das
gelang ihm nicht. Ich redete unerschrocken weiter in meinem wechselvollen Stil, in dem Fabel und Fakten, Idee und
Tat vollkommen gleichberechtigt zur Wahrheitsfindung
beitrugen. Ich erläuterte nichts und bereute nichts; selbstverständlich redete ich mich auf solche Weise um Kopf und
Kragen. Die langwierige Farce endete, wie nicht anders zu
erwarten, mit meiner einstweiligen Beurlaubung; ihr sollte
zweifellos nach angemessener Frist die endgültige Entlas-
sung aus dem Dienst nachfolgen. Dies alles besorgte mich
indessen wenig. Es kam mir im Gegenteil eher gelegen.
Wieviel schmerzlicher wäre eine Strafversetzung zu einem
anderen Völkchen gewesen! Nun sah ich eine lange Zeit vor
mir, in der ich mich der reinen und umfassenden Vernichtung des halben Beobachters, des Restskeptikers widmen
konnte, der trotz allem immer noch in mir steckte. Ich blieb
also in Frankfurt, mietete ein Zimmer in einer billigen
Pension am Rande der Nordweststadt und verbrachte dort
das Ende dieses großen, standhaften Sommers. Geduldig,
mitunter vergnügt überließ ich mich allem weiteren Wandel, der aus mir hervorging und wie eine Heilquelle in
flachen Pulsen langsam die Schale füllte.

Nur noch wenig lichte Momente

»Sonntag mittag um zwei, leere Vorgartenstraße. Selbst der
nächste, sicherste Weg vor dem Fenster flimmert wie eine
ferne Luftspiegelung in dieser Höllenhitze. Wenn über-

haupt irgendwo ein Lebewesen, dann abseits ein bierholen-
der Mann, der sich mit nacktem, nassem Oberkörper zum
Kiosk schleppt. Heute früh, als ich aufwachte, begann ich
mir allmählich vorzunehmen, meinen Wagen irgendwo in
den Schatten zu verfrachten. Und tatsächlich, ein paar Stunden später stand ich vor diesem miesen kleinen Hotel, in
dem ich mich verkrochen hatte, und war immerhin soweit,
daß ich in dieser Sache aktiv werden wollte. Ich bemerkte
aber, daß ich absolut nicht mehr wußte, wo ich den verdammten Kasten geparkt hatte. Ich machte mich also auf
die Suche und ging in eine beliebige Richtung los. Ich lief
zwischen den Häuserblöcken entlang und schlich durch die
stillen Nebenstraßen, in denen die Autos in der prallen
Sonne funkelten und ihre Schmiere ausdünsteten; nur meines konnte ich nicht finden. Irgendwann geriet ich stadtauswärts auf einen staubigen Pfad, der mich langsam in eine
unbekannte Umgebung – in eine, wie ich fand, *einmalige*
Landschaft hineinführte. Ich wanderte bald unter feuch-
tem, schwülem Grün, unter einem üppigen Schlingge-
wölbe und düsteren Baumriesen, und als ich verwundert
unter mich blickte, da stand ich auf einmal auf einem alten,
seit langem von Unkraut, Pilzen und Sträuchern überwachsenen und durchbrochenen Tennisplatz. Der rotkörnige
Boden war fast ausgeblichen, hier und da mit Moos bedeckt, Reste der weißen, zerrissenen Linienbänder waren
noch zu erkennen. Zwei oder drei weitere Plätze schienen
sich noch unter dem dichten, niederen Gestrüpp zu verbergen. Langsam wurde mir klar, daß ich auf die Spuren einer
aufgegebenen Freizeitsiedlung gestoßen war, die der Wald
buchstäblich verschlungen hatte. Ich fragte mich, wie lange
es wohl noch dauern würde, bis dieser wie eine Feuers-
brunst um sich greifende Wildwuchs die ersten Häuser der
Vorstadt erreichen und sie wie alles übrige unter sich begra-
ben würde . . .«

Man hat nur einen Ton, sein Lebtag. Man irre nicht ab, man versuche keine unnützen Abwandlungen, man halte ihn, so gut es eben geht und solange der Atem reicht. Möge er abbrechen dereinst, jäh und hoffnungslos, ohne zuvor seine Schwingungen im geringsten verändert zu haben. Heute mittag, als ich meine schäbige kleine Pension in der Nordweststadt verließ, um für meinen Wagen einen schattigen Parkplatz zu suchen, geriet ich unversehens in die Ausläufer eines urtümlichen Walds. Da er immer dichter und wilder wurde, verlief ich mich und verlor den Weg unter den Füßen. Nach einer guten Stunde, in der ich mich durch mannshohes Gebüsch geschlagen hatte, stand ich plötzlich auf einem alten, überwachsenen Tennisplatz, vor den verschollenen Resten einer ehemaligen Freizeitanlage. Diese hatte der Wildwuchs buchstäblich verschluckt und sich einverleibt. Doch war die rötliche Beschichtung noch deutlich zu erkennen, auch die zerrissenen, bemoosten Linienmarkierungen, der rostige Draht, niedergerungen und gefesselt von dichtem Gestrüpp. Auf diese Geschichte komme ich zurück, obgleich ich vor gut acht Jahren schon einmal damit begonnen habe und im wesentlichen nicht über die Entdeckung der verwilderten Tennisplätze hinausgelangte. Ja, es ist unausweichlich: ich stoße wieder und wieder darauf; auf den morgendlichen Beginn an einem heißen Vorstadtsonntag; die Suche nach dem weißgott wo geparkten Wagen, den Anblick der überwucherten Tennisplätze, auf den Punkt des Nicht-weiter-Schreitens; auf eben diese Geschichte, auf den immer gleichen Ton meiner Mitteilung, auf dieses ›sein Lebtag‹, ›man irre nicht ab‹ etc. etc. Nein, man irrte nicht ab. Man gelangte immer wieder an denselben Fleck und schlug sich durchs Gebüsch, so gut es eben ging und solange der Atem reichte.

(Die *reine* Vernichtung? Bilde dir das nicht ein. Selbst wenn du Pflanze würdest oder schierer Ton, noch deine säuberlichste Verwandlung setzte große Mengen von jenem alten, sauren Schadstoff frei, der nicht aufhört, in der Welt zu sein. Unverwüstlich und schmerzlicher denn je bleibt von dir: die arme Ironie.)

Die Terrasse

(Belsazar. Fabeln am Morgen nach dem Fest.)

Da wurde der bleiche König hellhörig. Sein schwerer Leib sank lautlos zu Boden. Nun war es aus mit ihm. Gerade als hätte ihn die Jubelschar seiner Gäste in ihrer dichtesten Mitte zerdrückt, so kam er ums Leben. Die Menge, schon bereit, hinauszutreten auf die Terrasse und im Park den anbrechenden Morgen zu begrüßen, blickte sich um und sah einen, der sich zu Tode gefeiert hatte, starr auf den dunklen Bohlen liegen. Es war aber der König selbst und er lag auf breiten Schultern, die Augen standen zornmütig zur Decke gerichtet. Blankes Entsetzen ergriff die berauschte Gemeinde, und alle, seine Geliebten, seine Gefolgsleute und Ratgeber wichen schweigend zurück; keiner wagte sich dem erstarrten Herrscher zu nähern. Die Königin stützte sich still an die Mauer, sie wandte sich ab und drückte den Sohn ängstlich an ihren Schoß.

Und wie nun der eben noch befehlsgewaltige, eben noch den geraubten Pokal der Gnade schwingende Gebieter hingefällt und reglos in der Halle lag, da war seinen Getreuen plötzlich alles verändert. Da riß es jedem den Schleier vom Auge, jedem die Bindung, die Achtung aus seiner Brust. Auf einmal war es ihr König nicht mehr, es lag dort ein blutiger Frevler, ein Mörder und Unheilstifter zu ihren Füßen. Den aber hatten sie nicht erkannt, solange er lebte, herrschte und handelte. Jetzt aber, seines obwaltenden Auges, seines mannhaften Handschlags, seiner großen Schritte und Worte verlustig, blickte sie nur noch das nackte, bleibende Böse an. Das alltägliche und graue Verbrechen, welches seine glänzende Inbrunst, sein stählerner Wille so lange umhüllt hatten, trat nun sichtbar wie ein Madengewimmel, ein Schwarm Ungeziefer aus dem Erblaßten hervor.

Kein Laut des Jammers und kein Gebet wollte sich

erheben; es stockte die Träne und verlor sich die Andacht. Statt heißer Rührung ergriff die Höflinge eine eisige Furcht vor der Nachwelt. Jedermann drängte und wollte so schnell als möglich geduckt sich davonstehlen. Dem durch sein abruptes Schweigen, sein blindes Starren, sein regloses Liegen plötzlich entdeckten Unmenschen wollte keiner je Untertan gewesen sein. Denn der *König* in diesem Mann hatte den Sturz ins Leblose nicht überstanden. Der Tod hatte ihm nicht nur Blick und Atem genommen, er hatte ihm mit einem Schlag auch Ansehen und Andenken, ja sogar die Geschichte geraubt. So schob sich denn alles rückwärtig zum Ausgang des Saals hinaus auf die breite Terrasse und schnell die Rampe hinunter in den vormorgendlichen Palastgarten.

Ihr Jüngster aber fragte die Königin, weshalb denn der Vater so ruhig liege und nicht mit den Gästen hinaus ins Freie trete, um sich zu erfrischen. »Kind«, stammelte die Mutter, »der Vater wird wohl allzu müde sein, um noch hinauszugehen.«

»Aber wenn er müde ist, warum macht er die Augen nicht zu?« Da seufzte die Königin und küßte den Sohn. »So müd ist unser König gewesen, daß er vergaß seine Augen zu schließen.« Nun ging das Kind von der Mutter und trat zu dem steifen Koloß, um ihm mit spitzen Fingern, wie's sich gehört, die großen Augen zu schließen.

Die Gesellschaft unterdessen draußen vor dem Saal, in den Hainen und auf der Empore schlang die freie Luft und hoffte, im Morgentau zu Nüchternheit, zu klaren Gedanken, zu besserem Gewissen zurückzufinden. Doch es wurde ihr nicht so bald wieder wohl. Eine dumpfe Betäubung hatte sie alle befallen und ließ bei niemandem nach. Der Tod des überaus Mächtigen strömte und streute eine gleichmäßige Benommenheit rings über das Land.

Nicht nur war es der kleinen übernächtigten Gefolgschaft des Königs versagt, über die letzte Schwelle ihres abgestandenen Rauschs hinwegzutreten, sondern auch das ganze übrige, um diese Stunde schlafende Volk fand nicht wieder in ein klares freies Erwachen hinaus. Vielmehr wurde es innerhalb der Grenze eines leichten, andauernden Schlummers ständig zurückgehalten, so daß es von nun an sein übliches Tagwerk, sein Denken und Treiben halbwegs unbewußt fortsetzte. Denn unser nächster Morgen brach nicht wie alle anderen an – er blieb in frühester Dämmerung stecken und zog nicht wirklich herauf. Wie heftig einer auch den Kopf freischütteln wollte, er konnte doch die pelzige Dämpfung auf seinen Sinnen nicht mehr entfernen. Und so blieb es, blieb es für viele, viele Jahre, allgemein und ausnahmslos; und manche meinen sogar, bis auf den heutigen Tag sei dies starke und schöne Land aus seiner Belsazar-Nacht nicht vollends erwacht.

Noch immer hält uns sein Tod umschlungen und flößt uns Furcht und Atem ein. Wohl sind wir alle ebenbürtig Benommene und haben uns daher auch gleiche Rechte bewilligt, eine freie Verfassung gegeben; doch wie mag es um unsere wahre Freiheit bestellt sein, solange wir unter *seinem* allumfassenden Sauerstoffzelt, unter *seiner* pneumatischen Hülle dahinvegetieren?

Denn diese Gesellschaft ernährt sich vom Tod ihres größten Frevlers.

»Gesellschaft haben sie geschaffen!« rief Reppenfries und ließ seinen Arm über den menschenleeren Palastgarten schweifen, als stünde sie dortselbst vollzählig zum Morgenappell versammelt, »eine moderne Gesellschaft haben sie geschaffen, sich eingebürgert, die trunkenen Heiden, die erschrockenen. Um was zu vertuschen? Um wen zu verbergen? Wie Blutgerinnsel, scheint mir, wie Schorf zieht sich die Volksherrschaft über der Wunde zusammen. Doch, Vorsicht! – die Zeit bricht alle Wunden auf!«

Wir trafen uns wieder und wieder auf der Empore, auf

der weitläufigen Terrasse hinter dem Schloß, wir versuchten zu streiten, zu erzählen und sogar uns zu erinnern. Kein Mensch wußte doch, wie er damit fertig werden sollte, wie er die gewaltigen, unübersehbaren Zeit-Massen bewältigen sollte, welche der ausbleibende Tag, die stehende Frühe vor uns aufgetürmt hatte.

Wir standen also in einem zugleich engen und lockeren Kreis beisammen. Gleichaltrige in etwa, nach dem Krieg Geborene alle, wenn auch von recht unterschiedlicher Herkunft. Da gab es Reppenfries, den Sanitäter-Denker, stets flankiert von seinen beiden Frauen, der Schwägerin Paula und der Gattin Dagmar; des weiteren gab es Almut, die schöne Niedergeschlagene, dann den ›Modernen‹, Hanswerner, Pressesprecher einer Kaufhaus-Kette; Yossica, die Briefsortiererin, und schließlich mich, den säumigen Sucher . . .

Uns sieben hielt es beständig an diesem müßigen Ort, Ursprung der ›jüngeren Geschichte‹, wir streiften gern durch den Park und die umliegenden Haine, ruderten zu den Inseln über den nebligen See, verbargen uns im Heckenlabyrinth oder hinter dichten Bosketten und traten wieder zurück auf die Terrasse, immer ratlos, immer in Unterhaltung begriffen, während andere, nicht weniger benommen, ihre Ämter verwalteten, in ihren Montagehallen und Geschäften hantierten und handelten, über Kontinente reisten oder lüstern wanderten von Mensch zu Mensch – denn keinem, wo immer er sich befand, was er auch tat oder ersann, war es verstattet, sich endlich aus der deutschen Betäubung zu lösen und jenen Bannkreis zu durchbrechen, innerhalb dessen das zerfallende Böse über Generationen hin die Gemüter bestrahlte.

Das Liebeslicht

Wie fremd dir auch der andere ist bei klarem Licht – so schrankenlos doch das nächtliche Vertrauen, sobald er nur seinen Platz im Dunklen neben dir hat.

In der engen Kammer auf dem breiten Bett lagen wir nach vielen Umarmungen in unruhigem Schlaf – die Zufällige und ich, beide dazu verurteilt, nur noch und ausschließlich die ›Liebe der Ersten Nacht‹ genießen zu können, an dieses Kreuz geschlagen und zu keinem anderen Verlangen mehr fähig. Lang ausgestreckt auf dem Bauch, mit voneinander abgekehrten, atmenden Gesichtern, hielten wir die Arme um unsere nackten Rücken geschlungen. Immer wieder aus seichtem, fratzenhaftem Schlaf aufsteigend, gewahrte ich die ruhende Stärke des großen, schlanken Körpers neben mir, ein Körper, der nach unseren tiefen und herrischen Berührungen nun wieder ganz sich selber gehörte. Es schien das Leben dieses unbekannten Menschen abgerundet vor mir zu liegen in seiner vollendeten Gestalt. Die Schönheit dieser weichen und gespannten, dieser ausladenden, doch nirgends üppigen Leibesfläche war mir Seele und Chronik genug; mehr Person, als es zu schauen gab, hätte mir auch die Zeit, die müßige Dauer gemeinsamer Jahre nicht enthüllen können. Die kraftvolle Nackenlinie, der die Schwingungen der breiten Schultern begegneten, die sich fortsetzte in der langen Rückgratrinne, aufstieg zum Gesäß, sich teilte und abfiel über zwei lange X-Beine bis zu den nach innen gekehrten Füßen mit ihren schmutzigen, verhornten Fersen – dies alles sah ich, indem es mich durchsichtig umgab, und hielt es im Arm als den tatsächlichen Teil einer idealen Erscheinung. Es gab diese Person wohl auf zweifache Weise. Zum einen als jene junge, arglose Frau, auffallend schön und hochgewachsen, die sich nicht genierte einzuschlafen, wo immer es ihr gefiel, die im Wachen dieselbe befremdliche, ernüchternde Sprache im

Munde führte wie ich selbst. Zum anderen aber gab es diesen unfaßlichen Rücken, über dem nun mein Arm lag, und ich war davon überzeugt, daß kein Mann diese Gestalt jemals würde *besitzen* können, da eine kreatürliche Ehrfurcht der Sinne ihn daran hindern mußte. Ja meiner Meinung nach reichte auch ihr eigenes frauliches Selbstbewußtsein bei weitem nicht aus, um die Macht und den Geist dieses Körpers auch nur annähernd zu erfassen; nein, auch sie war nicht die Herrin dieser Gestalt.

›Jeder Zoll an ihr zu groß für dich!‹, so wurde mir im unsinnigen Gedankengestöber zugezischelt. Eine riesige Vergrößerung ihrer Achselhöhle, obschon kaum eine Handbreit von mir entfernt, tauchte im Halbschlaf auf und ihr weiches, braunes Haar darin bewegte sich leis strudelnd wie Gebüsch am Meeresgrund. Mich erfaßte eine männliche Scham, eine urtümliche Unbeholfenheit vor dem fraulichen Wuchs, vor der gebieterischen, der vielfachen Überlegenheit ihrer Hingabe.

In diesem Augenblick griff ihre Hand fest in meine Schulter, sie zog mich im Schlaf heftig an sich, ja nun umklammerte sie meinen Hals und riß wie eine Ertrinkende an mir – und dann plötzlich stieß sie einen grellen Schrei hervor, der souveräne Leib krümmte sich in qualvoller Not, und in derselben Sekunde spürte ich – welch abscheuliche Berührung! – unter meinem sie umgreifenden Arm einen nassen, kalten Buckel sich hervorheben; eine Beule, ein Unding, ein Ausbund trat zwischen den Rippen hervor, ein Klumpen Leben löste sich aus ihrem Rücken, entschlüpfte, huschte glitschig heraus und, ohne daß ich es fassen konnte, war es schon mit Schritt und Tritt versehen und konnte in die Kammer davonspringen.

Meine Nachtgefährtin war über diesem Vorfall so wenig wie von ihren Schreien zuvor erwacht. Sie stieß vielmehr mit tieferen, beeilteren Atemzügen voraus, als gelte es, im Schlaf ein rettendes Ufer zu gewinnen. Ich strich mit der

Hand vorsichtig über ihren Rücken, doch nichts war dort zu spüren, keine Unebenheit, keine Lappung, kein Riß – obgleich doch eben unter meinem Arm dieser eklige Buckel, diese feuchte Geschwulst hervorgekrochen und abgesprungen war. Ich richtete mich auf, und was ich nun erblickte, ließ mir das Blut in den Adern gerinnen. In die Kammer fiel von außen kein Licht. Doch die weiße, ja totenweiße Haut jenes Wesens, das dort neben der schmalen Tür verharrte, leuchtete wie Mondschein im Finsteren. Es mochte nicht größer als ein Nachtkasten sein, hatte den Leib eines Kinds oder Zwergs, doch sein Schädel war ausgewachsen und der eines älteren, zermürbten Manns. Vor allem die obere Partie des wuchtigen Haupts erinnerte an die breite und freie Stirn einer mir wohlbekannten Dichterfigur, währenddessen die übrigen Züge, von den Wangen abwärts, unverkennbar denen eines einzigartigen Machthabers und Gewaltverbrechers glichen. Nein, es gab keinen Zweifel: auf dem blutleeren Antlitz flimmerten eine Hälfte Baudelaire und eine Hälfte Hitler. Der Geburtsschmutz rann dem Gnom von den Schläfen zum Kinn. Er stierte trübe, zerstört und besorgt vor sich hin. Nun rüttelte ich die großen Schultern meiner Gefährtin und zog sie gewaltsam aus ihrem Schlaf. »Da! Sieh nur! Was bringst du mir ins Haus?!« Sie saß neben mir, mit krummem Rücken, aufgeklappten Beinen, die Unterarme auf die Schenkel gestützt und betrachtete eine Weile schlaftrunken das schimmernde Wesen. Dann ließ sie sich wieder auf das Kissen fallen und nahm meinen Kopf in beide Hände. »Schlaf«, sagte sie, »schlaf! Morgen früh ist er wieder fort.« Sie legte ihre langen, schlanken Finger auf meine Augen. »Aber wer ist es?« rief ich ungehalten. »Es ist – «, so begann sie und stockte gleich wieder. Sie rollte auf den Rücken und kreuzte die Arme im Nacken. So sah sie, wie mir schien, beinahe liebevoll zu dem bleichen Balg hinüber, das seinerseits die wulstigen Augen senkte, gerade so als schäme es sich.

»Es ist das Liebeslicht«, sagte die Frau. Offenbar war ihr der Spuk bestens vertraut. Ich bat sie, nicht länger im zärtlichsten Ton über solch unnatürliche Phänomene zu sprechen. »Es ist aber aus unserer Reibung entstanden«, erwiderte sie ernst, »so wie ein Gewitter entsteht und es blitzt, wenn verschieden warme Luftmassen aufeinanderstoßen, und wenn die Spannung wirklich sehr groß ist . . .« Sie küßte meine blöd hängende Lippe. »Aber wie willst du mir erklären«, brachte ich mühsam hervor, »weshalb dieser Krüppelwicht einen solch anzüglichen Zwitterkopf trägt, weshalb er, wie du vielleicht bemerkt hast, eine solch derbe, höhnische Kreuzung zwischen einem hohen französischen Dichter und dem Schlimmsten aller Deutschen vorstellt?«

»Ich weiß nicht, wie gerade nun diese beiden zusammengekommen sind«, antwortete die schlanke Frau, »es hätten wohl auch zwei andere miteinander verschmelzen können. Einen etwas schöneren Schein bringt man aber bei diesen plötzlichen Begegnungen selten zur Welt. Die erschrockene Seele spürt ja nur das Maßlose an sich und rafft sich die nächstbeste passende Maske dafür. Daher bekommt auch das gute Maßlose oft eine schlimme Fratze und manchmal schlüpft aus dem heftigsten Glück gerade der fieseste Unhold heraus.«

»Du hast wohl schon eine Menge Unholde in die Welt gesetzt, wie?« fragte ich ein wenig verdrossen. Sie strich mit ihrem Fingernagel durch meine Ohrmuschel und küßte mich. »Schlaf nun. Morgen früh, sobald der erste Lichtstrahl durch die Türritze fällt, schmilzt er.« Sie sah wieder mit kaum verhohlener Zuneigung zu ihm hinüber.

»Ich werde ihn Boris nennen. Jeder Hurrikan kriegt seinen Namen. Und jedes Liebeslicht auch.«

Ich drehte mich ins Kissen und versteckte mein Gesicht hinter dem hochgezogenen Arm.

Ich mochte kaum eingenickt sein, da wurde es um mich

herum hell und heller und plötzlich sehr kalt. Ich spürte, daß sich etwas gegen meine Hüfte drängte, das ich nicht für den schmiegsamen Schenkel meiner Gefährtin halten durfte. Es war denn auch nichts anderes als der entsetzliche Gnom, der sich in seinem kleinen, naßkalten Feldherrn- mantel zwischen uns schob und sich gewissermaßen an Kindes Statt zu bringen suchte. Ich sprang auf und schlug in unbändigem Zorn auf den lästigen Bastard ein, doch sie – seine Mama möchte ich beinahe sagen – fiel mir in die Arme und beugte mich mit ganz unvermuteten Kräften aufs Bett. Sie herrschte mich an und verwies mir jede Strafe, auch nur die geringste Hand gegen den todweißen Boris. Nun wollte ich unverzüglich mein Bett, die Kammer, das Haus verlassen, denn Grauen und Ekel hatten mir derart zugesetzt, daß ich neben dieser klammen Mißgeburt weder in den Schlaf noch zu versöhnlicher Begierde hätte zurück- finden können. Doch die Unbekannte befahl mir zu blei- ben; die eine gemeinsame Nacht, die uns gegeben sei, müsse unbedingt gemeinsam beendet werden, andernfalls ginge irgendein Unglück daraus hervor. Sie verfügte mit solch strenger Vorschrift über mich, daß ich mich nicht mehr auskannte und blieb, überrumpelt auch von ihrem schrof- fen, beinah ordinären Ton, den ich aus der reinen Anschau- ung ihres Leibes denn doch niemals erahnt hätte.

Ich legte mich also an den äußersten Rand des Betts und warf mich, auf schmaler Stelle, schlaflos von einer Seite auf die andere. Dabei mußte ich nun mitansehen, wie der bau- delaireske Hitler auf ihren Rücken hinaufkriechen durfte, ohne daß sie ihm wehrte. Dort hockte er mit aufgestütztem Kopf und brütete dumpf vor sich hin. Nach einiger Zeit – es mochte wohl schon der erste Morgenschimmer einge- fallen sein – bemerkte ich, wie er sich klein zusammen- rollte und ganz behutsam zwischen ihre Schulterblätter schmiegte. Jetzt strahlte er nicht mehr so mondweiß, oder nur noch sehr matt, jetzt war er nur mehr ein rundes graues

Feldherrnhäufchen mit einem bloß noch faustgroßen Schädel. Fast zierlich, fast hübsch lag das Wesen dort und zehrte sich auf, und die große Frau trug es auf ihrem wohlgestalten, geduldigen Rücken, den – seiner vordergründigen Schönheit wegen – zu bewundern oder gar begehrenswert zu finden, mir niemals mehr eingefallen wäre.

2

Reppenfries besaß außer seiner Neigung zu heftiger Erkenntnis und aufgebrachtem Denken noch eine andere, etwas zwittrige Leidenschaft: Helfen und Uniformtragen. Er hatte sich beim Roten Kreuz zum Sanitäter ausbilden lassen, war dann aber eines Tages untergetaucht, hatte sich sozusagen von der Truppe entfernt, um sich selbständig zu machen, um künftighin als freischaffender Helfer tätig zu werden. Dabei hatte er die graue, schlichte Uniform mitgehen lassen, denn auf sie konnte und wollte er keinesfalls verzichten. Er trug sie täglich; wann immer er seine Wohnung verließ, und war es nur, um zum Briefkasten zu gehen, zog er sie ordentlich an. Er war der Meinung, es könne überall und zu jeder Zeit eine Situation entstehen, in der er helfend einschreiten müsse. Aber in Wahrheit war ihm das Tragen der *guten* Uniform doch ein Bedürfnis an sich und ein heimliches Labsal. Unversehens gebraucht zu werden, nicht erst lange auf der Lauer zu liegen, bis sich in seiner Nähe etwas Unglückliches ereignete, das gehörte zu seinen höchsten Befriedigungen. Indem er nun ständig zu helfen bereit war und sich gern in seiner Sanitäter-Uniform unter die Leute begab, genoß er zugleich sein gutes Ansehen, das stille Zutrauen, das man seiner Erscheinung entgegenbrachte, und empfand sich willkommen inmitten einer Gesellschaft, die er im Grunde oder sagen wir: im

Gegenzug wenn nicht verabscheute, so doch von allen Seiten skeptisch betrachtete und abfällig besprach. Jedoch: so verletzend sein Geist, so pflegend seine Hände; so hochfahrend sein Herz, so aufopferungsvoll sein Dienst. Er war durchaus überzeugt, daß seine bloße Anwesenheit im Straßengeschehen gewissen Unfällen vorbeugen konnte; es genügte ja schon, wenn er in seinem Helfer-Rock irgendwo wachsam in der Ecke saß, eine stille Autorität der Behütung und Betreuung, um den Menschen ein Gefühl von erhöhter Sicherheit zu vermitteln und also ihre Störanfälligkeit zu verringern. Sein Revier war nicht fest umgrenzt, er mußte wandern, er mußte beweglich sein. Er wurde ja von niemandem mehr eingeteilt. Sportplätze, Rockkonzerte, Theater und dergleichen befanden sich fest in der Hand seiner organisierten Kollegen. Er aber, Deserteur, entlaufener Erste-Hilfe-Ritter, mußte sich auf eigene Faust an vernachlässigte Gefahrenzonen herantasten. Er wartete an Baustellen und unübersichtlichen Kreuzungen, er mischte sich unter Demonstranten und Messebesucher, bezog Posten in unterirdischen Ladenpassagen, im Redlightbezirk und an öffentlichen Toiletten, mit Vorliebe aber in der Nähe von Altersheimen. Er war zur Stelle, wenn jemand in Ohnmacht fiel, sich den Fuß verstauchte, sich bewußtlos spritzte. Verprügelt wurde. Vom Auto angefahren. Einen Hitzschlag erlitt oder einen Erstickungsanfall. Und es passierte oft etwas, wenn er in der Nähe war. Passierte, *weil* er in der Nähe war, wie Paula, seine spottsüchtige Schwägerin, beteuerte.

Reppenfries trat also von der Brüstung der Terrasse zurück, von wo er in den trüben vormorgendlichen Dämmer ausgespäht hatte, und begab sich wieder in unsere Mitte.

»Das da«, so begann er, indem er mit ausgestrecktem Daumen über die Schulter wies, »diese unsere Gesellschaft ist vermutlich das größte Menschenwerk, das unsere Epoche hervorgebracht hat. Weder Wissenschaft noch Politik, schon gar nicht Kunst oder Religion haben in diesem Jahrhundert etwas Vergleichbares vorzuweisen, etwas so Komplexes und Hochentwickeltes, eine beinahe schon übermenschliche Erzeugung wie es dieses unfaßliche, allmächtige Gemeinwesen ist. Was aber ist das für ein Wesen? Hat es nicht all unsere schöpferischen Kräfte in Anspruch genommen? Haben wir nicht viel, vielleicht allzuviel von unserem Besten und Innersten gegeben, um es gut ernährt aufzuziehen? Manch persönliche hervorragende Tugend fiel ihm zum Opfer; viel an Mut, Liebe, Unternehmungsgeist und Gelassenheit gaben wir hin, um dafür Angst, Leere, Unbeständigkeit einzuhandeln. Haben wir also einen Halbgott oder einen unersättlichen Dämon erschaffen? Wie auch immer, dies grandiose und einzigartige Gebilde einer freien Massengesellschaft hat sich längst über unsere Köpfe erhoben, es ist tausendmal ›klüger‹ als wir selbst, und nicht das geeinte Wissen aller Experten, Politiker und Weisen der Erde würde hinreichen, um diesen Über-Organismus auch nur annähernd zu verstehen, geschweige denn ihn mit überlegenem Bewußtsein steuern zu können.

Man darf wohl sagen, um einem Wesen der höheren Intelligenz zu begegnen, müssen wir nicht in den fantastischen Romanen lesen und brauchen wir nicht auf den biologischen oder maschinellen Übermenschen zu warten. Ein solch geheimnisvoller Gast umgibt uns bereits als der mutierte Souverän, als die offene und freie Gesellschaft. Ihrer Intelligenz sind wir zwar selber teilhaftig, jedoch nur mit der Vernunft von Eingeweihten, die ihren Kult vollziehen, ohne ihn erklären zu können. Eine Geheimgesellschaft, sich selber geheim, und wir so mittendrin, so tief versunken schon in ihre rationalen Zwecke und Spiele, daß ein Menschenhirn wohl nicht mehr über ihre Regeln hinausschauen oder sich erheben könnte. Vor noch nicht allzu langer Zeit hat man von der ›Entzauberung der Welt‹ durch den wissenschaftlichen Geist gesprochen. Nun, in Wahrheit haben wir unterdessen nur um wenig mehr Einblick genommen in die komplexe Ordnung der Dinge, und es hat bereits genügt, daß sie sich uns erneut bezaubert haben. Das Wissen hat unser Staunen nur um eine Drehung erhöht.«

Ein ganz ähnlicher Gedanke sei ihr wohl auch schon gekommen, warf die stille Almut ein. Wäre nicht das Ganze unseres Zusammenlebens vielleicht ein beschwörendes Ritual, uns unbewußt, um irgendeiner Gottheit, von der wir bisher weder Bild noch Ahnung besitzen, zu genügen und schlafwandelnd ihren Schutz zu erwirken?

»Und all die schrecklichen Unfälle auf den Straßen sind mir schon immer wie moderne Ritualmorde vorgekommen«, ergänzte Yossica, das junge Mädchen, doch Reppenfries warf ihr einen argwöhnischen Blick zu, ob sie sich etwa über ihn belustige. Aber sie war ganz unverdächtig bei der Sache, wie wir anderen auch. Selbst der ›Moderne‹, der sich gewöhnlich dem Sanitäter entgegenstellte, gab in diesem Falle seine Zustimmung. »Was uns als Zufall und unerklärliches Geschehen begegnet, das könnte einem Wesen aus einem nächsthöheren Zeit- und Sinngefüge leicht überschaubar und planmäßig erscheinen. Man stelle sich einmal die alte Himmelsleiter recht vielsprossig vor – unzählige Zwischenstufen der Evolution trennen den Schöpfer-Geist von dieser Menschenanpflanzung hier auf Erden. Wir sind der Garten – längst nicht Gottes, sondern bloß einer nächst höheren, möglicherweise sehr verspielten kosmischen Intelligenz. Die hat ein paar Sporen Leben auf diesen Planeten geweht und uns wie ihren Schrebergarten angelegt. Sie kennt den ganzen Plan und sieht, aus anderer Zeit, unser Schicksal vielleicht nur einen Frühling blühen.«

»Ganz recht«, freute sich Reppenfries, »man sieht aus seinem beschränkten Hausen und Wirken ja oft genug hinauf und fragt sich leis: was mögen sich zu alledem die Sterne denken? Doch, doch. Wir werden angeschaut, das glaub ich auch, wir werden überblickt. Sonst würden wir uns nicht bewegen . . .«

»Obskur! Nein, wie obskur!« rief nun die robuste Schwägerin Paula dazwischen und klatschte laut in ihre Hände. Sie glaubte wohl, den bedrückenden Schwager endlich bei einem schweren Denkpatzer erwischt zu haben und wollte ihn sogleich bloßstellen. Unglücklicherweise war kurz zuvor Dagmar auf ihren Mann zugetreten und hatte dem Sinnierenden eine aufstehende Kragenecke seines Hemds unter die Uniform geschoben. Dieses einerseits sorgsame, andererseits achtlose Einschreiten seiner Frau veranlaßte den Denker-Sanitäter zu einem plötzlichen Zornesausbruch.

»Ich muß mich konzentrieren und du fummelst an mir herum! Es ist eine Ungezogenheit, mir nur so lange zuzuhören, bis sich eine Gelegenheit ergibt, irgendetwas an mir zurechtzurücken. Das heißt: mir im Grunde gar nicht zuzuhören, sondern von vornherein nur darauf zu lauern, im passenden oder vielmehr im unpassendsten Augenblick sich damit hervorzutun, daß man einem angestrengten Menschen auffällig an den Hemdkragen faßt, natürlich nur um zu beweisen, wie mühelos sich deine Sphäre gegen die meine zu behaupten weiß!«

»Aber so ist es doch gar nicht gewesen!« empörte sich Yossica, die Briefsortiererin, denn sie fühlte sich auf ihrem Gerechtigkeitsnerv getroffen, »erst als schon die anderen dazwischengeredet hatten und Sie längst nicht mehr der Allerkonzentrierteste waren, hat Ihre Frau an Ihren Hals gefaßt und diese lächerliche Kragenecke weggesteckt. Und sie hat es nur gut gemeint!« Doch Frau Dagmar gab dem Mädchen ein Zeichen, sich nicht weiter einzufühlen. »Achtung! Mein Mann ist aktiver Philosoph!« sagte sie ein bißchen spöttisch nach der Art ihrer Schwester, doch das wirkte recht aufgesetzt, denn sie war von Natur aus eine herzensgute Person. Schon einen Tadel der kleinen Yossica an ihrem Mann mochte sie nicht dulden. Sie hätte wohl eher noch seine derbsten, ihr geltenden Beleidigungen verteidigt, als sich mit fremden Leuten gegen ihn verbündet.

Reppenfries hatte sich unterdessen gesammelt und nahm seine Begriffe wieder auf.

»So haben wir denn«, fuhr er fort, »aus uns, aus unserem Volk, aus unserer Nation nichts als eine moderne Gesellschaft gemacht. Die gesellschaftlichen Ideen beherrschen uns ja bis in die äußersten Sinnesspitzen hinein; sie beschatten unser gesamtes näheres und ferneres Denken, sie regieren unsere politische und persönliche Moral. Sie bieten uns wahrhaftig Schutz und Schirm – bewahren uns aber auch vor jeder Form von Weisheit und tieferer Besinnung. Meist sind diese Ideen der Jugend besonders willkommen (auch der eines Staats); sie verleihen ihr ansehnliche Intelligenz und führen zu schnellem Erkenntnisaufschwung. Sie sind indessen wenig dazu angetan, einem Menschen auf die Dauer seines Lebens genügend Halt oder genügend Geist zu bieten. Diesseitigkeit ist nun einmal kein abendfüllendes Programm. Das mag im übrigen für den persönlichen Lebensabend wie für die späte Epoche gelten. War unser Volk vor noch nicht allzu fernen Tagen dem Schicksal der despotischen *Verhaftung* ergeben, so packt den Gesellschaftsmenschen von heute, sobald er nur zu Bewußtsein gelangt, das nicht minder große Grauen der vollkommenen *Lossagung*. Gerade er, der späte Mit-Mensch, muß zwangsläufig den Schock des Antäus erleiden, der bekanntlich seine Kraft und sein Leben verlor, als Herkules ihn vom Erdboden hob. Es ist das Gefühl, gänzlich dem Gemein-Sinn, den Gesellschaftsdämonen zum Opfer gefallen zu sein, welches ihm nun die Brust zerquetscht. Er spürt, daß er tun, denken, träumen, ja sogar erleiden und befürchten mag, was ihm nur beikommt, und es doch immer nur halbwegs, immer nur kraftlos, immer nur beinahe vollbringt. Zum Verzweifeln ist es, wie gründlich er sein möchte, wie innig und standhaft, und ist doch in allem nur ein abgehobenes Gewicht, durch einen Wirbel der Zeit ergriffen, durch einen Wind geschüttelt, der *alles* flatterhaft macht. Derart erlebt er die Schauder des Losseins. Nicht geringer, so will mir scheinen, nicht weniger angstschweiß-treibend, als eines Morgens aufzuwachen und verhaftet zu sein, ist nun dieser entgegengesetzte, dieser antäische Alp-traum: unfähig, zu halten und zu haften, je wieder den rettenden Boden unter den Füßen zu berühren; erhoben, um im Wind erdrückt zu werden ... Oh, gezählt und beschlossen, gewogen und zu leicht gefunden, zerteilt und dem Wind überlassen!

Unserer Lossagung vom Übel folgte ein übles Lossein. Wie ohne Herkunft Geborene irren wir ständig in ein falsches Zuhaus. Läufer und Tänzer, Springer und Fechter, Jäger und Flüchtige, tapernd oder taumelnd, ach, es sind überall nur Bewegungen unterwegs! Diese Worte, Gesich-ter, Geschwindigkeiten – wann und wo sollte das sein? Und ich selbst, wann und wo? Nein, ungewiß ist es, nicht auszu-machen. Statt eines bescheidenen Bunds von Erfahrungen tragen wir eine hohe Kiepe voller Gelüste und Reizbarkei-ten auf dem Buckel, eine große Menge von Meinungen und Informationen, lauter unerprobte Existenz, ermüdender zu schleppen als ein mittelschweres Schicksal. Natürlich, das reiche innere Programm unserer Freuden und Leiden wird wohl noch abgespielt, aber ohne daß dabei ein Leben her-vorträte, nach außen hin geschähe. Wir neigen ja schon dazu, das Spiel von Reiz und Regung für die Sache des tätigen Lebens selbst zu nehmen, obgleich es uns ergeht wie einem, der sich zum Flieger ausbilden läßt und doch nie über die Trainingsstunde im Simulator hinausgelangt. Un-ser Leben in Freiheit? Freiheit! Heiliges Wort, gewaltiges Feuer, das Völker, Staaten, Klassen, Künstler begeisterte und erhob! Doch sein lodernder Lauf, nicht aufzuhalten, allesfressend, hält auch inseits des längst Freien nicht an, der eigentlich der Fassung und Fügung eher bedürfte als weiterer Lossagung. Freiheit und ihr langer Lauf vom schöpferischen Feuer zu einem den Lebensgrund verheerenden Flächenbrand – Freiheit von Sklaverei und Fremdherrschaft, Freiheit von Gott und Naturgeschick, Freiheit von Staatszwang und Familienbindung, Freiheit vom andern, Freiheit von allem – frei wie noch nie, frei wie verrückt!«

Reppenfries hatte seine letzten Sätze in einem Atemzug hinausgetragen und wollte es nun unbedingt dem ›Modernen‹, Hanswerner, versagen, sogleich mit einer gegenteiligen Ansicht einzufallen und ihm die Wirkung zu verderben. »Warten Sie«, rief er erregt, »einen Augenblick, bitte. Ich will noch eine kleine Vorführung anschließen.«

Zu unserer Verwunderung nahm er jetzt die junge Briefsortiererin beiseite und stellte sie in genau bemessenem Abstand vor sich hin; gerade so wie ein Hypnotiseur oder Zauberkünstler mit einem Medium verfährt, das er aus dem Publikum bestellt hat und dessen Schüchternheit er sich für ein besonders frivoles Kunststück zunutze machen möchte. Dementsprechend richtete er nun auch mit einer ruhigen verfänglichen Stimme das Wort an die Kleine und entließ sie nicht mehr aus seinem festen Blick und Einfluß.

»Yossica, weshalb bist du nicht glücklich?«

Das Mädchen, die heranwachsende Frau antwortete ihm gefügig und geschwind und in Floskeln, die ihr aus der Trance kamen. Denn es sprach nicht mehr sie selbst, sondern ein heraufbeschworener Durchschnittsgeist ihrer Generation.

»Diese ewigen Zwänge machen mich noch kaputt.«

»Welche Zwänge meinst du?«

»Ich meine die Zwänge überall. Ich kenn ja nichts anderes.«

»Wie möchtest du also leben?«

»Ich möchte frei leben und mein Leben selbst bestimmen.«

»Und was würdest du tun in deinem freien Leben?«

»Frei kommunizieren, Dinge tun, die mir Spaß machen.«

»Und was glaubst du macht dir noch Spaß, wenn du alles tun kannst, was dir Spaß macht?«

»Weiß ich nicht. Ich möchte zum Beispiel gern Liedermachen lernen. Oder 'ne Schreinerlehre. Schöne Dinge herstellen eben.«

»Und warum möchtest du nicht Briefsortiererin bleiben?«

»Das ist Kraut.«

»Dann such dir eine Lehrstelle im Schreinerhandwerk.«

»Hat doch keinen Zweck, krieg ich ja doch nicht.«

»Das ist nicht wahr. Wenn es ernsthaft dein Wunsch ist, wenn du genügend Ausdauer und wirkliches Interesse mitbringst, dann wirst du auch Schreinerin werden und als Schreinerin sogar glücklich werden.«

»Immer komm ich irgendwohin, da stehen schon zehn andere Leute vor mir da. Oder irgendwer findet mich nicht gut genug. Und dann verlier ich den Biß.«

»Du bist jetzt 22 Jahre alt. Du weißt noch nicht, was du wirklich willst?«

»Doch. Ich will ja. Ich will ja was machen. Es kribbelt mir unter den Nägeln. Ich kann aber nicht warten. Sonst verlier ich den Biß.«

Yossica, oder das, was aus ihr sprach, wurde zusehends unruhiger. Die Worte sprudelten nur so hervor, doch kamen sie aus einem gleichermaßen überdrehten wie tief bedrückten Gemüt. Über ihre Freunde wußte sie ebensowenig Gutes zu berichten wie über ihre Kollegen bei der Post oder gar ihren Chef, der sie angeblich dauernd belästigte. (»Du bist die Marilyn unserer Abteilung . . .«) Die Freunde, die sogenannten, hätten sie erst vor kurzem wieder im Stich gelassen, als ihr in der Disco eine Skinheadfrau in den Bauch getreten habe. Grundlos, einfach so. »Hatte wahrscheinlich die falschen Strümpfe an.« Und diese Freunde, mit denen sie früher die tollsten Gespräche hatte, standen bloß dumm daneben, keiner hatte ihr geholfen.

»Jugend, die kannst du dir schenken. Alle von 16 bis 25 sind sie Nazis. Die meisten werden ja auch Jungunternehmer. Die sehen praktisch keinen Ausweg mehr und machen sich selbständig. Dafür brauchen sie aber innerlich viel Stärke und Brutalität. Woher nehmen? ›Ausländer raus‹ und so, das sind bleibende Sachen, die liegen in Deutschland so sicher in der Luft wie saurer Regen. Da bedienst du dich, wenn du irgendwas durchstehen mußt.«

Obschon es doch noch immer die liebenswürdige Yossica war, die da querbeet drauflosplapperte und die so hübsch aussah in ihren selbstgeschneiderten schwarzen Pluderhosen und ihrem rosa Wollpulli – auf einmal bekam ich es doch mit der Angst. Ich glaubte, aus diesem jungen Geschöpf das Anwehen eines alten Unheils, eines geschichtlichen Fluchs viel eher zu verspüren als eine Jugend- oder Wohlstandsnot. Plötzlich war es der lange Atem der Rache, welcher dieses Mädchen (und unzählige seiner Altersgenossen) in ein offenes Mißglücken hineintrieb. »Ich kann das sowieso nicht bewältigen, was ich bewältigen müßte«, rief sie jetzt aus, »wohin man blickt, ist es grau und mies. Dabei war ich so gut drauf, als ich Ostern mit meinen Eltern beim Skifahren war . . .«

In diesem Augenblick aber löste Reppenfries den Bann und gab sein Medium frei. Yossica, jetzt überströmt von Tränen der Scham und der innersten Erschütterung, stürzte davon, rannte hinunter in den Park und wollte sich nicht mehr vor uns blicken lassen.

Alle, die wir ihn umgaben, machten nun dem Sanitäter die heftigsten Vorhaltungen. Was ihm denn einfiele, ein junges Menschenleben derart schroff zu prüfen, nur um einen weiteren Anlaß zu finden, seine schmächtige Faust gegen die ›Gesellschaft‹ zu erheben, einem letztlich völlig unangreifbaren, für alles und zugleich nichts haftbar zu machenden Gegner. Man dürfte doch unter keinen Umständen einen einzelnen Menschen quälen, bloß um an ihm das allgemeine Prinzip des Gequältseins zur Anschauung zu bringen. Reppenfries wies diese Anschuldigungen energisch zurück. Er habe Yossica keineswegs gequält, sondern lediglich durchleuchtet. Er habe ausschließlich ihre unpersönlichsten Schichten berührt, den rein nicht-individuellen Kern ihres Wesens zum Sprechen gebracht. Dies könne Yossica selbst allenfalls verwirrt, ihr jedoch keinen ernstlichen Schaden oder Schmerz zugefügt haben. Im übrigen sei es für jeden anderen von uns ebenfalls heilsam, wenn er einmal das Allerweltshafte und Grundzeitgemäße, das seine Einzigkeit in breiten Feldbahnen, dichten Strahlengürteln durchziehe, berufen und herausgeistern lasse.

»Furchtbare Verlorenheit der Kinder!« setzte er unter ernstem Jammer hinzu, »Gesellschafter der Gesellschaft: was habt ihr mit euren Kindern gemacht?! Ihr haftet doch für sie! Eure Gesinnung der ungedeckten Freiheit, die schon Baum und Fluß zur Strecke brachte, ließ auch den eignen Nachwuchs nicht ungeschoren. Die Zerstörung des Interesses, des jugendlichen Willens, der Treue zu sich selbst, das ist zentral genug getroffen, das reicht schon aus, um abzutöten. Wo die *Er*lebenskraft gebrochen ist, da laufen lebend Tote um. So wie auch tote Wässer noch immer fließen.«

Uns andere übertönend, erscholl hierauf die derbe Stimme der Schwägerin, die sich bis dahin zurückgehalten hatte. Sie mißbilligte noch einmal eigens die unwürdige Demonstration, die der Sanitäter mit Yossica abgehalten hatte, um dann unverzüglich zu einer höheren Verunglimpfung ihres Verwandten auszuholen. Es schien, als ertrüge Reppenfries ihr Gezeter mit etwas verquältem Gleichmut. Er hatte jedenfalls seine Hände flach und an sich haltend unter den Gürtel der Uniformjacke gesteckt, und ein schwaches Leidensgrienen zog auf sein Gesicht.

»Alles auseinandernehmen und es dann nicht wieder

zusammenkriegen. Das ist doch dein ganzes Talent! Alles in Grund und Boden kritisieren, es bis ins Kleinste zerlegen, bloßstellen, durchschauen – ›durchleuchten‹! Und dann achtlos liegenlassen. Erst sind wir, deine nächsten Verwandten, die Leidtragenden, dann kommt die Gesellschaft dran, der Erdkreis, Gott und das Universum! Und jetzt machst du nicht einmal vor der Jugend halt! Willst du denen hinterherschelten, die dir längst voraus sind? Überleg einmal genau, wer wirklich schuld an deinem Griesgram ist! Du leidest nämlich keineswegs an dem, was du wirklich siehst – du leidest bloß noch an deinen eigenen ekligen Ansichten. Und selbst wenn du die bittere Wahrheit weißt, dann schluck sie runter, halt den Mund. Wir kennen sie ja selbst. Darüber läßt sich einvernehmlich schweigen. Aber nein! Du willst noch einmal der große Durchleuchter sein, der einsame Maskenabreißer! Wozu? Ist alles längst durchschaut und längst gelüpft. Der Zertrümmerer von falscher Sitte, schlechter Übereinkunft! Wozu? Liegt alles schon in Scherben da. Ein letzter Ritter der Entlarvung! Ein Wieder-Nietzsche, ein Abermals- und Nochmals-Nietzsche, ein Nietzsche, wahrhaftig, von der allertraurigsten Gestalt!«

In einer mitschwingenden Erregung lösten sich auch Dagmar nun ein paar herbe Worte aus ihrem braven Gewissen. »Du wirst noch einmal ersticken an deinem Gesellschaftsfimmel! Es grenzt schon jetzt an Verrücktheit, dauernd mit der langen Lanze gegen etwas vorzurennen, das weder da noch dort, das überall und nirgends sich befindet. Man muß auch mal das Schöne sehen!«

»Dann geh in den Alpenverein«, knurrte der Sanitäter.

»Gar nicht nötig, gar nicht nötig. Ich brauche mir nur Yossica anzusehen. Die jungen Menschen sind so offen und geradeheraus. Wie wohltuend das ist! Sie sprechen frei und ehrlich, wie ihnen ums Herz ist. Die sind nämlich sehr viel ehrlicher, sehr viel spontaner als du und ich.«

Reppenfries, der seiner boshaften Schwägerin auffallend

auswich und ihr kaum etwas direkt entgegnete, ging dafür umso schonungsloser mit deren Schwester und Schützling, seiner eigenen Frau ins Gericht.

»Niemand lügt elender als der, der sich immerzu an die eigene Brust schlägt und sagt: schaut her, wie offen und ehrlich, wie spontan, wie ganz und gar ich selbst ich bin! Als könnte so ein Ich allein ohne Sitte, Pflicht und tragende Idee, nur mit seiner blöden Freiheit im Kopf, überhaupt jemals die Wahrheit sagen! Es lügt ganz unvermeidlich, spontan und in sich selbst verkehrt. Es besitzt ja nicht den geringsten *Begriff* von Ehrlichkeit. Es ist bei weitem überfordert mit der eigenen offenen Brust, an die es sich schlägt.«

»Ein Jammer«, seufzte darauf seine Frau, »wirklich ein Jammer, daß wir hier niemanden haben, dem schlecht wird. Der sich den Fuß verknackst. Dann hättest du jetzt etwas zum Einrenken oder jemanden zum Wiederbeleben. Und wir brauchten uns nicht länger deine krankhaften Lästerreden anzuhören.« Nun konnte man mit Reppenfries über beinahe alles streiten, doch unter keinen Umständen durfte man sein Sanitätertum, den dunklen und heiligen Widerspruch in seiner Natur, irgendwie leichtsinnig oder scherzhaft erwähnen. Niemand wußte das besser als Dagmar, seine Ehefrau. Und da sie es dennoch riskiert hatte, sah man auch die Angst vor dem vernichtenden Gegenschlag schon in ihren Augen.

»Du bist«, so versetzte ihr kalt der Sanitäter, »nicht würdig der Sprache, die dir über die Lippen kommt. Dir fehlt im tiefsten die moralische Berechtigung, in deutscher Sprache zu sprechen. Welchen Nutzen hat es denn gehabt, daß du mir so lange zuhören durftest? Ich bin es doch wohl nicht gewesen, der frech und unwissend dahergeredet hat. *Ich* erkenne die Autoritäten an. Ich gehorche dem größeren Geist. Ich folge dem, dessen Erfahrung reicher ist als die meine. Du aber? Du willst dich *selbst* behaupten, doch damit behauptest du leider Gottes nichts Besonderes.«

Nach diesen Worten sah ich Dagmars gelähmten Blick. In ihm war alles festgehalten: Zorn und Schmerz, das hilflose Sinnen auf Gegenwehr, der Einbruch des Unversöhnlichen, aber auch blankes Entsetzen, Zukunftsangst. Sollte etwa in dieser Sekunde der Treuefaden für immer gerissen sein? Ihr Auge war *ein* starrer Ausdruck vieler flüchtiger Regungen. Nur sehen tat es nicht, blind war es in diesem stürmischen Ermessen einer Tragweite.

»Du bist unausleidlich!« stieß sie nur noch hervor und packte ihre ganze Seele in ein falsches Wort.

Nun war sie die zweite, die zitternd aus unserer Runde floh, und sie stürzte vorne zur Brüstung der Terrasse, wo sie des längeren friedlos hin- und herrannte. Ihr Zustand schien so bedenklich, daß Paula sogar auf ihren von allen erwarteten Vergeltungsschlag vorerst verzichtete und der Schwester unverzüglich zu Hilfe eilte.

Wir Verbliebenen hielten es nun zum zweiten Mal für angebracht, Reppenfries zu persönlichem Anstand zurückzurufen. Wir warnten ihn eindringlich, sich weitere Ausfälle gegen anwesende und ihm vertraute Personen zu gestatten. Hanswerner versuchte als erster, uns aus der peinlichen und verdrehten Lage herauszubringen, in die unsere Unterhaltung nach diesen rauhen Zwischenfällen geraten war. Er war es, der schon seit längerem einigen Äußerungen des Sanitäters zu widersprechen wünschte und sich nun mit gefaßten Worten über die erregten Gemüter hinwegsetzte.

»Es ist nutzlos«, so begann der Moderne, »es ist mitunter sogar gefährlich, Ideen, Sitten, Gebräuchen hinterherzurennen und sie zum Maß der Gefühle zu erheben, die keine allgemeine Geltung mehr für sich beanspruchen dürfen. Die unwiederbringlich dahin sind. Denn man kommt selber leicht von Sinnen, wenn man sich an etwas klammert, das in einem Gemeinwesen keinen Sinn mehr erfüllt.

Sie, Reppenfries, haben sich doch auch nicht mehr verlobt, nicht wahr? Das war immerhin so lange doch ein nützlicher Brauch, als die Scheidungsgesetze streng waren, die meisten Frauen berufslos und die Ehe mehr oder weniger als ein Bündnis fürs ganze Leben angesehen wurde. Wenn Sie sich hingegen heute verloben, so mögen Sie ein Freund der schönen Zeremonien sein, aber Sie tun etwas überflüssig Schönes, etwas, das seinen sittlichen Zweck längst eingebüßt hat. Was Brauchtum war, wird bloße Stimmungssache. Indessen entsteht für alles Verlorengegangene auf dem bewegten Plan unserer Wirklichkeit irgendwo etwas anderes, ebenso Wichtiges und Förderliches, das unsere ganze Aufmerksamkeit verdiente und das wir doch bei seinem Auftauchen nur selten recht zu schätzen wissen. Es liegt denn aber vor allem an der Trägheit unseres Gemüts, daß wir dem Alten immer noch einen so viel höheren Platz zumessen als dem ›schrecklich Neuen‹. Erst wenn uns etwas verlorengeht, haben wir es eigentlich angenommen und liebgewonnen. Wir berufen uns ja heute schon in ziemlich jungen Jahren auf unser unbeholfenes Alter, beklagen die vielen zügigen Veränderungen in unserer sozialen und technischen Umwelt, die wir – ganz nach Art unserer Väter und Großväter – in aller Regel für Verschlimmerungen halten. Und eines ist wohl wahr: keine andere Epoche hat binnen kurzem soviel Vergangenheit produziert wie die unsere. Noch bei unseren Vätern trat das Gefühl, veraltet zu sein, erst in reifen, späten Lebensjahren auf. Heute dagegen, wo Erfahrung nichts, Neugier und Innovationsgeschick aber alles zu bedeuten scheinen, trifft es bereits den Mann in seiner knappen Lebensmitte, daß er sich in Erinnerung flüchtet, seine Jugendjahre plötzlich schon behaglich sieht und falsch vergüldet wie ein Alter. Der tätig Vierzigjährige fühlt sich schon durchgereift und überholt, wenn eine gänzlich ›neue Generation‹ von Maschinengattungen, von Strukturen und Marktstrategien fordernd vor ihm steht. Das sentimentale Altern ist demnach mit Riesenschritten vorgerückt. Doch hierbei handelt es sich um eine trügerische, eine künstliche und äußerst hinderliche Erscheinung, weit mehr Stimmungssache als Notwendigkeit, und ich bin sicher, sie wird schon bald wie ein böser Spuk verflogen sein. Dann nämlich, wenn es uns gelingt, statt den Veränderungen uns jeweils knirschend mühsam anzupassen, den Charakter unseres Zeit-Empfindens selbst zu ändern. Meiner Meinung nach stehen wir innerlich vor der Schwelle zu einem neuen Zeit-Prinzip, welches das alte verarmte, das nur die lineare Ausdehnung kannte, überwinden und ablösen wird durch eine wesentlich erweiterte, letztlich auch beruhigende Bemessung. Denn eben diese gerade, einlinige Zeit, auch Fortschritt genannt, die uns eingetrichterte, ein Überbleibsel aus der Epoche der Revolutionen, sie ist ja allein dafür verantwortlich, daß wir den Taumel immer stärkerer Beschleunigung erleben – weil wir alles nur in *eine* Richtung sich bewegen sehen. Von einem nur wenig erhöhten Zeit-Punkt aus würden uns alle Entwicklungen, die sich jetzt noch zu überstürzen scheinen, als wohlgestalt und gemäßigt darstellen und sie ließen sich im übrigen auch nach ihren guten und schlechten Zielen besser unterscheiden.

Und, Reppenfries, ob Sie es glauben wollen oder nicht: es sind gerade die elektronischen Maschinen und es sind die komplexen Leistungen unserer gesellschaftlichen Intelligenz, die uns diesem neuen Zeit-Sinn näherbringen, die uns seinen vielgliedrigen Rhythmus bereits deutlich vorklopfen! Immer hat der Mensch in Gestaltung seiner Werke, ob Kunst oder Maschine, Unbekanntes oder Vernachlässigtes aus dem Reservoir seiner natürlichen Eigenschaften, seiner Möglichkeiten und seiner Bestimmung entdeckt und heraufbefördert. Seine Natur trat ihm stets aus dem Gemachten heraus ins Bewußtsein. Nicht anders ergeht es uns heute, wenn wir in der Gestaltung der hochintegrierten

Steuerungssysteme ein wesentliches biologisches Funktionselement von uns selbst entdecken; nämlich den Prozeß der zirkulären Selbstorganisation, der die Grundlage allen organischen Lebens bildet und selbst den Aufbau der einfachsten Zelle reguliert. Und dies nun ist das Gegen-Prinzip oder das Über-Prinzip zu der linearen, zu der Ursache-Wirkung-Kette, die unser Denken und Fühlen so lange gefesselt hat. Wir erkennen gewissermaßen durch die Lupe der Mikroelektronik das Prinzip des rückverbundenen Lebens. Sobald dieses erst einmal in unsere Ideen und Sinne wirklich eingedrungen ist, wird es unsere gesamte Wahrnehmung und Mentalität durchgreifend umrüsten. Es wird uns unter anderem in die Lage versetzen, alle Daten der äußeren Welt, alle diese Veränderungen und ›Mutationen‹ überlegen zu prüfen, sie mit den Werten unserer Herkunft, unseres kulturellen Gedächtnisses, unserer Empfindungswelt zu verrechnen und zu unserem größtmöglichen Überlebens-Vorteil hin auszugleichen. Es wird dann auch keine Konkurrenz zwischen dem Gestern und dem Heute mehr geben, sondern wir werden in der Sphäre einer erweiterten, vielfältigen Gegenwärtigkeit leben, denken und schaffen.

Trauern wir also nicht länger der verschollenen Tiefe, der verflüchtigten Höhe nach. Die komplexe Fläche zu erfahren ist keine mindere Leistung des menschlichen Geistes als seine Ausdehnung zu den Müttern nach unten und dem Vater nach oben. Gespür für das Gespinst, das vielfach Verbundene, wird die Achtung vor den Hierarchien vollwertig ersetzen. Nicht konservieren, im Erhalten erwürgen, sondern auf den Nerv der Großen Verwandlung treffen, dann, meine ich, können wir leben. Der ausgewiesene Bestand allein überdauert nicht. Stellen Sie sich doch einmal vor: der gesammelte Vorrat an teurem Wissen, edler Kunst – er fiele doch in Nichts und Asche ab, gäbe es nur die Museen und Archive, gäbe es nicht unter den *Zeitgenossen* immer wieder welche, die selber dichten, malen, philosophieren. Ganz gleich wie schmächtig ihr eigenes Zutun, wie unsicher der Strich, den sie daran setzen, sie verbinden doch die Archive den Anfängen und halten mit ihrem einsamen Mühen das Ganze lebendig. Sie, Reppenfries, sprechen mir zuviel von Schwund, von Schwächung und Verschwinden. Wo doch sichtlich das meiste schneller wieder da ist, als Sie's noch kritisch zu Grabe tragen konnten! Warten Sie lieber ab. Und sehen Sie hin. Es ist soviel los! Jawohl, *los*, doch im Entstehen begriffen, nicht in der Entbundenheit, in der letztwilligen Verschleuderung, wie Sie es wohl meinen. Nein, ich mag sie nicht mehr hören, die heroisch-hohlen Urworte vom Ende, vom Schweigen, Vergessen, Verschwinden und von was nicht allem noch. Behagt uns nicht das Pathos daran viel mehr als der Gedanke, der religiöse Bibber, den sie von altersher erregen? Das Letzte, das Ende – auch sie sind doch nur *Pflanzen*, besonders reizvoll anzusehen, in diesem Garten der grenzenlosen Verwandlung. Ebenso wie Ihr Pessimismus, Reppenfries, nur eine Wollust unter vielen ist. Die quälsüchtige Klage des Geistes, daß er Geist sei! Das Leben aber ist stärker. Es geht über diese wie über jede Form der Verneinung hinweg. Ich will es Ihnen sagen: so wie Sie das Jetzige und das Ihnen Nachfolgende betrachten, werden Sie ihm durchaus nicht gerecht. Mit Ihrem Denken können Sie immer nur das Zurückliegende, können Sie eigentlich nur *Ihre* Vergangenheit angemessen studieren.

Eines aber wollte ich Ihnen vor allen Dingen noch einwenden. Man möge doch einmal dazu übergehen, unsere weit entwickelte Demokratie weniger mit zugespitzten Ideen als vielmehr mit wachen Sinnen aufzufassen. Jene Schönheit der Vielfalt, die wir so gern in der Natur bewundern und für gesund empfinden, warum dürfen wir sie, wo sie in unseren westlichen Gesellschaften in Erscheinung tritt, immer nur skeptisch und argwöhnisch betrachten? Warum sind wir so wenig geneigt, uns am Haben ihres

Formenreichtums erst einmal zu erfreuen, und starren verbiestert sogleich auf das Soll irgendwelcher unerfüllter Ideale? Lange genug haben wir, Sie und ich, in dieser beweglichen Ordnung gelebt, Jugend und Reife, Zorn und Angst darin ausgestanden, aber auch ein inneres Wachsen nicht entbehrt; und dies unter einer Staatsform, die durchaus von ›persönlicher Größe unbeaufsichtigt‹ blieb, wie es in Manns ›Betrachtungen eines Unpolitischen‹ einmal heißt. Lange genug, meine ich also, als daß uns diese bewegliche Ordnung nicht hätte in Fleisch und Blut übergehen müssen, ins Unbewußte absinken, oder sagen wir: ins Zentrum unserer intuitiven Kräfte und Bedürfnisse. Hat sie nicht längst eine Art poetischen Doppelgänger erschaffen, ein Phantasma ihrer selbst abgesondert? Diese zweite deutsche Republik währt unterdessen immerhin länger als ein Menschenalter, hat bereits ihre eigene Vergangenheit geboren, Epoche gebildet und nimmt fortschreitend die Umrisse jenes leichten Reichs an, in dem sich uns alles Rauhe und Mäßige allmählich ins Schöne und Stattliche übersetzt. Denn wo es Erinnerung gibt, da gibt es Trübung. Und aus solcher Trübung flocken Partikel Goldner Zeit aus. Die Mythenumschrift auch einer ›Bundesrepublik‹ wird uns Deutschen noch gelingen und sie hat wohl schon seit längerem begonnen.

Wenn ich nun aber sage, daß wir uns unserer Ordnung längst tiefer inne sind, als wir gewöhnlich wissen, daß sie ein Phantasma, ein inneres Anwesen in uns gebildet hat, so möchte ich dabei noch einmal an jene Erklärungsmodelle der Naturwissenschaften erinnern, in denen das plurale Beziehungsgeflecht die kausale Verkettung weitgehend aufgelöst hat. Ich vermute nämlich, daß es eine ganze Reihe neuerer Entdeckungen gerade im Bereich der Mikrophysik und der Molekulargenetik gibt, die ohne tiefere *demokratische Intuition* nicht gemacht und formuliert worden wären; zu denen ein von hierarchischen Leitbildern geprägtes Hirn niemals hingefunden hätte. Daher auch meine Skepsis gegen den gewaltigen Denker-Heros, den unsere Tage vor allem deshalb nicht hervorgebracht haben, weil sie ihn gar nicht gebrauchen können. Denn ein solcher könnte wohl kaum noch als die einsame Autorität, als der Zarathustra- und Gipfel-Wanderer vor uns hintreten und seine Verkündigungen herausschleudern; er müßte ja zwangsläufig in der Verfügung stehen und aus ihr hervorwachsen; er müßte diese bis ins Nervliche und Imaginäre reichende Gesellschaftsformung verspüren und anerkennen. Sein eigentliches geistiges Abenteuer begänne mit dem verzweifelten Eingeständnis (welches Sie vorhin selber anführten): Die Gesellschaft als solche ist ein intelligenteres ›Wesen‹ als ich. Hinter dieser Erkenntnis dürfte er wohl kaum zurückbleiben, wenn er zu einer erneuten ›Umwerthung aller Werte‹ vorschreiten wollte. Die Materie, die er also zu durchdringen hätte, böte heute eine vielfache Dichte von jener, die einst Nietzsche einrannte. Vorausgesetzt freilich, ein solcher Bahnbrecher dächte nicht an den Wissenschaften seiner Zeit vorbei, aber dann wäre er wohl ohnehin nur eine tragikomische Figur, ein Nebenbahnbrecher. Im übrigen leben wir gegenwärtig gewiß nicht in jener besonderen Verwerfung von Epochenschichten, in der einer ›spät jung‹ werden könnte und zum großen Verführer aufstiege. Nein, Reppenfries, keiner ist derzeit der Bessere. Dafür geht es zu bunt bewegt zu vor uns in der Ebene, zu vielseitig, zu weit versprengt. Deshalb bedeutet mir auch das Bild vom Eis-Gipfel und dem einsamen Wanderer wenig. Ich liebe das weite und gleichzeitige Terrain mit den vielen. Und das Gestolpere von Menschen über ihr Gerümpel. Es wird uns die nächsten Schritte lehren.«

Der Sanitäter hatte die ganze Zeit über unbewegt und aufmerksam zugehört. Mit knappen Seitenblicken hatte er mehrmals den ernsten Antrieb des Sprechers überprüft und sogar manche Spitze, die sich gegen ihn richtete, ohne erkennbare Kränkung hingenommen. Auch in dem, was er nun zur Antwort gab, suchte er mehr den Komplizen, den Vorverständigten anzusprechen als etwa den erklärten Gegner herauszufordern.

»Nun bin ich gewiß, daß auch Sie nicht zu den leichtsinnig Klugen gehören, zu den eiligen Händlern von Gebrauchtmeinungen, denen das Bewußtsein wie eine heiße Hundezunge heraushängt. Nun bin ich gewiß, daß auch Sie in eine unbedingte Sicht der Dinge hineingestoßen sind, an das Kreuz eines Bekenntnisdrangs geschlagen, wie es auch gar nicht anders sein kann, solange wir in dieser zaudernden Frühe festgehalten werden und unsere Neigungen sich anstauen, bis sie wohl schließlich noch zu Revolutionen werden!

Gleichwohl frage ich mich, wenn ich Ihnen zuhöre, in welchem Umfang das desorientierte Gemeinwesen bereits die Beobachtungsgabe des Einzelnen angegriffen und beschädigt hat, wie weit die Strahlenseuche des Zerfalls schon vorgedrungen ist, wenn selbst in den besten Köpfen sich derartige Illusionsgeschwüre bilden können. Sie sagen: schöne bunte Welt! Ich hingegen sehe das Farbige allein im Phosphorschimmer der sich zersetzenden Substanz. Sie entwerfen die große, gleichzeitige, ›demokratische‹ Ebene; ich hingegen warne: nicht in tausend Toleranzen auseinanderbrechen, nicht im Karnevalismus der Freiheit untergehen! Das sind wohl in etwa unsere Gegensätze. Mir ist das Vielfältige kein untrügliches Zeichen für fruchtbaren Reichtum; es kann ebensogut die Fülle im Zerfall sein. So wie umgekehrt das Ein-und-alles-Förmige nicht unbedingt Mangel und Verarmung bedeutet, sondern auch strenge, geballte Kraft. Wer etwas gründen will, muß gegen das Viele sein. Toleranz befördert nicht die schöpferische Setzung. Nun, Sie sagen, das Leben ist stärker als alle Verneinung. So ist es denn auch stärker als der Mensch. Denn es war vor ihm da und wird nach ihm sein. Es ist daher paradox, wenn wir Gottes Schutz erflehen und zugleich die Schöpfung anbeten. Denn diese ist bereit und auf dem Weg, über uns hinwegzugehen. Schlimmer noch: uns selbst scheint das furchtbare Schicksal vorbestimmt, alle Kreatur zu vernichten, bloß um damit der Fortentwicklung und der weiteren Stärkung der Schöpfung zu dienen. Denn selbst wenn wir eines Tages den Erdball gänzlich und mehrfach ausfegen, von Mensch und Getier, von Pflanze und Fluß entleeren, so würde sich zweifellos irgendwo eine Keim-Arche erhalten, genügend Biomasse, aus der, unter härteren Bedingungen, das Ganze noch einmal beginnen und durchgespielt würde. Nun freilich auf höherer, geprüfterer Ebene, und Geschöpfe würden über Jahrmillionen sich entwickeln, die durch natürliche Anlage unbegabt zu solchen Katastrophen sind, wie wir sie heute fürchten und vorbereiten, ein stärkeres, ›erwählteres‹ Geschlecht, jenseits von Luxus und Tod. Gott um 100 Millionen Jahre näher – und vielleicht ähnlicher. Sehen Sie, Hanswerner, Ihre ›Evolution‹, zuende gedacht, mündet unweigerlich in einer universalen Unbarmherzigkeit. Weder Menschenleid noch Epochenschicksal zählen hier etwas. Der Große Wandel, das *Lebendige* geht ungerührt über uns hinweg mit Blut und Wüste, Brand und Giftstaub, gleichgültiger als der furchtbarste Geschichtsverbrecher. Die Katastrophe des jetzigen Menschen, was wäre sie denn als nur ein winziger Zwischenfall, ein kaum nennenswertes Ereignis im Verlauf der 8 Milliarden Jahre, auf die unsere Erdgeschichte ohnehin begrenzt ist? Wir, etwa in ihrer Halbzeit aufgetaucht, haben uns ja recht schnell den nötigen Überblick verschafft und wissen schon mit größter Sicherheit, daß der rote Sonnen-Riese kommen wird, was auch immer geschehen mag; noch knappe vier Milliarden Jahre und alles Leben des Planeten wird sich in Dampf auflösen. Die Vernichtung der Erdkreatur liegt unwiderruflich im Programm beschlossen und wird am allerwenigsten durch Menschenkräfte aufzuhalten sein. Wir sind unserem Wesen nach vom Ende her aufgezäumt. Und was das unbewußte Denken, was unsere Seele schon immer wußte, was in unzähligen Mythen und Mysterien vorvollzogen wurde, das bestätigt heute die exakte Himmelswissenschaft mit nüchternen Begriffen und liefert Stück um Stück Beweise nach, daß es genauso kommen wird wie stets geträumt. Der Horizont werde in Flammen aufgehen, zwölf Sonnen am Himmel erscheinen und die Erde versengen – welcher Unterschied besteht eigentlich zwischen dieser Brahmanen-Vision und der astrophysikalischen Darstellung vom aufgeblähten Gasballon, von der Sonne im Stadium ihrer Supernovaexplosion? In diesem beinahe identischen End-Bild, das uns Religion und Wissenschaft entwerfen, erfahren oder ahnen wir zumindest die Einheit des menschlichen Denkens vom Erleuchteten bis hin zum Kybernetiker; und diese Einheit ist selber nur innestehend dem Welt-All-Bewußtsein, das sich zwischen Urgestein und Gott ausdehnt und in dem unsere außerordentliche Gattung eine erste Stufe der Erkenntnis beschreiten durfte, an dem ihr eine vorübergehende Teilhabe gewährt wurde. Ein solches Denken, in dem sich eine Versöhnung von Geist und Materie, von Wissenschaft und Transzendenz anbahnt, wäre in der Tat ein rettendes zu nennen. Aber selbst wenn es uns nun berührte, wenn es sich auf uns ›herniedersenkte‹, wären wir denn überhaupt bereit und imstande, besäßen wir noch kulturelle Fassung und Kraft genug, es zu empfangen und uns umbestimmen zu lassen? Längst sind unsere Interessen in einer verkürzten Sicht der Dinge dahingerissen worden, betreiben wir mit Zeitgier und Machtgelüst immer eiliger, immer verblendeter die Geschäfte des Unheils. Das rettende Denken aber, so paradox es klingt, es kommt eben auch ohne den Menschen aus. Es braucht ihn nicht. Es ist ewige Schöpfung.

Im übrigen besitzen wir keinerlei Berechtigung, vom

grenzenlosen Wandel der Arten, von der unversiegbaren Kraft des Lebendigen irgendwelche Rückschlüsse auf die Wandlungs- und Erneuerungsfähigkeit unserer Gesellschaften zu ziehen. Aber wenn Sie dennoch die Vergleiche lieben, so werden Sie mir, Hanswerner, kaum bestreiten wollen, daß im Verlaufe von Jahrmilliarden Stammesgeschichte auf Erden bei weitem mehr Tier- und Pflanzenarten ausgestorben sind als heute noch existieren. Entsprechend bescheiden nimmt sich dagegen der Zeitraum von sechstausend Jahren Menschengeschichte aus, der gleichwohl angefüllt ist mit zahllosen Aufstiegen und Niedergängen, sterbenden Völkern, verfallenen und zerstörten Kulturen, erschöpften Epochen, überdehnten Reichen. Und da sollten nun ausgerechnet wir Gegenwärtigen uns durch Vielfalt dem Verfall entzogen haben? Wo sehen Sie eigentlich diese Vielfalt? Mir scheint, daß sich statt ›Artenreichtum‹ eine immer gleichförmigere Lebenskultur um den ganzen Erdball spannt. Immer neue kraftvolle Revolutionen der Industrie machen ernst mit der tödlichen Gleichheitsidee. Denn daß wir für die Gattung das Tödlichste tun, wenn wir ihr Geschick weltweit vereinheitlichen, lehrt doch das Naturgesetz.

Wie sollten also ausgerechnet wir zu herrlicher Verwandlung und Erneuerung kommen? Nein. Das gibt unser bißchen Eigenes, unser bißchen Gedächtnis, Herkunft, Glaube, Lebenswille nicht mehr her. Da müßten uns schon die berühmten Gesellschaftsdämonen des Kardinal Newman zu Hilfe kommen, diese kleinen, tüchtigen Geister, die weder der Hölle noch dem Himmel zugehören, sondern in kleineren oder größeren Menschengruppen wirken, die ganze Nationen und soziale Klassen inspirieren, ihnen zu einsichtsvollem Handeln verhelfen, wie es ein Individuum, und wäre es das höchststehende, niemals ersinnen könnte – übrigens: eine sinnreiche Vorwegnahme unserer modernen Formel, daß der menschliche Verstand nicht dazu geschaffen sei, das Verhalten von Sozialsystemen zu verstehen – ach, ich fürchte, diese guten Dämonen haben uns gründlich im Stich gelassen!

Wir müssen rückverbunden leben, rufen Sie uns zu. Weshalb spotten Sie dann über meinen Vergangenheitssinn? Ihm allein habe ich es zu danken, daß ich mit dem Ausdruck der Todesverachtung weiterhin mein Haus bestelle. Daß ich Freude und Ärger empfinde, meine Beobachtungen mache, gerechte und ungerechte Urteile fälle; neugierig bin, als wär ich nicht alt, und bereit, als wär ich nicht müd. Dem Anachronisten, für den Sie mich ansehen, steht indes der Blick nach vorn; denn niemand hält geduldiger Ausschau als eben der Rückgestützte. Während doch jener allzu Zeitgemäße, der tief in den Fluß des Geschehens eintaucht, notwendigerweise nur das Flüchtigste, das Ablaufende selbst, das ihn umgibt, bemerkt und undeutlich daraus hervorblubbert.

Natürlich weiß ich besser als jeder andere, daß auch meine Bekundungen nur flüchtigePartikel der allgemeinen Auflösung sind. Auch ich bin verbunden und geschlagen mit allem Vergessen, mit der enormen Zunahme an Scheiße, die aus allen Röhren und Kanälen zurück in unsere Zimmer steigt. Unter den gegebenen Umständen ist jede ernste Überzeugung, gleich welcher Stärke und Bündigkeit, doch nur ein Wahn unter Wahnen, ein greller Fetzen mehr auf der kunterbunten Narrenjoppe. Im Einflußbereich des Unheils entwirft sich nicht einmal mehr die verzweifelte Idee, sondern nur noch die verlorene. Man kann das Rascheln toter Blitze hören ... Dennoch meine ich: jedes tätige Streben, das sich unterdessen gegen die Zerstörung unserer natürlichen Umwelt richtet, trotzt der über uns verhängten Dummheit. Denn wenn auch der Geist gegenwärtig vor Entsetzen blöd und starr ist, kann man einstweilen doch schon richtig handeln. Und diese Taten, die uns zur Besinnung auf unseren Lebensgrund führen, sind bäurisch-gut, sind instinktgetreu getan. Hier ist eine gute Witterung vorerst wichtiger als hohe Theorie.

Obgleich ein entschiedener Anhänger Blakes und nicht wie Sie, Hanswerner, ein moderner wissenschaftsgläubiger Mensch, ein Evolutionist!, möchte ich doch nicht so weit gehen wie der große Mystiker und andere Glaubenseiferer, und die Natur selbst als etwas von grundauf Schlechtes und Verdorbenes, nämlich als den gefallenen Garten Gottes ansehen. Das wäre, angesichts unserer heiklen Lage, des guten Reaktionären wohl etwas zuviel und könnte am Ende dem unfrommen Hausen in der Natur noch zur Rechtfertigung dienen. Woran ich aber auf diesem Umschweif erinnern möchte, ist, daß der Mensch nicht nur ein soziales, sondern ebensowohl ein metaphysisches Wesen ist, denn dies, so scheint mir, haben wir seit langem einfach unterschlagen. Am dringendsten erforderlich ist jetzt der Schutz unserer Umwelt und natürlichen Lebensgrundlage. Vergessen wir darüber aber nicht, daß wir nicht minder nötig eines Bewußtseinsschutzes bedürfen, nein, nicht mehr bloß eines Schutzes, sondern schon einer großen Gesundung, einer gehörigen Reinwaschung, um uns den Quellen und Zuflüssen der großen Kulturen wieder anzuschließen und Stärkung aus ihnen zu erfahren. Zugehörigkeit. Die Zerstörung von Interesse und Gedächtnis – die niemand gewollt hat, die aber der maßlosen Selbstbespiegelung und Vergötzung der Gesellschaftsherrschaft zwangsläufig nachfolgen mußte –, sie wirkt sich genauso lebensbedrohend aus wie die Verderbnis von Luft, Wasser, Boden und Nahrung. Man bedenke auch immer: unbeschädigt durch unser Hausen blieb allein von allen Elementen das mächtigste: das Feuer; mit ihm schließt das Erdkapitel der Welt.

Auf seinem gesellschaftlichen Weg wird sich der Mensch niemals hinreichend verstehen lernen; er wird stets nur seinen weiteren Nutzen ausfindig machen. Ohne Wissen um die Natur, seine Abhängigkeit und seine Teilhabe wird dieses außerordentliche Wesen immer größeren Schaden anrichten, es wird zunichte machen und dabei zunichte gehen. Denn Unwissenheit, so heißt es in den gnostischen Evangelien, ist schlimmer als die Sünde. Sie macht uns zu ›Geschöpfen der Vergessenheit‹, und ihnen ist die sichere Selbstzerstörung beschieden. ›Wenn einer nicht den Ursprung des Feuers versteht, wird er darin brennen, weil er seine Wurzeln nicht kennt. Wenn einer nicht zuerst das Wasser versteht, weiß er gar nichts. Wenn einer nicht den Ursprung des Winds, der bläst, versteht, wird er mit dem Wind dahingehen. Wenn einer nicht den Ursprung des Leibes, den er trägt, versteht, wird er mit ihm vergehen. Wer nicht versteht, wie er kam, wird nicht verstehen, wie er gehen wird . . .‹

Und ich sage, von heute aus, noch dazu: wenn einer ›Schmetterling‹ nicht mit ›Seele‹ übersetzen kann, so wird er nicht zur Einheit mit der Natur zurückfinden. Er bleibt außen vor. Er bleibt wie ein Grashalm, abgeknickt zur Lebensmitte, dessen Spitze lose über seiner Wurzel schwingt. Denn ohne Mythe und Metapher ist unser zentrales Organ, der Herzkopf, der Bewußtseinstraum oder nennen Sie es, wie Sie mögen, nicht angeschlossen an die Ordnung des Lebendigen. Sie bilden den eigentlichen symbiotischen Nährschlund, durch den wir mit Äther und Erde, Tier und Strauch verbunden sind. So aufs engste zusammenwirkend erscheint mir dies, daß ich fast sagen möchte: mit der Wiederkehr der Erinnerung werden auch die Wasser wieder klar.

An dieser Stelle aber möchte ich mit einer leichten Fabel abschließen, die Ihnen, wie ich hoffe, besser gefallen wird als die spröde und bleiche Figur meiner Gedanken, die sich wie eine blaustrümpfige Naturanbeterin in den dünnen Morgen hingestreckt hat.«

BERND UND BÄUMIN

Der Bankkunde ließ das Sparbuch fallen, der Heimkehrer ließ die Koffer fallen, die Fieberkranke die Tablettenröhre, der Tennisspieler den Schläger, der Läufer die Fackel, der Demonstrant das Transparent, der Politiker die Bevölkerungsstatistik, der Maler die Spritzpistole, der Angler die Rute, die Amme das Kind; in die Ecke gedrängt, ein jeder von seiner Bestimmung geschieden, im Nu einer Entmutigung, Ausfall der *Gott*stromversorgung, power cut im Großen Warenhaus; *Gesellschaft*, ein Notaggregat, längst überlastet; und die tüchtigen, alten Generatoren der *Liebe* reiben sich auf . . .

Aus der Ulme lebt eine Frau, draußen am Rande des Kirchfelds, und ihre schöne Gestalt, ihr üppiger Leib geht vom Nabel abwärts über in Baum.

»Da ist nun gar nichts zu machen«, flüstert sie sanft und beugt sich ein wenig über den jungen Mann, der unten aufgesprungen ist auf ihren Stamm und wie ein Hirsch an ihrer Rinde nagt.

Noch vor kurzem gehörte unser Bernd zu jenen Bleichgesichtern unter den Naturschützern, die sich niemals außerhalb von massenhaften Straßenumzügen ergehen und sich nur im politischen Schilderwald wirklich erholen und geborgen fühlen. Nun aber hatte es ihn an einen leibhaftigen Baum verschlagen, und gleich war er in Liebe zu der stattlichen Ulmfrau entbrannt, oder sagen wir besser: gleich hatte er sie mit seiner städtischen, hastigen Begierde bedrängt. »Nein«, antwortete also die Schöne vom Baum, »da ist nun wirklich nichts zu machen. Ich blühe in jedem Jahr und schlage aus mit frischem Grün. Ich spende Schatten und kostbaren Atemstoff, ich schütze vor Unwetter und Sturm, ich flüstere und ich stöhne, ich wiege mich und strecke mich, nur umarmen kann ich dich nicht. Sieh meine

Schönheit und erwäge die Vorzüge, die ich dir biete: Dauer und Standfestigkeit, unverbrüchliche Treue und einen gesunden Lebensrhythmus. Mein Altern und meine Kahlheit brauchst du nicht zu fürchten, denn diese erlebst du in jedem Jahr, um doch im folgenden mich mit allen Reizen wieder jung zu finden und deine verliebten Sinne frisch erregt wie am ersten Tag. Du wirst also am Jahresende nicht erschrecken über die knorrige, komische, krächzende Alte, nicht wahr? Solange dein Leben währt und wenn du selbst schon ein Greis bist, werde ich immer wieder zu neuer Jugend erblühen an deiner Seite. Soviel zu den äußeren, natürlichen Eigenschaften meiner Person. Was nun die stilleren, zärtlichen Vorteile angeht, die unsere Liebe für dich bereithält, so sind sie gewiß unschätzbar und bei keinem anderen Wesen zu finden. Geduldig höre ich dir zu und lebhaft beteilige ich mich und antworte jederzeit, Sommer wie Winter. Ich schweige nicht, wenn du mich ansprichst, ich weiche nicht, wenn du meine Stütze brauchst, und ich singe für dich, wenn du nach Trost verlangst.«

»Hör auf!« rief da der Bernd, »du verführst mich, du versprichst mir die süßesten Liebesgaben, verdrehst mir den Kopf! Und doch willst du dich mir nicht fügen. Ich brauche eine Frau, eine Frau brauche ich! Keinen rohen Holzstumpf!« Dabei umschlang er noch fester den Stamm, versuchte ihn zu rütteln, zu biegen und zu erweichen. Doch er scheuerte sich nur die Wangen und die Hose auf.

»Dann such dir eine andere!« gab jetzt die Bäumin barsch und kühl zurück.

»Ich will aber dich! Ich weiß ja: sie haben dich alle gehabt. Der Bademeister, der Sparkassendirektor, der Stellwärter! Jeder hier in der näheren Umgebung hat einmal etwas mit dir gehabt. Selbst die fünf Söhne des Kantors brüsten sich damit, einer nach dem andern bei dir gewesen zu sein . . . Nur mir verweigerst du dich!«

Da kam ein Zornesrauschen von oben, und die Baumfrau

herrschte ihn an: »Du lügst! Wie kannst du es wagen, an meiner natürlichen Keuschheit zu zweifeln und mir den Ruf einer Straßendirne anzuhängen?!«

»Du bist aber eine!« schrie der verliebte Städter hinauf, außer sich vor Frevel und Unglück.

In diesem Augenblick schlug ein einziger gewaltiger Blitz aus dem schwarzen Wolkenhang, der über dem Feld stand, und er raste schneidbrennend durch den Ulmenleib, riß ihm einen mannshohen Spalt in den Schaft und ließ ein Feuer drinnen, das ihn hohl brannte. Davon aber sah der Bernd nichts mehr, denn der berstende Einschlag hatte ihn hoch durch die Luft gewirbelt, so daß er ein paar Meter entfernt auf dem Feld ohnmächtig liegenblieb.

Als er wieder zu sich kam, stand die späte Sonne am Abendhimmel, und vom finsteren, plötzlichen Wetter war nichts als die verkohlte Höhlung im Baum geblieben. Aber wie er nun ängstlich und verwirrt hinauf zu seiner Geliebten blickte, da sah er, daß ihre Augen feurig waren, daß sich ihr halber Leib stumm nach ihm verzehrte. Unwiderstehlich zog es ihn jetzt zu seiner Bäumin und er schlich sich an ihren Stamm. Der Bruch dort war aber gerade so breit, daß er sich gebückt hineinzwängen konnte, und so stieg er, nicht ohne ein entsetztes Entzücken, in das rußige, aufgesperrte Holz. Oben ächzte nun die Bäumin, das Herz schlug ihr bis in die Wipfelspitzen, und ihr Leib zog sich von den tiefsten Wurzeln her unter Schaudern zusammen . . .

Vielleicht waren es nur wenige Zentimeter, um die sich das Holz verzog und sich der Spalt verschmälerte. Doch es genügte schon, und der eingekrochene, der gebückt einsitzende Bernd konnte sich nicht mehr rühren. Jede Anstrengung, aus dem Stamm wieder hervorzusteigen, mißlang; es war nichts mehr zu machen.

Nach einigen Monaten erst kamen die Forstarbeiter und machten sich daran, die Wunde am Baum mit großen Eisenspangen zu klammern. Dabei entdeckten sie in der Höhlung des Stamms einen Stapel von Knochen, säuberlich geschichtet, jedoch in rätselhafter Anordnung – gerade so, als wäre der Tote zu einem höheren Muster zerfallen, als hätten seine Reste sich von selbst zu einem bedeutungsvollen und weiterweisenden Merkmal zusammengelegt.

Hiermit beendete Reppenfries seine Rede und suchte mit kleinen, gierigen Augen auf unseren Gesichtern nach ihrer Wirkung. Wir drei anderen aber blieben für die nächste Weile erst einmal still; jeder war mit dem Vielerlei, das er uns da angeliefert hatte, genügend beschäftigt und fühlte sich nicht berufen, sogleich seine Eindrücke oder Erwiderungen vorzubringen. Indem wir so, innerlich nachfragend, jeder für sich über den Park, die künstliche Landschaft ausblickten, schien es der Sanitäter aber auch zufrieden zu sein und für eine gute Wirkung zu nehmen. Ich weiß nicht, wie es den anderen erging, irgendetwas in mir jedenfalls, mein weibliches Wissen, oder wie soll ich es nennen?, revoltierte insgeheim gegen seine Bekundungen. Es war mir bisweilen zu hoch, zu schroff, zu falsch auch, was er da vorbrachte. Ich sah dann in sein Gesicht und studierte nur noch diesen rohen, fingernägelkauenden Drang, über die Dinge zu blicken, den durchsichtigen Betrieb seiner Regungen, die bare Lüsternheit des Intellekts. Solche Abstrahlungen wirkten auf mich wie ein elektromagnetisches Feld, ich glitt an seinen Worten und Argumenten ab, ich erfaßte sie gar nicht, ich begriff dann nichts mehr. Meine Nachbarin, die schwermütige Almut, hatte dagegen mit einer anderen Auffassungsschwäche zu kämpfen, wie sie mir einmal gestand. Für sie verwandelten sich nämlich alle höheren Begriffe des Sanitäters meist umgehend zu hübschen, flachen Spielmarken, mit denen man wie in einer Art Monopoly ›geistige Güter‹ erwerben und ebenso rasch wieder verspielen konnte. Im Gegensatz zu mir besaß eben

Almut die Fähigkeit, sich beinahe alles passend zu machen, selbst das noch, was ihr eigentlich gar nichts besagte oder sogar unangenehm war. Nichts konnte ihrem Wesen so fremd sein, als daß es ihr nicht doch zu irgendeiner gleichgültigen Beschäftigung gedient hätte. Sie, die entschlossen schien, bis ans Ende ihrer Tage eine Beladene zu bleiben, ihr Leben als einen einzigen Bußgang hinzubringen, sie beugte ja durch ihr Wesen jede Manie und sinnliche Erregung in ihrer Nähe, empfing nur eine schwache Reflexion davon. Äußerlich von eher magerer, zierlicher Gestalt, mit schmalen Schultern, etwas zu kurzen Unterschenkeln, mit niedrigen, eingefallenen Stupsbrüsten, die sie nur deshalb offen unter durchscheinenden Seidenblusen trug, weil sie sie demonstrativ für vollkommen reizlos und für nicht genierwürdig hielt – Almuts Schönheit also lebte denn ganz aus ihrem Gesicht, aus ihren großen, dunklen Augen, dem weichen, blaßroten Mund, dem locker aufgesteckten, pechschwarzen Haar. Ihre ganze Erscheinung aber war von undurchdringlicher Traurigkeit beschirmt und enttäuschte jeden lüsternen Blick. Sie war wohl die einzige schöne Frau, der ich je begegnete und zu der ich mich zutiefst hingezogen fühlte, ohne sie im mindesten begehren zu können.

Trotz ihrer gleichbleibenden Schwermut war sie keineswegs apathisch oder stumpffühlig. Sie empfing jede Schwingung, jeden Impuls – und mäßigte ihn. Ein gesteigertes, extremes Betragen, das sich ihr gegenüber äußerte, wurde sofort heruntergeregelt und auf die eigene Innentemperatur abgestimmt. Ihr verschlossenes, im Unglück völlig ausgewogenes Gemüt war weder des Entsetzens noch etwa der Begeisterung fähig. Etwas Heilig-Krankes umgibt eine solche Person, und wir halten sie, vielleicht zu Unrecht, auch für den besser und tiefer verstehenden Menschen, den irgendeine gründlichere Intelligenz berührte und entrückte. Doch was uns von ihr gegenwärtig blieb, war vor allem ihre Schönheit, und ich wußte einfach nicht, was ich damit anfangen sollte. Ich war es schließlich nicht gewohnt, eine Verlockung, eine Anziehung zu verspüren und ihr nicht zu gehorchen. Wie aber, wenn doch diese Frau nichts als dumpfe Keuschheit – ein mir bis dahin unbekanntes Laster – in meinen Gliedern wachrief? Gleichzeitig glaubte ich aber die leise Bitte, das heimliche Ersuchen zu vernehmen, ihr näher zu kommen. Doch wie findet man zu einem Körper hin, von dem jede Wendung verrät, daß man ihn niemals auch nur für einen Millimeter würde in Erregung versetzen können?!

Nachdem wir nun ziemlich ausgiebig geschwiegen hatten, Paula und Dagmar weiterhin vorn an der Brüstung ausharrten und uns argwöhnisch betrachteten, Yossica indessen hinter den Hecken noch nicht wieder aufgetaucht war und schließlich Reppenfries ein Urteil oder eine Antwort auf seine Rede nicht mehr erwarten konnte, da erschrak ich plötzlich heftig, als ich meinen Namen aufgerufen hörte, der Sanitäter sich unvermittelt mir zuwandte und mich aufforderte, nicht länger als der stumme Zuhörer beiseite zu stehen, sondern die Folge der Bekundungen, die Hanswerner und er eingeleitet hätten, jetzt durch einen eigenen Beitrag fortzusetzen.

»Nun, Leon, will ich endlich Sie anhören!«

Ich zuckte wahrhaftig zusammen wie ein unvorbereiteter Schüler, den der Lehrer zur Prüfung vor die Tafel zitiert. Jedoch es half mir nichts, ich konnte mich nicht herauswinden; ich mußte, auch ich, wie Reppenfries es verlangte, meine Bekundung liefern; das Kreuz, an welches nun ich geschlagen sei, offen bekanntmachen. Wie aber sollte das vor sich gehen? War nicht jenes mich bewegende Prinzip ungleich schonungsbedürftiger, unfaßlicher auch als das der beiden anderen, deren Mitteilungen sich dagegen wie Manifeste oder Ideologien ausnahmen, die man auch in Zeitungen oder öffentlichen Debatten hätte vortragen können? Mußte nicht die Sicht der Dinge, in die ich hineingeworfen war, jedermann peinlich berühren, sobald sie nur in Worte gefaßt wurde? Nicht weil er sie für zu bizarr und fremd empfunden hätte, sondern im Gegenteil für allzu intim und vertraut, als daß er einen anderen darüber zu hören wünschte. Ich warnte daher die Umstehenden im voraus und bat sie, mich unverzüglich zu unterbrechen, sobald meine Auslassungen sie zu belästigen oder zu verletzen begännen. Dabei wandte ich mich vor allem an Almut, deren dunkel wünschendes, im Wunsch versteinertes Gesicht mir den eigentlichen Antrieb zu meiner Erzählung bot. Ich wollte doch gar zu gerne wissen, wieviel an geschilderter Verworfenheit ihr zuzumuten wäre. Ob es mir nicht endlich gelänge, ihr schickliches Betrübtsein zu stören, wenn nicht gar aufzureißen. Vielleicht ein letzter Versuch, sie mir begehrenswert erscheinen zu lassen, dies war wohl der tiefere Beweggrund für alles, was ich im folgenden vorbrachte, und unter ihren Augen erzählend, erlaubte ich mir Geständnisse, die nie zuvor über meine Lippen gekommen waren.

Die Frau auf der Fähre

Ich war nur für einen Tag nach Istanbul gekommen, um an der Beerdigung eines türkischen Freunds teilzunehmen, der, ein wunderbarer Schauspieler, ein hochbegabter Lyriker, zeitweilig zu meinem engsten Umgang gehört hatte. Noch jung an Jahren, war er wenige Tage zuvor an den Folgen eines Autounfalls verstorben. Das Begräbnis fand auf dem Großen Friedhof von Üsküdar statt, auf dem asiatischen Ufer der Stadt, wo E. mit seiner Frau und seinen

Kindern in den letzten Jahren ein kleines Haus bewohnt hatte. Es war ein diesiger Sonntagmorgen im frühen September; eine schwere Gewitterschwüle lastete offenbar schon seit einigen Tagen über dem bleigrauen Bosporus. Der Trauergemeinde, E.s Familie sowie auch seinen nächsten Freunden ein Unbekannter, hielt ich mich ein wenig verborgen im Hintergrund und nahm an dem eigentlichen Bestattungszeremoniell nicht teil. Erst als sich die Versammlung aufgelöst hatte, trat ich allein vor das Grab, vor den mit Blumen und Kopfbedeckungen überschütteten Sarg und gedachte der glücklichen Zusammenkünfte, die uns, während seines Aufenthalts in Deutschland, zu unzertrennlichen Freunden gemacht hatten. Jetzt erst überwältigten mich Trauer und Abschiedsschmerz sowie das bittere Gefühl, mich in den letzten Jahren nicht genug um ihn gekümmert zu haben.

Dumpf und ohne Blick verließ ich eine Stunde später den Friedhof und schritt zu der Fähre zurück, die den asiatischen Teil der Stadt mit dem europäischen verbindet und unweit der Hochbrücke den stillen Meeresarm überquert. Von Trauer und Trübsinn befangen, nahm ich kaum Anteil an der fremden, bedeutsamen Umgebung und bemerkte nur vag, daß mich wenige Flugstunden von zu Haus in den Orient versetzt hatten. Von der berühmten Goldenen Stadt hatte ich vorerst nur die schäbigsten Grauheiten der Neubauviertel gesehen. So konnte es denn auch geschehen, daß sich auf dem Deck der Fähre seit längerem jemand beständig an meiner Seite hielt, ja beinahe wie zugehörig neben mir stand, ohne daß es mir sogleich aufgefallen wäre. Erst als die Fähre unterhalb einer Moschee anlegte und die Passagiere schon um den Ausstieg versammelt waren, sah ich unter mir die fleischfarbenen, mattlackierten Halbschuhe, die mich vertraulich begleiteten, bemerkte ich ihre feine, durchbrochene Lasche, dann auch die undurchsichtigen beigen Strümpfe, den dreiviertellangen, dunkelbraunen Rock mit einer verspielten Seitenfalte – und mehr nicht; denn ich befand mich in einer Gemütsverfassung, die mir ein weiteres Anheben des Kopfs, selbst wenn ich den Willen dazu gehabt hätte, nicht erlauben wollte, und schon gar nicht, um mich für irgendeinen fremden Menschen zu interessieren. Als ich aber die Fähre verließ, mußte ich feststellen, daß die fleischfarbenen Schuhe sich geschmeidig an meine Schritte anpaßten. Ich trat auf den Platz vor dem Anlegesteg, und sie waren immer noch neben mir, obgleich sich die Traube der Fahrgäste, die uns vorher zusammenschloß, längst aufgelöst hatte. Ich blieb stehen, und ebenso verhielten sich die schlanken, unbekannten Beine, die so wenig nach landesüblichem Geschmack bekleidet waren. Gemeinsames Halten, gemeinsames Fortschreiten, und dies in einem solch gelassenem Einklang, als wären hier zwei Menschen schon vieltausend Schritte miteinander gegangen! Es war aber zu diesem Zeitpunkt nicht meine Sache, mich mehr zu verwundern als zu trauern. Und deshalb konnte und durfte mich auch diese zutunliche Begleitung nicht aus meiner Besinnung, aus meinem Gedenken reißen. Geheimnisvoll war es indessen doch, wie diese angeglichenen Schritte mich in ein Gefühl von Vertrauen und tiefer Bekanntschaft einwiegten. Gleichsam als hätten sich unsere Rhythmen – unter Umgehung von Gewohnheit und Lebensdauer – so tief gefunden, daß wir nun augenblicklich das Wesen und Gehabe einer langjährigen Zugehörigkeit erfüllten. Denn nicht die Unbekannte führte oder verführte mich, so wenig wie ich sie mitzog, sondern unsere verständigten Schritte steuerten einem selbstermittelten Ziel entgegen. (Dies konnte im übrigen nicht mein Hotel sein, das auf einer Anhöhe am zentralen Taksim-Platz lag, während unser Weg in der Ebene weiterführte, am Bosporus entlang, offenbar in einen vorgelegenen Stadtteil hinaus.)

Nach einiger Zeit spürte ich, wie die bitterste Trauer ein wenig nachließ, der Reuekrampf sich ein wenig löste. Sogar eine Spur von Trost zog ein, daß ich nämlich in der Fremde, an diesem schweren und öden Tag nicht ganz allein dahinschritt und mich, auf eine freilich dunkle Weise, um nichts weiter zu kümmern brauchte. Solange jedenfalls dies grundgemeinsame, anspruchslose Gehen anhalten würde. Dennoch war ich nach wie vor nicht in der Stimmung, meinen Kopf aufzurichten. Wie einer, der sich unter steifgewordenem Nacken beständig krümmen muß, brachte ich es einfach nicht über mich, den Blick über ihre Kniehöhe zu erheben und endlich diese zugelaufene, urvertraute Person offen anzusehen.

Es zeigte sich aber, daß zumindest ihr das Ziel im voraus bekannt war, das nur scheinbar der Regelkreis unserer gegenseitigen Begleitung von selber erwählte. Denn nach einer Weile war sie es, die anhielt, um die Fahrstraße zu überqueren, und ich folgte ihr nun schon willenlos. Wir erreichten bald ein zurückgesetztes Haus, dessen Höhe und Ausdehnung ich, ohne aufzublicken, zwar nicht genau ermessen konnte, doch mußte es sich um eines dieser zwei- bis dreistöckigen Gebäude handeln, eine bescheidenere Ausgabe vielleicht jener häßlichen, billigen Betonklötze, die wesentlich zu dem enttäuschenden Eindruck beigetragen hatten, die auf mich die Stadt der Sultane, Odalisken und prunkvollen Märchen gemacht hatte.

Der Raum, den wir darauf durch eine unverschlossene Glastür betraten, glich der Bar, dem Ausschank eines ehemaligen Caféhauses; jedenfalls ging es rechterhand an einer Theke vorbei, über der trotz des ausreichenden Tageslichts milchweiße Neonröhren brannten. Ich sah eine Reihe von schäbigen Plastikhockern aufeinandersitzen, ich sah unter mir einen zerbrochenen Linoleumbelag, Zeitungen und elektrische Kabel lagen auf dem verdreckten Boden herum und manch andere Überreste deuteten darauf hin, daß diese Gaststätte seit längerem keine öffentliche Benutzung mehr erfuhr. Meine Führerin – wie ich sie nun doch nennen mußte – beschritt eine spiralförmige Metallstiege, die in ein oberes Geschoß reichte, sie ging mir jetzt ohne Zögern voraus, von einer gleichen Begleitung war nichts geblieben. Das Zimmer, das sie uns sodann öffnete, befand sich, soweit ich es aufnehmen konnte, in einem erfreulicheren Zustand als der verwahrloste Barraum im Eingangsparterre. Hier machte zumindest alles den Eindruck einer sorgfältigen und frischen Wartung. Unverkennbar war es nach zentraleuropäischem Geschmack ausgestattet und beinahe einheitlich in einem hellen Apricot-Ton gehalten. Tapeten, Teppich, Vorhänge spielten in ähnlichen, fein variierten Mustern. Das Fenster, das, wie ich vermutete, auf einen Innenhof oder Garten ging, war mit einer halbgeschlossenen Jalousie verhängt. Aus dem dunklen, an einem trägen Gewitter sich abschleppenden Himmel stachen zuweilen grelle Sonnenpfeile hervor, die man geradezu als giftig empfand.

Nach unserer schmiegsamen Wanderung standen wir nun auf einmal geteilt, zu schroffem Stillstand gelangt in diesem Zimmer, und der gefürchtete Augenblick, da man einander *gegenüber*treten würde, ließ sich kaum noch hinauszögern. Ich fühlte mich plötzlich sehr einsam und beschämt. Ich weiß nicht, ob sie meine Befangenheit bemerkte – ich beugte ja unverändert den Kopf, wenn auch mittlerweile weniger aus Anlaß der Trauer als aus Schüchternheit und Befremdung. Jedenfalls spürte ich plötzlich ihre Fingerspitze unter meinem Kinn. Sie versuchte es anzuheben. Nach einem ersten steifen Widerstreben konnte ich bald nicht mehr anders und ließ sanft nach. Aber wie sich endlich meine Stirn langsam aufrichtete, da gingen mir auch gleichzeitig, ohne meinen Willen, die Lider herunter, denn ein starker, warmer Atem traf mich, offene Lippen folgten und das ganze Gesicht wurde mir von einem anderen verschlossen. Unsere Köpfe kreisten schon um den Mund, aber ich sah immerzu noch die fleischfarbenen

Schuhe gehen, hörte die kräftigen halbhohen Absätze klopfen. Jetzt lösten sich Arme, Hände, Knie aus der Erstar-
rung, und ich tat alles, was der rasche Tausch der Berührungen von mir forderte. Umschlang, wie ich umschlungen
wurde, griff, wie ich gegriffen wurde, drängte, wie ich
bedrängt wurde. Jemand, der das menschliche Liebesspiel
nicht kennt, hätte unser Gemenge vielleicht für die absurde
Anstrengung angesehen, den anderen als einen durchaus
unhandlichen Gegenstand irgendwie bei sich unterzubrin-
gen; so wie manchmal ein Clown mit einem übermäßigen
Requisit umgeht.

Plötzlich aber unterbrach sie unseren Tumult und entfernte sich von mir. Nun hätte ich sie sehen müssen, war
aber nicht imstande dazu, denn mein Augenlicht flackerte,
die Pupillen rollten so erregt hin und her, als befände ich
mich mitten in einer traumreichen Schlafphase. Nur einen
zittrigen Umriß erkannte ich gegen das Fenster und daß sie
den Finger auf die Lippe legte, als wollte sie mir Schweigen
gebieten; dabei hatten wir bis dahin nicht ein einziges Wort
miteinander gesprochen. Es sollte aber wohl heißen, daß
ich mich in meinem Überschwang anhalten möge. Wie sie
es tat, legte auch ich jetzt alle Kleidung ab. Sie räumte
Kissen, Spielzeug und Decke von ihrem Bett, und wir
begaben uns wieder zueinander.

Meine Verwunderung war nicht gering, als sie mich
unversehens in meiner Sprache anredete und mir mit strengen Zuflüsterungen aufgab, was ich zur Freude ihres schönen Leibs tun sollte. Kaum daß ich über ihre Worte genügend staunen konnte, da folgten auch schon die kostbaren
Überraschungen ihrer Hingabe nach, die keine nüchterne
Frage, kein glücksfremdes Wort mehr zuließen. Immer
härter, immer männlicher, immer unbeugsamer wurde unsere Handlung und aus einer tiefen Anbahnung näherte sich
für uns beide der Sieg. Ein Beben aus ihrer ureigenen
Gewalt kam über die starke Frau, ein beinah rücksichtsloser

Schüttel, als hätte sie jede Fühlung mit mir verloren, und ich, der küssend abfiel wie eine reife Frucht, ich sank über den Rand in eine bewußtlose Tiefe und sah sie, hoch droben, weit, sehr weit, über die Brunnenmauer gebeugt, sah im Fallen endlich ihr Gesicht.

Als ich erwachte, wollte ich meine Freundin sofort wieder umfangen. Doch sie war nicht mehr neben mir. Ich fand mich allein in dem halb abgedunkelten und kühlen Zimmer. Der Nachdurst meines Glücks war indes so brennend, daß ich unverzüglich aufsprang, um mich auf die Suche nach meiner herrlichen und zügellosen Gastgeberin zu machen. Ich kleidete mich notdürftig an und stieg die Treppe zur Bar hinunter. Ich hoffte, eine hintere Tür zu finden, die mir Zugang zu dem verborgenen Garten oder Innenhof verschaffen sollte. Auch glaubte ich, vorher von dort den Gesang einer Frauenstimme vernommen zu haben und sah schon meine Geliebte sehnsüchtig auf mich warten, am Rand eines osmanischen Beckens oder zumindest doch eines eleganten smaragdgrünen Swimmingpools.

Tatsächlich entdeckte ich hinter dem verlassenen Ausschank eine kleine, in die Wand verkleidete Tür, die ich hastig aufriß, ohne jedoch ins Freie hinauszutreten. Ich stand vielmehr in einem schummrigen, fensterlosen Gemach, aus dem mir ein muffiger Dunst entgegenschlug. Es dauerte ein paar Sekunden, bis sich meine Augen angepaßt hatten, und ich erkannte, daß ich mich keineswegs allein an diesem versteckten Ort befand. Zu meinem größten Erstaunen traf ich dort auf eine Runde undeutlicher Gestalten, welche rings um einen Tisch versammelt saß und über die eine kleine, niederhängende Deckenlampe ein mattes Licht streute. Fünf Männer waren es, von unterschiedlichem Alter und Gepräge, die nichts anderes taten, als ihre auf den Tisch gelegten Hände aufzuklappen, hineinzusehen und nach einer Weile wieder zuzuklappen. Ich unterschied sie bei der schwachen Beleuchtung nur nach ihren gröbsten Merkmalen, zählte den Hellen, den Grauen, den Schmächtigen, den Jungen und den Bärtigen. Keiner von ihnen schien mir jedoch ein Einheimischer zu sein. Sie blieben still und ungerührt auf ihren Plätzen, so als hätten sie nichts von meinem plötzlichen Eintritt bemerkt. Ein ungutes Anwehen von verbrauchter Vergangenheit, wie aus einem modrigen Tümpel der Zeit, umfing mich, und ich verlor Eile und Begier aus den Sinnen.

Was aber war hier vergangen? Welche Runde welcher Männer? Was hielt sie beisammen? Ein viele Jahre zurückliegendes Kartenspiel? Eine einstmals erfolgreiche Geschäftsberatung oder Konferenz? Eine geheime, nie erfüllte Absprache? Ich lehnte mich gegen die feuchte, rauh verputzte Wand. Es fiel mir auf einmal sehr schwer, mich wie gewohnt zu bewegen. Das lähmende Zeit-Maß, das in diesem geheimen Kabuff herrschte, schien nun auch auf mich überzugreifen. Träge wandte ich mich ab, ich dachte langsam zurück an die Bar, faßte mühsam den Gedanken, mich zurück zum Eingang zu schleppen und aus dem Haus davonzustehlen . . .

Da bemerkte ich eine Vielzahl von größeren und kleinen Fotos, die neben mir an der Wand hingen, aufgesteckt oder angeklebt, auf denen ich unschwer das Porträt meiner herrschaftlichen Gastgeberin erkennen konnte. Die Fotos stammten augenscheinlich aus sehr verschiedenen Lebensaltern derselben Person; einmal war sie als blutjunges Mädchen, dann als reife Frau (die sie mir noch gar nicht zu sein schien), einmal in strenger, dann in äußerst frivoler Pose abgebildet, mit kurzem Haar oder mit breiter, offener Mähne. Daneben war in wechselnden Handschriften, mit bunter Kreide, Lippenstift und Kohle das einzige Wort ›Mero‹ weitläufig über die ganze Wand gekritzelt oder geschmiert. Kein Zweifel, daß es sich hierbei um den Rufnamen meiner Entführerin handelte, der mir bis dahin verborgen geblieben war. Was aber sollte er für die fünf stummen Tischgesellen bedeuten, die ihn allesamt, wenn ich die Schriftzüge richtig deutete, bald zornig und bald verschmachtend, bald aborthaft und bald verklärt auf dem Gemäuer beschworen hatten? In dieser düsteren Hinterstube, die vielleicht einmal dazu gedient hatte, verbotene Spiele oder Zusammenkünfte abzuschirmen, saßen die Männer in äußerster Stille beisammen, fast reglos, und unter dem fahlen Licht sprachen allein ihre bestrebten, ausgerichteten Gesichter. Hin und wieder aber lachte einer leis aus dem Schlaf der Erinnerung heraus. Dies steckte den nächsten an, und es ging mit behäbiger Verzögerung durch die ganze Runde. Da lachte zuerst der Bärtige schlotzend, dann der Junge wimmerig, der Schmächtige still, der Graue tssend, der Helle aber gab nur ein tiefes Bronchialschnurren von sich. Je länger nichts geschah, umso eindringlicher trat mir jetzt von jedem ein Kennzeichen entgegen, durch das man bis in die tiefsten Falten seines Charakters hineinsehen konnte. So stierte der Schmächtige, als müsse er selber sein Schicksal ersinnen. So rieb sich der Graue sein Auge, daß es laut knatschte unter dem Lid. Und der Junge schwang in sich selber wie ein auf seinem Handteller träumender Hochseilartist.

Je länger ich also bei ihnen verweilte, je langsamer meine Sinne nun krochen, umso schärfer prägte sich das Typische an jedem Einzelnen aus, umso geschwätziger wurden ihre Mienen. Bald schwirrte schon der Raum von ihrem Mitteilungsdrang, den überflüssigen Reden ihrer Haltungen und Gesichter, und ich hatte die größte Not, all diese Lebensgeschichten, die sich an mich klammerten wie im trockenen Schlamm steckengebliebene Flußgeister, von mir abzuschütteln. Denn ich wollte es nicht wissen, wollte nichts hören von der fliehenden Stirn, den blaurotgeäderten Wangen, den wulstigen Augen, und nicht diese verdammten Lügen fragiler Brauen! . . . Zu meinem Glück entdeckte ich gerade im letzten Augenblick, bevor ich dem tödlichen

Zeit-Verbleib selber zum Opfer gefallen wäre, hinter dem Rücken des Bärtigen einen schmalen, taghellen Schlitz, den Spalt einer Tür, die unbedingt nach draußen führen mußte. Die Sonne war wohl für kurz wieder durch die Wolkendecke gebrochen und hellte den vorher kaum wahrnehmbaren Lichteinfall auf. Mit einer letzten, zähen Anstrengung, halb schon gelähmt, schleppte ich mich nun zu dem sicheren Schein hin und empfand eine gewaltige Erleichterung, als ich tatsächlich den Ausgang erreichte, der mich ins Freie entließ. Draußen blendete das geknickte Licht des späten Nachmittags, und ich schützte mich hinter erhobenem Arm. Dann aber erkannte ich vor mir den kleinen, allerdings ein wenig staubigen Garten, zu dem ich hin wollte und der hier von einer weißen, mannshohen Mauer als eine ausgezehrte Lustbarkeit umfaßt wurde. In der Mitte lag ein nierenförmiges Bassin, in dem dunkles, mooriges Wasser stand. Trockene, beschmutzte Rhododendronbüsche, vergilbte Palmstauden, farblose Nußbäume bildeten die kümmerlichen Überreste einer einst üppigen Anlage. Das städtische Grau hatte sich wie Mehltau über die Pflanzen gebreitet und ihnen alle lebhafteren Töne entzogen. Umso deutlicher, umso leuchtender stach aus dieser falben Umgebung das rubinrote Gewand hervor, in das sich die Frau von der Fähre für den Abend gekleidet hatte. Sie stand am Ende eines mit Unrat besäten Kieswegs und schaute, wie es schien, mit angestrengtem Blick über den Mauersims. Obgleich durch die dumpfe Tischrunde, die sonderbare Zeit-Schleuse, die ich hinter mich gebracht hatte, wesentlich ernüchtert, eilte ich doch voll freudiger Erwartung zu meiner Gastgeberin, um sie endlich offen zu begrüßen und in der Unterhaltung kennenzulernen. Und was hätte ich nicht alles zu fragen und zu wissen gewünscht! Doch kaum war ich ihr bis auf zwei Meter nahe gekommen, da prallte ich wie gegen eine unsichtbare Wand und stürzte zu Boden. Verdutzt, geniert wegen meines Ungeschicks, sprang ich sofort wieder auf die Füße, versuchte es ein zweites Mal und ging munter auf sie zu. Doch ehe ich sie auf Armeslänge erreicht hatte, glitt ich wiederum ab, ja wurde wie von einem Magnetstrom, der mich streng von ihr fernhielt, beiseite gedrängt. Da sie mich aber durchaus nicht zu bemerken schien, machte ich jetzt die zappligsten Anstalten, um zu ihr zu gelangen; je direkter ich dabei auf sie los ging, umso schräger trieb es mich ab in einen anderen Winkel des öden Gartens. »Mero!« rief ich sie endlich verzweifelt an, doch schien sie mich auch nicht zu hören, denn sie regte sich um keinen Deut und blickte weiterhin ungerührt über den Mauerrand. Plötzlich aber vernahm ich ihre Stimme. Sie war mir ganz nah, umgab mich fast räumlich. Ich wußte aber nicht, von wo sie kam. Es fiel mir außerordentlich schwer, eine Verbindung zwischen diesen sanften Tönen und jener Person herzustellen, die dort im feurigen Abendkleid vor der Mauer stand, gänzlich von mir abgewandt, und irgendeiner langwierigen Beobachtung nachhing. Sollte ich denn glauben, daß Mero ihre Stimme frei durch die Lüfte lenken konnte und daß diese zu meinem Ohr fand wie die Biene zum Blütenkelch, ohne ihren leisen Klang unterwegs zu verlieren?

»Mein Freund«, sagte sie mit der gleichen zarten und strengen Betonung, mit der sie mir vorher die Weisungen der Liebe erteilt hatte, »ich sehe, daß dich hier bei uns manches noch verwirrt und belästigt. Doch beunruhige dich nicht weiter! Von nun an wird es dir gut ergehen. Denn jetzt bist du ein Teil von mir. Du *bist* eine glückselige Erinnerung. Das einzige, was dich hierbei ein wenig bedrücken könnte: außer *dem* bist du nichts mehr. In der Welt sonst gibt es dich nicht länger. So wie du nun am Leben bist, dankst du es allein dem fleißigen Geweb meines Gedenkens. Du gehörst nun in meine Korona. Du bist in *meine* Zeit eingetreten und brauchst dich fürderhin um kein anderes Dasein mehr zu kümmern.«

Als Mero mir derart ihre unheimliche und wahrlich atemberaubende Begabung enthüllte, da mußte ich feststellen, daß ich zum größten Teil bereits der war, als den sie mich beschrieb, nämlich ein Fixierter, jemand, den die Spitze ihres Glücks aufgespießt und gelähmt hatte. Daher blieb mir das volle Grauen erspart, das mir ihre Mitteilungen eigentlich hätten bereiten müssen – ich erfuhr es bereits unter den lindernden Umständen einer fortschreitenden Selbstvergessenheit. Allerdings, die Arbeit war wohl nicht ganz säuberlich vorgenommen worden. Spürbar war eine verschwindende Restgröße meines bewußten Ichs noch vorhanden und blieb wachsam – und leider auch sehr schmerzempfindlich. Hiermit versuchte ich die Logik dieses abgründigen Zaubers zu verfolgen, soweit es mir eben noch möglich war, und die Veranlagung der wildernden Frau von innen her zu erforschen.

Ein Geschöpf ihres Gedächtnisses, stand ich im Verkehr mit mancherlei Ereignissen und auch mit einigen äußeren Lebensumständen, an die sie eine Erinnerung bewahrt hatte; wenngleich hier vieles unter Trümmern verschüttet blieb oder nur spärlich zum Vorschein kam. Als junges Mädchen, nach dem frühen Tod der Mutter, hatte Mero ihren Vater, einen westdeutschen Handelsattaché, in die nahen und fernen Länder begleiten dürfen, in die er durch seinen Dienst berufen wurde. Im Zuge dieses häufigen Ortswechsels war sie vor vielen Jahren schließlich nach Ankara gekommen, wo der Vater in den Rang eines Vizekonsuls aufstieg und sich für einen längeren Verbleib einrichtete. Hier erfuhr dann das frohe, ja überschwengliche Verhältnis, das sie bis dahin zu ihrem Vater hatte, eine empfindliche Abkühlung, als dieser sich nämlich entschloß, wieder zu heiraten, und die heranwachsende Tochter sich mit einem untergeordneten Platz im neuen Familienbund abfinden mußte. Zu dieser Zeit und fraglos als Folge der erlittenen Kränkung kam es denn auch zu einem ersten

Ausbruch ihrer unglücklichen Begabung. Ihr mörderisches Gedächtnis beging seine ersten Untaten. Es genügte aber damals schon, daß sie sich mit ihrer kleinen ›Korona‹ von entgeisterten Liebhabern umgab, um Ansehen und Stellung des Vaters ins Zwielicht zu bringen. Dieser, ein nüchterner und eitler Mann, erließ gegen Mero die unversöhnlichsten Anordnungen. Als aber alles nichts half, entschloß er sich, die Vagabundierende zuhaus auszuquartieren, und schließlich, mit einer noch härteren Verfügung, sie aus dem Diplomatenviertel zu entfernen. Unter all den Verboten und Strafen hatte sich aber ihr schlimmes Talent keineswegs gemildert, sondern im Gegenteil erst recht kräftig entwickelt. Vom Vater, von der häuslichen Sphäre ganz abgeschnitten, ging sie von selbst noch weiter und siedelte über nach Istanbul, gewiß nicht ohne die Hoffnung, dort noch eine weit reichere ›Beute‹ zu machen und vor allem eine feinere Auswahl treffen zu können. Seither nistete sie in dieser Ruine eines verlassenen Caféhauses und dehnte ihre fühlsamen Spinnengänge nun über die Anhöhen am Goldenen Horn aus. Hier zog es sie vornehmlich in die Nähe vielbelaufener Orte und Sehenswürdigkeiten, in deren Rand- und Ruhezonen sie geduldig verweilte und Umschau hielt. Denn hier war es, wo Ermüdung, stille Beglückung, Heimweh oder Träumerei bei manch einem jene leichte Bewußtseinsschwäche bewirkten, durch die sie mit ihren räuberischen Sinnen mühelos eindringen konnte. Ihre Opfer waren, wie es sich versteht, ausnahmslos Einzelgänger, Abenteurer, Tramps, Künstler, Heilssucher, aber auch alleinreisende Geschäftsleute. Für die Ausdünstungen der Einsamkeit besaß sie eine untrügliche Witterung. Ihr Fangverhalten war dabei fast immer das gleiche. Niemals trat sie dem Opfer frontal entgegen oder bot ihm etwa ihre gewiß nicht schmalen weiblichen Reize dar. Stets ergriff sie den Ausersehenen durch eine stille seitliche Anschmiegung, verließ sich ganz auf die betörende Wirkung der beigesellten Schritte; und noch keiner hatte dieser zauberischen Begleitung widerstanden. Noch in jedem Mann hatte sie seine tiefe, unerfüllte Versessenheit angerührt, in der Liebe die Erste und die Immerwährende, die Unbekannte und die Gewohnte in *einer* Gestalt zu umfassen.

Eines war freilich dabei unerläßlich: das Opfer mußte in Stimmung sein. Und zwar in einer solchen, die ihn von sich selber und allem Eignen möglichst weit abkehrte. So hatte es etwa den Schmächtigen erwischt, als er im Topkapi-Serail in der Gewänder-Sammlung der Sultane umherging und blendender Stoff und Edelstein ihn schon halb in die Welt von Tausendundeiner Nacht versetzt hatten. Mero stach zu, wenn der Mensch von seiner mittleren und mäßigen Gestimmtheit genügend weit entfernt war, sei es nach oben, sei es nach unten hin. Deshalb war der Bärtige dran, als er im Hochgefühl über einen geglückten Geschäftsab-schluß in einer Hotelhalle auf und ab schritt und nicht wußte, wie er seiner Freude Ausdruck verleihen sollte. Und mich schließlich hatte sie besonders mühelos herausspüren können, als ich nach dem Begräbnis meines Freunds über den Bosporus setzte und gänzlich in die Haltung des schwermütig Hinterbliebenen versunken war. Man muß es sich einmal vorstellen, was hier zusammentraf: wie das Glück, Mero in den Armen zu haben, auf diese noch aktive Trauer stieß, wie beide Gefühlskerne abrupt miteinander verschmolzen und ein Lebensgemisch von so hoher Rei-zung und Intensität bildeten, daß die beste Willenskraft wohl nicht ausreichen dürfte, es je wieder in seine ur-sprünglichen Elemente zu spalten.

So saß ich denn in meiner süßen Trauer fest. Wie der Schmächtige in seiner orientalischen Fantasie; der Bärtige in seinem Erfolgsgefühl. Der Junge in seinem Heimweh. Der Graue in seinem Glaubenszweifel. Wir waren allesamt nur mehr verkörpertes Gedenken; wir bestanden aus dem Überschwang einer Erinnerung, die *sie* sich bewahrt hatte, und wehe!, wenn diese einmal erlöschen sollte oder nur für länger blockiert wäre – es würde uns dann nicht mehr geben. Wir waren die Kreaturen einer unvergänglichen Stunde. Der Zeit-*Raum*, in dem Mero sich uns eingeprägt hatte, war zugleich unser Gefängnis, diese Zelle, in der wir fortan unermüdlich hin und her lebten. Es war, von außen gesehen, eben jene düstere Hinterstube, in der meine Genossen unter der matten Lampe saßen und ihr schweigsames Konventikel abhielten. Neben ihnen fand nun auch ich meinen Platz. Aber saßen wir nicht ein in einer herrlichen Stunde? Empfingen wir nicht – von Meros glücklichsten Erinnerungen beglänzt und ernährt – ein weitaus gesünderes Licht als je der *frei* herumlungernde Alltagsmensch? In den Stand der Leidenschaft erhoben *und* ausgesetzt, bedurften wir notwendig der geheimen Abschließung, der äußeren Beschränkung unserer Bewegungsfreiheit. So wie es denn auch Menschen gibt, die das Zimmer einer großen Liebe niemals verlassen haben und sogar in diesem einzigen Zimmer durch die ganze übrige Welt geschaukelt sind. Im Innersten sammeln wir stets nur Gefangenschaften und bilden daraus unseren Lebensraum, aus vielen abgeschiedenen Zellen, und jede Enge, das wissen wir, ist auch eine Fruchthülle, sie gebiert uns wieder und wieder.

Natürlich war es der benommene und abhängige Teil meines Bewußtseins, der auf diese oder ähnliche Weise mir meine Lage verklärte. Daneben aber gab es ja noch den kleinen, niederen Stummel einer wachgebliebenen Vernunft. Er sann unterdessen dringend auf Veränderung und Bewegung.

Öfter vernahm ich jetzt aus der Ferne das schlichte und schmerzliche Lied, das mich schon einmal aus dem Schlaf geweckt hatte, als ich, erschöpft von der ›unvergänglichen Stunde‹, im apricotfarbenen Zimmer ausruhte.

Es war eine kräftige, hohe Mädchenstimme, die sich

meist gegen den frühen Abend hinter der Gartenmauer erhob, und die Worte kamen halb gesungen, halb gerufen herüber. Die anderen in ihrer stumpfen Runde schienen es nicht oder nicht mehr zu bemerken. Über mich aber gewannen diese Töne von Mal zu Mal eine stärkere Wirkung. Obgleich ich die Worte nicht verstand, schien mir ein deutliches Bitten die Stimme zu tragen, und es war auch, als hätte sie den Gesang erst gewählt, nachdem tausend Worte vergeblich gerufen wurden. Nein, ihr Lied war nicht nutzlose Kunst, es war die reine Bitte.

Jedesmal, wenn ich es hörte, befiel mich eine sonderbare Unruhe; es war wie ein leises Wipfelrauschen hoch oben im klaren Gemüt. Mich zog es dann unwiderstehlich hinaus in den Garten, und es gelang mir sogar, mich aus meinem Dämmer, vom Tisch und aus dem schwachen Lichtkreis zu erheben und, obschon doch ein Fixierter, jenen Weg zu wiederholen, den ich einmal mit *letzter* Kraft zurückgelegt hatte. Freilich kam ich dabei niemals über jene Stelle hinaus, an der ich gegen Meros Sphäre geprallt war, konnte also auch die weiße Gartenmauer nicht erreichen oder gar überwinden.

Auch mußte ich jedesmal feststellen, daß, kaum war ich aus der Hinterstube hinausgetreten, der Gesang jäh abriß und mit einem herabstürzenden Klang völlig verstummte.

Eines Tages aber unterzog ich mich einer Anstrengung von höchster Beschwerlichkeit; etwas, das schon fast an List und Leistung des freien Willens angrenzte. Es gelang mir nämlich, bereits vor der Stunde, in der gewöhnlich der Gesang anhob, mich in die kleine Anlage hinauszuschleppen, die unter dem grauen Hitzenebel immer gleich bedrückend und öde wirkte. Ein leichtes und selbständiges Bewußtsein vermag es sich kaum vorzustellen, welch unsägliche Mühe es mir bereitete, im Banne der Trägheit, in den Fesseln der Andacht einen wahrhaft eigenen Entschluß zu fassen, dazu noch ohne den Reizauslöser des Gesangs, diesen Sinnenwecker, sondern ganz aus innerstem Anlaß und in bleierner Voraussicht. Dann aber, hinter das Haus tretend, über den verschmutzten Kiesweg schlurfend, der Mauer entgegen, da geschah es nun, daß all meine Schwere und Benommenheit plötzlich sich auftat in einer feierlichen und lautlosen Explosion, daß der Totenkrug meiner Existenz in tausend Stücke zersprang und ein uferloses Schauen heranströmte. Das war, als wir uns in den Augen lagen, das junge Mädchen, das dort über der Mauer lehnte, und ich, der es endlich erwischt hatte. Und erwischt hatte ich niemand anderen als die jüngere Mero selbst, ein Mädchen von kaum erst sechzehn Jahren, ein junges Geschöpf mit einem lüsternen Vorderzähnespalt, das sich mit nackten Unterarmen auf die Mauerbrüstung stemmte, die sorglose Kleine, die von ihrem älteren Selbst nicht über die Mauer, niemals überhaupt nur zugelassen worden war; dies unreife und kostbare Wesen, das die erfahrene Frau stets ängstlich verscheucht hatte, da sie es für eine Wegelagerin, eine Diebin, gar eine gefährliche Nebenbuhlerin hielt.

Als ich diesem Mädchen aber gegenüber war, da teilte sich der Zeit-Raum und der gerade Blick, und wir umgaben uns. Wie hinübergeweht, befand ich mich plötzlich außerhalb der Mauer, gleich neben ihrem umgeworfenen Fahrrad, der ausgeschütteten Schultasche, dem offenen Lesebuch, an dessen honigsüßen Rändern die Wespen klebten. Von hier nun erblickte ich den fülligen, über die Mauer gebogenen Leib, das über der Kante schwellende Gesäß, den halb entblößten Rücken unter dem aufgerutschten Pulli, den zarten Leberfleck oberhalb des blauen Frotteeschlüpfers. Doch beinah gleichzeitig war ich auch im Garten und schritt auf sie zu; ich überwand die unsichtbare Sperre, ich konnte neue erste Schritte tun, aber da saß ich schon wieder draußen am Bordstein und vor mir hingen ihre gegrätschten Beine herab, stützten sich die nackten, nach innen gedrehten Füße gegen den rauhen Mauerstein, kratzten die Zehen am Mörtel. Doch nur ein flüchtiger Blick war mir vergönnt, und ich stand wieder im Garten vor ihrem hellen, runden Gesicht. Nun schon so nahe, daß ich mit ausgestreckter Hand ihr weiches, kindliches Haar berühren konnte – hätte mich nicht im gleichen Augenblick das Verlangen erfüllt, ihren Rücken vollständig entblößt *vor* mir zu haben, so daß ich, nach draußen versetzt, unverzüglich vom Straßenrand aufsprang, ihr den Gürtel von den Jeans löste und die Kleidung bis zu den Knöcheln abstreifte. Doch ohne dabei ihren verwirrten Blick zu genießen, war ich außerstande, mich an diesem nackten Rücken zu erfreuen. So trat ich ihr im Garten entgegen und richtete mich ganz zu ihr auf. Natürlich hatte ich dabei nichts anderes im Sinn und war also unterdem jenseits der Mauer mit nichts anderem beschäftigt, als ihr mit harter Zunge, mit dem ehernen Ätsch eines Brunnenmunds die lieblichen Schenkel zu öffnen. Ich sah aber, wie ein belustigtes Spüren über ihr Gesicht zog und wie ihre Hüfte freudig zuckte. Da nun sprang auch sie aus ihrer bisherigen Lage, löste sich mit einer nicht verfolgbaren Behendigkeit vom Mauerrand, um sogleich dienstbar vor mir niederzuhocken, meine vorspringende Wurzel mit kleiner Hand zu greifen und damit das schaumige Oh ihrer Lippen zu füllen. Kaum hatte sie dies getan, da bemerkte sie aber, wie dringend sie der Berührung ihrer gespreizten Tiefe bedurfte – und wie sehr ich es vermißte, mein Gesicht zwischen ihren weichen Schenkelwangen zu vergraben. So war es denn im Nu wieder umgekehrt, und sie bog sich vor mir, auf die Ellbogen gestützt, über den Mauersims, bot mir ihren frohen, schutzlosen Rücken. Wir überließen uns der einzigartigen Verfügung, in der ich als der Nicht-Sehende die oben Ausschau-Haltende begeisterte, in der mein vergrabenes Gesicht ihr Auge erhellte. Da aber zu gleicher Zeit ihr leerer, fragender Mund und meine starre, einzige Antwort einander schmerzlich entbehrten, hockte sie noch im selben Atemzug des Entzückens wieder vor meinen Knien und umgab meinen einsilbigen Bescheid mit den zärtlichsten Nachfragen. So flogen wir uns in wahrer Windes-, ja in Seeleneile zu, und zwischen Darbietung und tätigem Dienst, zwischen Gewähren und Bestürmen wechselten unsere Genüsse von einem Wimpernschlag zum nächsten. Aus diesen unvorstellbar geschwinden Kehren entstand ein Tanz der Vereinigung, wie ihn herrlicher wohl nie zwei Menschen erlebt hatten.

Als ich jedoch im Begriff war, von ganz ungeahnten Lebenskräften erhoben zu werden, da verschloß sich plötzlich der Leib über der Mauer, alles verhemmte sich jäh und versagte den Dienst. Ich hörte laut meinen Namen rufen. Es war die ältere Mero, die mich vom Garten her rief. Ach, die Spinne und ihr öder Schauplatz! War ich ihr denn immer noch nicht entkommen? Ein zweites Mal rief sie meinen Namen und auf dem Bogen seines Schalls holte sie mich über, zog sie mich derb durch die Luft. Ich sah noch eben, wie meine geschwinde Geliebte plump und reglos von der Mauer sank. Ich landete rücklings auf dem Gartenkies und wurde von einer fauchenden, zischenden Herrin umkreist. Jedoch, auf der schmerzlichsten Höhe meiner Erregung unterbrochen, flehte ich sie an, sich gnädig zu zeigen und unverzüglich den Rest des Guten an mir zu vollbringen, den sie soeben als junges Mädchen mir vorenthalten hatte. Sie verstand aber nicht, wie ich es meinte, sondern sah nur, daß ich ihre Berührung nötiger als der Verdurstende das Wasser brauchte. Noch immer ungehalten und erzürnt, raffte sie gleichwohl ihr rubinrotes Abendkleid auf und hockte sich mit verdrossenem Erbarmen über mich. So streckte ich mich eilends wieder in diesen selben und doch wahrlich nicht mehr denselben Leib. Meine Enttäuschung und ihre Gleichgültigkeit brachten nun aber den endlichen Vollzug meiner drangvollen Antwort in ernste Gefahr. In der Hoffnung, uns beide, vor allem aber mich ein wenig anzuspornen, begann ich von den lustvollen Handlungen zu erzählen, denen ich soeben entrissen worden war, und ich gestand ihr, daß sie selber es gewesen sei, mit der ich sie betrogen hätte, und schamlos wie die Luftgeister hätten wir uns vergnügt, denn niemand anderes als sie selbst sei es doch, die täglich draußen vor der Mauer singe, die so sehnsüchtig über die Mauer hin lebe, ihre eigene Jugend, jawohl, die da draußen verschmachte und endlich mit ihr leben wolle!

Doch welch schmerzliche Folgen hatten meine Worte, mit denen ich doch nur gehofft hatte, ihr mürrisches Hocken in Bewegung zu setzen! Stattdessen aber verfiel sie über mir in eine tiefe Nachdenklichkeit und meine heftigsten Aufbäumungen vermochten sie nicht mehr daraus zu vertreiben. Plötzlich erhob sie sich, rücksichtslos in Gedanken verloren, und ließ mich allein auf dem obersten, qualvollsten Vorsprung, von wo aus es kein Zurück und kein Hinüber mehr gab. Ich wäre wohl für alle Zeiten auf diesem Gipfel des Lustwehs zur priapischen Säule erstarrt, wenn nicht in diesem Augenblick eine unerwartete Wendung eingetreten wäre, die mich wunderbar besänftigt, die mich von den rohsten und törichsten Elementen meiner Begierde erlöst und für immer gereinigt hätte.

Die Frau von der Fähre trat nämlich an ihre gewohnte Stelle, von der sie beinahe täglich die Mauer bewacht hatte, und nun rief sie mit frühester, zaghafter Stimme den eigenen Namen aus, als hätte er ihre Lippen noch nie berührt.

Anders als ich wurde darauf das junge Mädchen nicht etwa auf dem Rücken des Schalls übergehoben, zornig aufgeweht, und mußte nicht, alle viere von sich streckend wie ein umgestürzter Käfer, auf dem harten Kiesweg landen. Die jüngere Mero kam hingegen nur sehr langsam zum Vorschein; die Hände schoben sich zuerst über die Brüstung, Stirn und Augen hoben sich vorsichtig über den Rand, und wenig beholfen hievte sie sich zur Mauer hinauf. Es schien kaum vorstellbar, daß dieses pummlige Geschöpf mit mir jenen aberwitzigen Geschwindigkeitsrausch geteilt haben sollte, der unsere Vergnügungen in eine Feenraserei verwandelt hatte. Eine gesunde Beschwerlichkeit war in ihre Glieder zurückgekehrt, den müßigen Formen ihres vorfraulichen Körpers durchaus angemessen. Nun schritt die ältere Mero zögernd auf ihre Mädchengestalt zu; und es war noch nicht auszumachen, welchen Empfang sie ihr bereiten würde. Als sie aber nahe an die Einfassung herangetreten war, da streckte sie der Jüngeren auf einmal beide Hände entgegen, um ihren Abstieg von der Mauer zu stützen und sie herüberzuholen in den Garten, der ihr so lange verwehrt worden war. Wenig später sah ich die beiden Frauen endlich voreinander stehen, die reife lächelte freundlich über die frühe, diese aber bewunderte jene verständnislos. Sie brauchten wohl eine ganze Weile, um ihre gegenseitigen Entdeckungen auszugleichen. Darauf aber umarmten sie sich und hielten sich eng umschlungen, als hätte es niemals ein festeres Paar gegeben.

Die aufrichtige Versöhnung zwischen diesen selben und doch nach dem Maß der Erfahrung wie der Erwartung so streng unterschiedenen Seelen, die recht eigentlich erst durch die Vermittlung meiner unbeugsamen Wollust zustande gekommen war, dieser überaus friedliche Anblick also erfüllte mich nicht nur mit Rührung und verklärte meine restliche Begier, sondern er gab augenblicklich meinem Gedächtnis seinen freien Atem zurück. Ich spürte, wie ich sanft, aber zügig aus Meros Erinnerungshaft entlassen wurde. Denn plötzlich, wie nach einem langen, winterlichen Frost, regten sich wieder die feineren Sinne, dehnten und öffneten sich die entlegensten Spuren, und ich fand mich zurück in einem fast noch reichlicheren Leben, als ich es wirklich gelebt hatte; in dem es zwar viele Versäumnisse gab, aber auch eine Menge erfüllter Geschichten, unzählige Begegnungen und Bejahungen, die mir nicht immer bewußt geblieben waren. Jetzt aber traten sie in die Fülle der

Besinnung, und ich befand mich in sorgloser Gesellschaft mit all den vermißten, lange vergessenen Gestalten, den gut beleumundeten, die irgendwann einmal meinen Weg gekreuzt hatten. Eine gesundete Besinnung, das war es, weitläufig und tiefreichend wie nicht zuvor, dies dankte ich dem guten Anblick des seltenen Paars, wie es vereinigter unter Menschen kaum anzutreffen ist, denn weder Mann und Frau noch Eltern und Kinder könnten sich je schmerzlicher trennen, je inniger wiederfinden, als es die jüngere und die ältere Mero getan hatten.

Einer nach dem anderen trotteten nun auch die übrigen Fixierten, die stillen Männer der Tischrunde aus der Hinterstube hervor. Sie blickten tranig in alle Ecken und dumm in die Höhe und strichen sich die Anzüge glatt, wie welche, die tagsüber zu lange geschlafen haben. Jedoch, diese mageren Burschen, eben aus Meros Verlies gekrochen, nur knapp der Gefahr entgangen, in einer ihrer Gedächtnislücken zu zerschellen, sie belebten sich umgehend in ihrer ganzen Dürftigkeit. Kaum waren sie nur halbwegs zu sich gekommen, da waren sie auch schon unter sich, wie Nachbarn auf dem Campingplatz, lärmten und fläzten sich in die zerschlissenen Gartenmöbel und überboten sich gegenseitig mit ihren Angebergeschichten. Der Schmächtige, der Graue, der Junge, der Bärtige und der Helle, die still verzückten Häftlinge, nun schwadronierten sie wieder, und die erhöhte Stimmung, in der sie einst gefangengenommen wurden und so lange einsaßen, verflog im Nu unter dem Streit, wer wieder einmal das Preisgünstigste erlebt hatte.

Nun bemerkte ich erst, daß auch ich gänzlich frei war und mich außerhalb von jedermanns Beachtung befand. Noch einmal blickte ich, beinahe zärtlich, hinüber zu der einflußreichen Frau von der Fähre, die, ihre Jugend zur Seite, ausgedehnt im Garten spazierte, ohne uns anderen noch das geringste Interesse zu schenken. Die beiden hatten denn doch vieles miteinander auszuhandeln. Und ob sie sich zuletzt wirklich vertrugen und beisammen blieben, das hing sehr davon ab, inwieweit sich die beiden klugen, doch entgegengesetzten Hüterinnen eines Menschenlebens: Erwartung und Erfahrung, miteinander verständigen konnten.

Ich aber zog es vor, mich niemandem zuzugesellen und sah, wie ich schleunig und unauffällig aus dem Haus der Mero verschwinden konnte. Das war nun kein träger und mühsamer Entschluß mehr, an dem man sich abschleppen mußte. Jetzt klappte schon wieder alles beinahe zu reibungslos. Als mich wenig später ein Wagen zu meinem Hotel zurückgebracht und ich dort alle Vorbereitungen für meine Abreise getroffen hatte, blieb ich noch einige Minuten vor dem breiten Fenster meines unbenutzten Zimmers stehen und sah über den grauen Bosporus bis zum Friedhof von Üsküdar. Noch immer lag der knisternde Hitzedunst über der Stadt. Doch ich fühlte mich aufs beste zusammengefaßt und in einer Weise wiederhergestellt, als hätte ich tief und ergiebig ausgeruht.

Ich, der ich doch sehr wohl weiß, daß dieser Stoff ›Wirklichkeit‹ in seinem rohen Vorkommen nichts als eine einzige Umwälzung, eine bodenlose Alchimie ist, ich fand nun auf einmal ein gesundes Gefallen daran, die Dinge nach ihren festen Umrissen und ihren beständigen Kontrasten zu unterscheiden. So war es weiter nicht verwunderlich, daß die tiefe Trauer um meinen verstorbenen Freund beinahe vollständig, wie ein Atemhauch auf kühlem Glas von mir gewichen war. Denn nun verließ ich die Stadt am Goldenen Horn in der wohltuenden Gewißheit, in seiner treuen und gutgelaunten Begleitung zu reisen, bereit, mich von der Heiterkeit dessen, der die *ganze* Wahrheit kennt, anstecken zu lassen.

»Oh, bitte, warten Sie! Schweigen Sie noch!« rief ich ab-
wehrend, als meine beiden männlichen Zuhörer auf der
Terrasse sich nicht einmal für einen Augenblick gedulden
wollten und unverzüglich mit spitzen Fragen und scharf-
sinnigen Vermerken über meine Geschichte herfielen.
»Nein, glauben Sie mir! Es gibt darüber hinaus nichts zu
sagen, weder zu bestätigen noch dazwischenzutragen. *Dieses* kann nicht anders gesagt werden als eben so. Es liegt
ganz und gar in meiner Weise beschlossen, und die klingt
nun einmal, wie sie eben klingt, mal ärger, mal zarter. Ich
weiß daher wohl, daß sie weder der männlichen Erkenntnis
je recht eingehen wird noch auch dem weiblichen Gespür.
Der einen entzieht sie sich, dem anderen widersetzt sie sich.
Denn darin zeigt sich doch immer wieder die eigentliche
Verlassenheit und das Dahinirren des erotischen Denkens,
das nichts sicher weiß, sondern immer nur in wechselnder
Anziehung oder Abstoßung zu irgendeiner Person, einem
Thema, einem Gegenstand bewegt wird. Es ist wahrhaftig
das krasse Gegenteil zum männlichen Besitzstand des Wissens. Es gleicht wohl vielmehr dem Spiegel, der alles auf-
faßt und nichts bei sich behält. Es leistet sich die stürmische
Inkonsequenz, die schroffe Folge sich ausschließender Beweise und Gefühle; es wird getragen von dem weiblichen
Verlangen, den anderen anzufassen, um nicht *logisch* sein zu
müssen. Aber es gehört zu ihm auch die Achtung vor der
unendlichen Begebenheit, den Wiederholungen der Wollust, jenen aus der Geschichte gerissenen Ereignissen, die
nicht zu erzählen sind, die uns seufzen lassen und zu Gott
seufzen lassen, denn jedesmal, wenn wir einen Menschen
berühren auf unsere mißverständliche Weise, dann suchen
wir uns weit darüber hinaus an ein heiliges Entzücken
anzuschließen, und es ist zuletzt nur noch die Synkope, die
Unterbrechung des Daseins im Geschrei, im sinnlichen
Winseln, im Aufbäumen der Hüfte, die wir suchen, und
nicht den anderen *Menschen*. Eine einzige ergreifende Lie-

besnacht kann uns haltlos machen für immer; wer je die eine richtig liebte, wird alle lieben wollen. Er hat den formlosen und anonymen Grund des Liebens berührt, und schon am nächsten Morgen, wenn er auf die Straße tritt, muß er sich künstlich bezwingen, um nicht mit der Nächstbesten fortzugehen, denn sie kommen ihm nun alle entgegen, mit einem Lächeln und mit Blicken, als würden sie förmlich angezogen von seiner frohen Ausströmung oder vom Licht der Lust, das aus ihm leuchtet. So ernähren wir – wir Männer mit dem schlechten Gedächtnis einer schönen Frau, wir Unglückliche, nein: wir Glücksversehrte, denn zumindest Ein Mal hat es uns tief getroffen –, so ernähren wir denn unsere gesamte irdische Zeit von Liebesanfängen, von jenen triumphalen und zügellosen *Anfängen*, durch die alle Geschichte und Gesellschaftsgeschichte entschlüpft und wir einer unwandelbaren Hoch-Zeit teilhaftig werden. Was aber aus dem Anfänglichen hervorgeht, ist unweigerlich die Geschichte, rauschlos und roh, und sie zerlegt uns in die schmerzlichsten Unterschiede. In wie viele enttäuschte Gesichter habe ich nicht schon geblickt, und wie weh tat das! Oftmals jetzt, in dieser zähen Morgenfrühe, erscheinen sie im Gartendunst, der stumme Reigen meiner bitteren Freundinnen, die alle einst den Anfang mit mir schufen – und jede ist einmal die einzig Richtige gewesen! Schweigend ziehen sie durch die graue Luft, und wahrlich, es sind furchtbare Mischwesen, verdrehte Fabeltiere, die Ausgeburten von Sinnenfreude und Melancholie, herbeigerufen durch die Frenesien eines Dufts, eines ähnlichen Gesichts, eines wiedergefundenen Geschenks – o diese stille, hungrige Meute! Doch keine mehr ansprechbar; ungerührt und mit stolzem Befremden sehen sie meinen verzweifelten Versuchen zu, ihr Verzeihen zu erflehen. O meine Freundinnen, halt! Noch auf ein Wort! . . . Ach, es sind nur die leeren Schatten der elenden, verfluchten Anfänglichkeit; Geschöpfe, die mein Entzücken entseelt hat. Welch grausame Verkürzungen habe ich an Menschen begangen! Nichts als ein ewiger, schlechter Anfängemacher bin ich gewesen, rücksichtslos und unverbesserlich, von allem Ersten hingerissen und unfähig, die Vertraute zu lieben, vielmehr bereit, sie sofort für die nächste schöne Unbekannte einzutauschen. Krank, wild, verrückt nach der, die ich bloß erblicke und nicht erkennen muß; dürstend nach Blendung und Illusion; aus Täuschung Leben, aus Enttäuschung neues Leben schöpfend . . . Jedoch: wozu die immer neue Leidenschaft, die unbegreifliche Begeisterung? Zutiefst bleibt's doch eine Übelkeit, ein Gebrechen der Seele, ein Mangel an Weisheit. Und ich, nun schon ein angejahrter, leicht zerknitterter Schwärmer, der von Mal zu Mal schneller die Lust verliert und nach jeder verlorenen Lust noch unduldsamer wird, muß ich also noch weitere fünfundzwanzig Jahre durch diesen anzüglichen Wundergarten irren, voll von herrlichen Trugbildern, unerschöpflichen Annäherungen und ewig unerlöstem Handeln? Hinter jedem Fenster eine überraschte Fremde, hinter jedem stolzierenden Schritt eine großmütige Unterwerfung, hinter jedem herben Timbre der Schrei der Vereinigung! Und jede leere Hand sieht mich mit einem großen, weichen Auge an. Denn Augen sind in allem, in Händen, Haar und Hüfte, die Augen von Knie und Brust, von Hals und Schuh, sie alle werfen ihre Leuchtturmsblicke . . .

Der einzige dunkle Punkt der ganzen Menschensexualität ist und bleibt das offene Gesicht. Die tiefere Erscheinung, die Gesichte des Gesichts haben mir noch immer eine gehorsame Huldigung abverlangt, sie haben meine Begierde unterbrochen und bis zur *reinen* Unlust abgewiegelt. Das Gesicht – wo es denn ein aufgetanes, schauendes ist – beugt den blinden Drang, es bleibt ein letzter, uneinnehmbarer Bezirk der Keuschheit, des dunklen Erkennens, der gläubigen Furcht. Und dabei ist es doch verwirrend genug, daß wir draußen, im zivilisierten Bereich der Straße gerade mit dem natürlichsten Reiz, dem überbetonten Rücken angelockt werden, um dann erst später, drinnen, hinter den Vorhängen die Kehrseite der Verlockung zu erblicken, die Warnung: das Gesicht. Dürfen wir überhaupt von wahrer Vereinigung sprechen, solange sich unsere Vergnügungen vor der Schwelle der Keuschheit abspielen, solange das Antlitz als Wärter des Rückens, die Huldigung als Zensur der Lust empfunden wird?

Denn wie oft liebte ich nicht ein helles und wachsames Gesicht, ein sprechendes, und es erweckte all mein aufrichtiges Verlangen – und ließ es nach kurzer Zeit ganz geknickt zurück. Denn jene Augen des Leibs blickten daneben reizlos und blind. Oder umgekehrt war ich einem schönen Körper, einer hohen Gestalt verfallen und sah dazu in ein fleischliches Gesicht, das ich nicht einmal küssen wollte, so unsauber, so trüb und unflätig erschien es mir. Zwischen diesen gegensätzlichen Wirkungen irrt meine Lust hin und her und wird mir wohl immer den erlösenden Ausgleich vorenthalten. Und mich immer daran hindern, auf Dauer nur einem anderen Menschen anzugehören. Denn selbst bei all meiner Andacht vor dem menschlichen Gesicht – wie viele ihrer, die mir einmal nahekamen, habe ich nicht längst vergessen! Wie schnell vergessen! Es kommen ja immer wieder neue. Und viele gewinnen ihre eigentliche Leuchtkraft nur im Vorüberziehen. Wenn sie in der Menge erscheinen und wieder verschwinden, haben sie oft ihre froheste Botschaft schon vergeben. Es kommen immer wieder neue. Nie werde ich, wie der wahrhaft Liebende, durch die Vielen hindurch die *Eine* suchen. Mich erinnert jede Eine immer nur an die Vielen.«

Hier brach ich ab. Mir war doch, als wäre ich in meinen Bekundungen allzu unbesonnen fortgeschritten, als daß anders fühlende Menschen mir noch hätten folgen können. Tatsächlich war es denn auch Hanswerner, der Beschwichtiger, der zuerst seine nüchternen Einwände erhob und mir deutlich zu verstehen gab, wie wenig ihn selbst das Kreuz, an das ich geschlagen war, bekümmern konnte.

»Sie beschreiben sich uns als einen geplagten Lustmenschen, Leon. Ich habe allerdings den Verdacht, daß es Ihnen eine weit größere Lust bereitet, sich eine aufregende Idee vom erotischen Genuß zu machen, als sich diesem im vollen Umfang hinzugeben. Von allem Fleischlichen haben Sie die höchsten Begriffe. Ja, meiner Meinung nach sind Sie bereits regelrecht erkrankt am Idealen. Sie vergöttern das Gesicht und sie vergötzen den Rücken. Beides aber ist am Menschen dran. Doch solange Ihre Sinnenwelt derart mit Idealen vernagelt ist, werden Sie *den* nicht zu sehen oder zu spüren kriegen. Alles was leibt und lebt, alles Reale wird Ihnen umso schlimmer und bedürftiger erscheinen, als Ihnen davon stets eine bessere Idee vorschwebt.«

»Aber gerade die Idee«, erwiderte ich eifrig, »oder irgendetwas Eingebildetes ist es doch nicht, das uns zuerst die Tortur des Idealen auferlegt. Im Gegenteil, es ist der ideale Körper, dem wir zuerst begegnen. Er ist das ursprünglich Ideale, das leibhaftige, das wir tatsächlich einmal mit den Händen, mit allen Sinnen ergreifen durften, an dessen wirklicher Existenz wir nicht zu zweifeln brauchten. Und ein solcher Körper hat uns das unauslöschliche Brandzeichen des Idealen in die Seele gedrückt. Er hat die in uns vorgeprägten, traumhaften Begriffe ein Mal mit seiner ebenso sicheren wie vollkommenen Anwesenheit erfüllt, und fortan können wir nicht mehr zur Ruhe kommen. Die Ideen sind davon nur die verspätete Nachhut, die unsere Sinne durchkreuzen, unsere Passion überwachen möchten.«

»Nein!« unterbrach jetzt die schwermütige Almut unseren Wortwechsel, »nie und nimmer ist der Körper, wie hübsch und üppig er auch beschaffen sein mag, das ursprüngliche Maß für das Idealempfinden, von dem wir, wie ich gern zugeben will, allerdings gezeichnet sind. Doch vom Idealen wissen wir einzig und allein durch die großen Werke der Kunst, die sich über Jahrhunderte erhalten haben und jeder Vergänglichkeit widerstanden. Ich frage mich, wie dieser ›ideale Leib‹ wohl ausgesehen haben mag, der Sie so tief berührt hat und Ihr ganzes Wesen in Unruhe versetzen konnte. Ich bin indes überzeugt, daß es sich um eine vergleichsweise nichtige Masse gehandelt haben muß; etwas, das fault und verfällt. Nur unter den Bedingungen einer besonderen Herzenskälte – der Herzenskälte eines sehr flüchtigen Mannes – läßt sich dieser allerschönste Körper erhalten, und nur in solch eingefrorenem und leblosen Zustand werden Sie ihn vor Alter und Verderbnis bewahren. Doch sehen Sie, Leon, die Wahrheit dieser Schultern, dieses Rückens, dieser Hüfte ist das nicht. Befreien Sie sich endlich von Ihren untröstlichen Begierden! Hanswerner hat ganz recht: sonst werden Sie bald nichts Wunderbares mehr hören und sehen können, das wirklich Erhabene wird Sie nicht mehr berühren. Sie werden dann nur noch zucken, im Geist wie im Geschlecht, ein abgeschlossenes System von Reiz und Überschwang. Sie werden sich am Ende gar noch wie der Lurch zur Brunst benehmen, der wahllos jede Rundung klammert, bis er endlich auf ein Weibchen trifft. Wie sagten Sie gleich: noch weitere fünfundzwanzig Jahre Liebesleben? Mein guter Freund, es wird höchste Zeit, daß Sie sich nach etwas Bleibenderem umsehen; etwas, das darum nicht minder geheimnisvoll zu sein braucht als ihr konservierter plötzlicher Frauenleib; etwas, das sowohl Ihr Bedürfnis nach Schönheit und Erscheinung befriedigt als Ihnen aber auch eine geräumigere und beständigere Leidenschaft abfordert. Erholen Sie sich endlich von Ihren ersten fünfundzwanzig Jahren Dauererregung, von einem Vierteljahrhundert überhöhter Pulsfrequenz! Folgen Sie einstweilen mir und lassen Sie sich durch meine Geschichte führen. Wenn ich Ihnen schon nichts vom ›idealen Leib‹ zu bieten habe – Sie brauchen mir jetzt nicht geziert zu widersprechen! –, so will ich Ihnen stattdessen anschaulich aus einer Gegend des Lebendigen berichten, in der sie ihm noch in seiner ursprünglichen Gestalt begegnen können – in der Malerei und der Skulptur. Nachdem ich also Ihre Bekundungen eine nach der anderen angehört habe und dabei den Gesellschaftsfeind, den Naturgeschichtsgläubigen und den Erotiker aus Entsagung kennengelernt habe, so will ich nun nicht länger zögern und Ihnen die Kunstverletzte vorstellen, die ich denn wohl bin, auch also an ein Kreuz geschlagen, wenngleich ich mich scheue, diesen lästerlichen Vergleich zu gebrauchen. Womöglich dächte jemand dabei an jenes üppige nackte Weib auf dem Gemälde von Rops, welches am Kreuz des Erlösers hängt und sich lustselig über dem Heiligen Antonius ausbreitet . . . Nein, auf diese Weise werde ich Sie bestimmt nicht in Versuchung führen.«

DIE GESCHICHTE DER ALMUT

»Frau Zorn, Frau Puppe, Frau Nord – nicht ich, sondern die haben dich zur Welt gebracht, mein Kind!« So stöhnte meine Mutter wohl jedes Mal, wenn sie mich traurig verstockt fand und nicht bereit, an den Mittagstisch zu kommen. Sollten doch die drei Damen meiner Begabung dafür sorgen, daß ich mich rührte, denn sie, die Mutter, habe ohnehin jede Macht über ihr Kind verloren. Immer wieder wurde ich den Gestalten einer Fabel anheimgestellt, die ich von klein auf unzählige Male anhören mußte, das Märchen nämlich meines eigenen Geschicks, das mir die Mutter ersonnen hatte, um einigen Charakterzügen, die ihr unverständlich und unleidlich an mir waren, irgendeine Herkunft zu deuten. Hier muß ich nun einfügen, daß meine Mutter keine Deutsche war; sie entstammte einer dänischen Kaufmannsfamilie und war in jungen Jahren meinem Vater nach Süddeutschland gefolgt, wo dieser zuerst in Passau und später in Regensburg einen Malereibetrieb unterhielt. Je schwerer ihr aber dort unten das Leben wurde und je länger sie von einer Landschaft umgeben war, die ihr nichts besagte, umso lebendiger wurden ihr die Erinnerungen an die Spukgeschichten und den Sagenkreis ihrer nördlichen Heimat. Ja, diese gewannen mitunter sogar eine bedenkliche Vorherrschaft über ihre Gemüts- und Geistesverfassung, so daß unser schwieriger Alltag weitläufig bevölkert und unterwandert war von Trollen und Nissen, vom roten Pferd, vom gläsernen Schmied und vielerlei anderen bizarren Phantomen. Der Mutter verwandelte sich alles Banale und Lästige in eine hübsche übersinnliche Szenerie, ganz ohne Bemühung und ohne jede Geheimnistuerei. Sie erfand auch freizügig aus dem bekannten Stoff Neues hinzu und ernannte sich Kobolde und Geister, wo die gehabten nicht paßten oder ausreichten. Mein Vater lachte nur darüber; es amüsierte ihn und schien ihn keineswegs zu besorgen. Mir aber wurde es oft zuviel. Frau Zorn, Frau Puppe, Frau Nord waren denn auch nicht gerade die lieblichsten Gefährtinnen und kaum geeignet, mein ohnehin etwas zages Gemüt aufzuheitern. Meine Mutter schilderte sie als drei rot, grau und weiß gewandete Erscheinungen, die am Tag ihrer Niederkunft unser Haus betreten und sich wie drei stille, doch unabweisbare Versicherungsagentinnen auf unserem Sofa niedergelassen hätten; jede unter einem der großen dänischen Porzellanteller, die auf der hellblauen Tapete befestigt und mit Motiven aus der Handelsschiffahrt verziert waren. »Drei wahre Gestalten!« wie meine Mutter gerne hervorhob, um ihren gehörigen Respekt vor diesen drei übersinnlichen Besucherinnen zu beteuern. Sie hatten ihr damals nichts Geringeres vorzuschlagen, als mich, eine kränkliche Frühgeburt, an deren Überleben Eltern wie Ärzte fast schon zweifeln mußten, unter ihren rettenden

Einfluß zu nehmen. Dafür forderten sie, Anteile an meiner Person zu erwerben und auf Dauer meines Lebens zu halten. Immer wieder versicherte meine Mutter, bei all ihrer Versponnenheit mit handfestem Argument, daß ihr zu jenem kritischen Zeitpunkt, als es nur darum ging, ihr Baby zu retten, gar nichts anderes übriggeblieben sei, als in diesen zwiespältigen Handel einzuwilligen. Dabei sei es ihr durchaus bewußt gewesen, daß Puppe, Zorn und Nord keineswegs die günstigsten Charakteranlagen verkörperten, die man sich für sein Kind wünschen könne. Aber wo es auf Tod und Leben ginge, da stellten sich nun einmal zuerst und am begierigsten solche Lebensgeister ein, die sonst bei den Normalgewichten und Gesundgeburten oft zu kurz oder gar nicht zum Zuge kämen. In der Not würde man sich doch immer mit dem erstbesten Retter begnügen, und sei es einer, der eine bittere Medizin verordne. Frau Zorn versprach also, daß sie mein allzu schwaches Blut kräftig beleben würde. Frau Puppe hingegen erklärte, daß sie, die Nachgeahmte, mich nur auf das behutsamste mit dem rauhen Lebensernst vertraut machen wollte. Frau Nord schließlich verpflichtete sich, meiner hinfälligen Natur eine ordentliche Portion von männlicher Härte und kaltem Licht beizumischen. So überließ mich meine Mutter den drei problematischen Genien und erhielt dafür ein bald gesundes, wenn auch selten munteres Kind. Oder sagen wir lieber: in diese Fabel kleidete sie ihr tiefes Unverständnis darüber, daß ihr ein so wenig anschmiegsames, ein so häufig mißlauniges, ein so vertrödeltes Mädchen heranwuchs. Bei allem, was ihr an mir nicht gefiel oder was mir schiefging, wurde niemals ich selbst geradeaus angeblickt oder zur Rede gestellt. Immer waren es gleich die elenden Versicherungsdamen, die sie anrief und zwischen uns schob. Ihre selbstgebastelten Nornen mußten für alles und jedes herhalten und geradestehen. Mochten mir ihre Geschichten und Gespinste auch sonst oft ein hübsches Vergnügen bereiten, das Lebensmärchen jedoch, das strenge, das sie mir verpaßt hatte, entfremdete uns voneinander. Es ließ mich schon früh am Nutzen einer allzu freien Fantasie und Erzählergabe meine Zweifel hegen.

Die natürliche Folge meiner Unzufriedenheit mit der Mutter war es, daß ich mich mit größerem Vertrauen dem Vater zuwandte und zu ihm hin auch ein ganz anderes Verhalten an den Tag legte. Ihm, einem stillen und gütigen Mann, einem arbeitsamen und kunstfürchtigen Handwerker, stand ich stets mit eilfertigem Gehorsam zur Seite. Alle seine Tätigkeiten interessierten mich lebhaft, obgleich der Beruf, den er ausübte, für ein kleines Mädchen eigentlich wenig Anziehendes besaß.

Mein Vater war von Herkunft und Ausbildung ein Faß- und Dekorationsmaler. Zwar besorgte sein Malerbetrieb in Regensburg auch all die gewöhnlichen Aufträge wie Fassadenputz, Tapezierungen und andere Anstreicherarbeiten, doch seine besondere Vorliebe galt den schmuckvollen Wandbemalungen alter Gasthäuser und Bauernhöfe der näheren und ferneren Umgebung. Hierin hatte er sich überall einen guten Ruf erworben, und niemand verstand es wie er, beschädigte Fresken auszubessern oder dort, wo sie von einer modernen, nüchternen Beschichtung überdeckt worden waren, sie erst wieder zum Vorschein zu bringen und durch geschickte Pflege zu erhalten. Er hatte sich über die Jahre durch selbständiges Studieren der Baugeschichte und Lüftelmalerei sowie der verschiedenen Techniken des Konservierens einen gründlichen Kunstverstand angeeignet. Hinzu kamen seine hohe handwerkliche Begabung, sein sicheres Gespür für Farbe und Figur, vor allem jedoch seine feine Fühlung mit der ›anderen Zeit‹. Daher war es ihm beinah eine sittliche Pflicht, einem alten Ornament nicht einfach sein sogenanntes ursprüngliches Gepräge wiederzugeben – denn darin liegt oft nur etwas glänzend Erschwindeltes –, sondern er hielt das Muster gewissermaßen

in seinem würdigsten Anschein fest, er ließ es nur aufkommen, jedoch nie hervorquellen, nicht originalstrotzen. Er
wurde in unserer näheren Heimat, ja bald in ganz Nieder-
bayern als ein beschlagener und vielseitiger Kunsthandwerker angesehen und wurde selbst dort zu Rate gezogen, wo
bereits die vom Landratsamt bestellten, bravgeschulten
Denkmalspfleger am Werk waren. Später vertraute man
ihm sogar die selbständige Restaurierung von ganzen Kir-
chengewölben, von Ratszimmerdecken und Landschlös-
sern an.

Mein Vater war ein ausgezeichneter Figurenmaler. Na-
mentlich die Ikonographie des ausgehenden 18. Jahrhunderts war ihm so gut bekannt und durch tiefe innere Anschmiegung so verfügbar geworden, daß er auf Wunsch
eine Fassade ganz im alten Stil ausschmücken konnte. Und
doch trat immer etwas Freies, etwas durchaus Eigenartiges
aus seinen Schablonen hervor. Heiligenlegenden, Madon-
nendarstellungen (wofür ihm das Dienstmädchen Modell
saß) trugen unverwechselbar seinen persönlichen Stil, obgleich sie doch ganz aus dem Geist einer anderen Zeit
aufgefaßt und gemalt worden waren und obgleich der Vater
deshalb doch längst noch kein eigenständiger Künstler
war. Sein größtes Vorbild war allemal Tiepolo, und ihn
studierte er immer aufs neue. Wenn er einen faltenreichen
Ärmel oder Umhang auszumalen hatte, galt stets die De-
vise: ›Schatten setzen wie Tiepolo.‹

Was ihm indessen weniger lag, aber viel verlangt wurde,
war die verspielte Architekturmalerei im Stil des bayrischen
Barock. Vorgetäuschte Pilaster und Gesimse auf den Fassa-
den, wie sie vornehmlich von wohlhabenden Wirten für
ihre Gasthäuser gewünscht wurden. Hier war er denn oft
aus einfachem Erwerbsgrund und nicht aus Neigung tätig.

Ich war kaum älter als vierzehn Jahre und hatte die Fir-
mung eben hinter mir, als mich eines Morgens der Vater vor

sich hinstellte, mich von Kopf bis Fuß musterte und endlich befand: »Heute gehst du mit mir aufs Gerüst.« Ich klatschte vor Freude in die Hände und wäre ihm am liebsten um den Hals gefallen, wenn er es nur geduldet hätte. Aber von jetzt an stand ich zur Prüfung als sein Lehrling und hatte als Tochter des Meisters keine Vorrechte, auch nicht an weichen Gefühlen, zu erwarten. Es wurden mir Mütze, Hose und Kittel des Malergehilfen besorgt, und so verschwand ich denn in meiner ersten Mädchenblüte unter dem groben, männlichen Arbeitszeug.

Da sich alsbald herausstellte, daß mir auf dem Gerüst nicht schwindlig wurde noch daß ich mich irgendwie unbeholfen oder zimperlich anstellte, führte mich der Vater in raschen Fortschritten zu den Grundlagen seines Handwerks. Ich hatte schon zu Hause gelernt, wie man ihm die Trockenfarben in Kalkmilch ansetzt. Ich wußte auch, daß hauptsächlich mein Dienst darin bestand, ihm das Tablett mit den Farbtöpfen vorzuhalten: Weiß, Ocker, Englisch-Rot und grüne Umbra, die bevorzugten Erdfarben, die er beeilt auftragen mußte, solange der Putz noch naß war. Aber erst oben vor der Wand lernte ich die wichtigsten Tätigkeiten selber auszuführen: eine Fläche sauber zu verstreichen, einen Karton mit perforierter Zeichnung aufzulegen und mit Hilfe eines Kohlestaubsäckchens auf den Mörtel zu pausen und den Umrissen nachfahrend vorzumalen. Auf dem Gerüst lenkte mich der Vater mit dauernden Erklärungen und Anforderungen. Ich bemerkte an ihm einen Drang zum Unterricht, den ich hinter seinem stillen Wesen kaum vermutet hätte. Hier oben in der Höhe – ich weiß noch, wir standen damals vor den blassen Überresten einer Sonnenuhr am Giebel eines Patrizierhauses in Amberg –, hier oben begann er auf einmal über all das zu reden, was ihm bei der Arbeit durch den Kopf ging und worüber er sich unten zu ebener Erde, zu Hause doch scheinbar gemütlich ausgeschwiegen hatte. Es war, als wollte er mir in der kürzesten Spanne weitergeben, ja förmlich auf mich laden, was er erlernt und sich selber beigebracht hatte und zumal auch das, wovon er nur erst eine begeisterte Ahnung, eine strenge Hoffnung besaß. Dabei ging es weniger um technische und praktische Kenntnisse als vielmehr um die künstlerische oder sogar sittliche und sinnbildliche Bedeutung seiner Tätigkeit, von der er mich zu überzeugen suchte. Ich war wohl noch zu jung und unbewußt, um ihn richtig zu verstehen. Aber es war doch deutlich zu spüren, wie tief er von seinem Handwerk durchdrungen wurde und wie es sein Gemüt und seine Meinung klärte. Denn das Verborgene ans Tageslicht zu bringen, so daß es darin bestehen könne, das fast schon Entwichene zurückzurufen und festzuhalten – ein Handwerk, das einem solchen Ziel diente, so sah es der Vater, könne doch unmöglich seine nützliche Wirkung auf den Menschen unserer Tage verfehlen und stünde im Dienst eines umfassenden In-Erscheinung-Tretens des Schönen und Früheren, dem sich jedermann freudig zuwenden werde. Er hatte sich ja nicht nur die größte Bewunderung für das Können und den Schönheitssinn der alten Baumeister, der Fresken- und Ziermaler bewahrt, er glaubte auch fest an den heilsamen Einfluß durch die Fingerspitzenberührung mit Formen und Farben, die in einem andern Jahrhundert aufgetragen worden waren. Ihre behutsame Entdeckung, die schaffende und schälende Aufbereitung, die sie unter seinen Händen erfuhren, und schließlich die Neumalerei, die er in ihrem Geist fortsetzte – all dies hatte sein naives und bildsames Gemüt dahin gebracht, auf eine beinahe heilsgläubige Weise nun die ›Ankunft der Kunst‹ zu erwarten. So wie sie ihm aus dem alten Mauerwerk entgegentrat, würde sie auch in der Weltgeschichte endlich hinter dem ›falschen Verputz‹ hervorkommen und eben für alle in *Erscheinung* treten. Meinem Vater war es vollkommen unbegreiflich, wie ein normaler Mensch vom Schönen, vom Kunstwerk, von der ›anderen

Zeit‹ unberührt bleiben konnte; wie er sein alltägliches Leben eigentlich überstünde, ohne auf die kostbaren Geschenke, die die früheren Epochen doch alle Wege lang für uns bereithielten, zu achten und sie innerlich zu benutzen. Die meiste Zeit, in der er mit Ernst und Hingabe seiner Arbeit nachging, erfüllten ihn Zufriedenheit und manchmal ein geballtes Glücksgefühl. Aber dann, plötzlich, blickten ihn die ›Augen der Vergangenheit‹ an. Noch kaum erst hatten sie unter seinen Händen wieder Leben und Glanz zurückgewonnen, da richteten sie sich mit ungemilderter Strenge auf ihn. Die hohen Maßstäbe der früheren Kunsthandwerker schienen ihn dann sehr zu bedrücken, und er empfand das tiefste Ungenügen an sich selber.

»Wie stehen wir da vor den Augen der Vergangenheit?! Wir haben wahrlich nicht viel anzubieten. Das Beste, was wir können, haben wir schon vollbracht, wenn wir das alte Werk erhalten und vorm Untergang bewahren. Und darin erschöpft sich schon unsere ganze Meisterschaft.«

Dem zähen und frommen Eifer, mit dem er seinen Dienst am Kunstschönen versah, entsprangen aber auch manche technischen Neuerungen, die er nebenher entwickelte und anwendete, um die einmal geborgenen und wiederhergestellten Fresken künftig besser gegen Verwitterung und Verfall zu schützen. In diesem Zusammenhang war bei uns schon früh die Rede von den Gefahren einer zunehmenden Luftverschmutzung, von Abgasen und Giftstaub. Alles, was ihm hierüber bekannt wurde, beängstigte den Vater und machte ihn sogleich erfinderisch, wenn es auch nur in Sorge um die Zukunft der Gebäudemalerei geschah. Wir arbeiteten in der Regel nicht mit den gängigen Dispersionsfarben, die wie eine dünne Gummihaut auf der Wand haften, dem Werk zwar eine höhere Beständigkeit, aber auch eine geringere Ausdruckskraft verleihen. Der Vater wollte hingegen nach alter Weise Farbe und Kiesel sich unmittelbar durchdringen lassen, und so benutzten wir die weitaus anfälligeren Mineralfarben. Ihnen rührte er, nachdem er etliche Versuche und chemische Überlegungen angestellt hatte, eine Kaliwasserglas-Verbindung unter, die den Kohlenmonoxyd-Angriff abwehren konnte, damals von ihm der am meisten gefürchtete.

Alles, was er einmal behandelt hatte, sollte bis ans Ende der Zeiten bestehen. Und selbst wenn die Menschheit längst dahingegangen sei, sollte doch ihr bestes Teil, das, was sie Gutes gemacht habe, die Kunstwerke, von ihr übrigbleiben und vielleicht einmal zum Vorbild oder Muster für ein besseres Geschlecht dienen.

Die wenigen Jahre, die nun folgten und in denen ich jeden schulfreien Tag und jede Ferien neben dem Vater auf dem Gerüst verbrachte, waren – inzwischen darf ich es sagen – die glücklichsten meines Lebens. Denn auch ich gehöre wohl jenem Veteranenverein von Glücksversehrten an, die ein Mal die Freude im reinsten Extrakt genossen haben und fortan auf die verdünnten Lösungen, die das spätere Leben reicht, kaum mehr ansprechen. Trotz der mürrischen Töne, die meine Mutter gelegentlich vernehmen ließ – für sie lag es ja auf der Hand, daß in dieser Periode der Einfluß von Frau Nord, von männlicher Härte und kaltem Licht, mich beherrschte und den der beiden anderen Schreckschrauben einstweilen überwog –, es kam zwischen uns doch nie zu einem ernsten Streit darüber, ob es sich denn für ein heranwachsendes Mädchen schickte, bei Wind und Wetter mit dem Vater im Männerdrillich an den Häuserfassaden herumzuklettern. Ich glaube sogar, sie hatte sich längst damit abgefunden, daß ich eines Tages, vielleicht auf dem Umweg eines modernen Fachstudiums, denselben Beruf ausüben würde, in dem mich der Vater schon so weit vorgebildet hatte.

Doch es kam anders. Ich folgte ihm nicht auf seinen Spuren. Ich brachte es nicht über mich. Als er starb, stand ich kurz vor dem Abitur. Ich wußte nicht mehr, wohin ich mich wenden sollte. Er hatte nicht einmal die Sechzig erreicht und in seinem Inneren, wo ich nur glühende Lebenskraft vermutete, hatte die Krankheit schon alle Organe zerfressen. Ich besaß nun weiter keine Orientierung. Mir war, als hätte er mich bis in die Vorhöfe eines gewaltigen Palastes geführt, in dem alle erdenklichen Schönheiten und guten Geheimnisse des Lebens auf mich warteten, aber dann war er plötzlich neben mir verschwunden und hatte mich allein vor einem Labyrinth zurückgelassen, das ich ohne seine Führung nicht zu betreten wagte. Denn dieser herrliche, doch unbegreifliche Bau mit seinen zahllosen Gemächern, Hallen und Säulengängen, seinem befremdlichen Treiben und unbekannten Gesetzen beängstigte mich nun, und feige zog ich mich zum Eingang zurück. Auf alle die Schätze, die nur er mir hätte nahebringen können, mußte ich für immer verzichten, ihnen ein für allemal den Rücken kehren. Hinaus aus dieser halben, dieser jählings abgebrochenen Einweihung! Hinaus aber auch aus diesem dunklen Regensburg, in dem die Kirchtürme Spalier standen, in dem mich soviel Mauerwerk unablässig an *ihn* erinnerte. Ich gab vorzeitig die Schule auf und bewarb mich, ohne daß mich ein besonderes Interesse dazu bewogen hätte, an einem Dolmetscher-Institut in Heidelberg. Die Tränen und Klagen der Mutter achtete ich nicht, ich verließ das Elternhaus beinah im Schmerz erzürnt und schüttelte die empfangene Lehre, die Vorworte zur Lehre der Wandmalerei von mir.

Wie elend einem Menschen zumute sein kann, erfuhr ich jedoch erst, als ich meine Heimatstadt verlassen hatte und mich zum ersten Mal in einer völlig fremden Umgebung zurechtfinden mußte. Eine billige und trostlose Unterkunft, die mühselige Einschulung in das Spracheninstitut, das ich mir gegen jede Neigung und Begabung verordnet hatte, taten ein übriges, um mich meine unbesonnenen Entschlüsse bitter bereuen zu lassen. Ich verkroch mich oft tagelang in meiner Stube, besonders an den grausamen Wochenenden, und zog mir die Bettdecke über den Kopf, unglücklich bis zum Nicht-mehr-japsen-Können. Zu Trauer und Heimweh kam nun auch noch die Schwierigkeit, mich endlich als junge Frau zu finden. Ich war es bis dahin ja nicht gewohnt, mich weiblich zu geben und zurechtzumachen. Jetzt aber unter all den jungen Damen im Institut kam ich mir vor wie ein plumpes, verschnürtes Dorfkind. Es war tatsächlich eine schwere Zeit. In der Rückschau will es wohl als der natürlichste Umbruch erscheinen, was doch damals als Absturz und tiefste Verlorenheit empfunden wurde. Doch wie es eben ist, in den jungen Jahren leidet man schroff und wirr, aber nicht allzu lange. Meine Neugierde setzte sich durch gegen den ständig tränenverschwommenen Blick, Ehrgeiz und Anpassungswille gewannen die Oberhand. Frau Puppe, Frau Nord und Frau Zorn einten sich zu einem seltenen Gleichgewicht und besorgten einen großzügigen Aufschwung meiner Lebenskräfte.

Ich entschloß mich, neben dem grundsätzlichen Englisch auch die spanische und portugiesische Sprache zu studieren und besuchte, von nun an unbeirrt und zielstrebig, die dafür vorgesehenen Kurse und Vorlesungen.

Hier muß ich die Bemerkung einschalten, daß ich mich seit dem Tod des Vaters – es klingt vielleicht etwas sonderbar – niemals wieder einem Kunstwerk oder Baudenkmal genähert habe. Selbst die geläufigsten Sehenswürdigkeiten von Heidelberg, wie etwa das berühmte Schloß, mochte ich nicht besuchen. Die Straßen der Altstadt, wo ich sie nicht vermeiden konnte, wurden geschäftig und unbeachtet durchschritten; die ältesten und ehrwürdigsten Gaststätten, die Bibliothek, die Ratsgebäude, nichts dergleichen konnte mich aufhalten und mein Interesse erregen. Lieber aß ich im

Kaufhof als unter einem historischen Kellergewölbe, in einer altdeutschen Wirtschaft. Neuere Ladenstraßen und Betonzeilen boten mir dagegen Raum zum Aufatmen. Vermutlich wären damals Wolfsburg oder Salzgitter die erträglichsten Städte für mich gewesen. Eine krankhafte Scheu, mit irgendetwas Kunstschönem in Berührung zu kommen oder gar von den ›Augen der Vergangenheit‹ fixiert und geprüft zu werden, hielt mich in den schäbigsten Zonen und Siedlungen der Neustadt fest und behinderte noch lange meine natürliche Aufmerksamkeit. Es ging ja schließlich so weit, daß ich nicht mehr eine armselige Postkarte vom Isenheimer Altar, die mir eine ehemalige Schulfreundin schickte, betrachten konnte, sondern zerriß und zum Abfall warf.

Diese übersteigerte Reizbarkeit ließ indessen allmählich nach. Vielleicht lag es auch an meiner Ausbildung, die mich nun immer stärker auf eine spätere Anstellung in Wirtschaft und Industrie vorbereitete, so daß ich eines Tages völlig unberührt und mit gefestigtem Desinteresse an jedem historischen Bauwerk vorübergehen konnte. Die Betäubung meines Schönheitssinns war so weit fortgeschritten, daß es mir keinen Unterschied mehr machte, ob ich vor dem Marstall oder dem ADAC-Haus stand. Beide waren eben Gebäude wie irgendwelche, seltsam egal und auf verschwommene Weise gleichzeitig. Es drängte mich jetzt, die Sprachenschule so bald wie möglich hinter mich zu bringen. Ich wollte schnell einen Posten finden, auf dem ich vor allen Dingen gut funktionieren mußte, umsichtig sein, stark, perfekt. Ich wäre gern Fremdsprachensekretärin in einem großen Handelsunternehmen geworden. Meine Studien hatten alles in allem einen guten Verlauf genommen, und ich durfte hoffen, sie mit einem entsprechend günstigen Zeugnis abzuschließen.

Meine erste Anstellung erhielt ich dann bei einem Transportunternehmen in Duisburg. Hier wurden indes nicht die hohen Anforderungen an mich gestellt, die meinem Leistungsbedürfnis entsprachen. Es ging mir zu müßig und unordentlich zu in diesem Betrieb, und ich kündigte bald wieder. Nun folgten die verschiedensten Versuche, mich im Ausland zu bewähren, als Konferenzdolmetscherin, als Begleitung deutscher Baufirmen in Spanien und Übersee, auch vorübergehend Tätigkeiten für Behörden und wissenschaftliche Institute und manch anderes noch in einigen unruhigen, buntbewegten Jahren. Ich kam herum, lernte viele Menschen kennen, erwarb mir eine vielseitige Erfahrung in meinem Beruf, war nun in drei Sprachen perfekt und doch für keinen Menschen so unentbehrlich, wie ich es gern hätte sein wollen.

In diesen ersten Berufsjahren mit ihren raschen Ortswechseln und ständig neuen Aufgaben lebte ich wie abgeschnitten von meiner Herkunft, von der Zeit des Vaters, lebte ich in einer nahezu vollkommenen Vergessenheit der eigenen Jugend. Ich war in einer Sphäre untergetaucht, der ich niemals angehören wollte, verkehrte mit Menschen und in Gesellschaftskreisen, deren Ansichten und Gewohnheiten mir im Grunde fernlagen. Und doch bewegte ich mich unauffällig und geschickt unter ihnen, beinahe wie eine Geheimagentin, nur mit dem Unterschied, daß ich mir keiner hintergründigen Mission bewußt war. Nach wie vor gab es da diese dichte Isolierschicht, die mich an allem Kunstschönen achtlos vorübergleiten ließ. Nicht ein einziges Mal hatte ich unterdessen ein Museum besucht, keine Gemäldegalerie, noch im Ausland irgendwelche historischen Stätten. Kein Bild schmückte die Wände meiner Wohnungen, sondern immer nur hängendes und kletterndes Zimmergrün.

Mein damaliger Verlobter – ich nenne ihn einmal so, weil wir über Jahre hin eine beständige, wenn auch zuweilen unterbrochene Gemeinschaft bildeten –, mein Verlobter war nun ebenfalls nicht der Mensch, der mich zu den schönen Dingen hätte zurückführen können. Im Gegenteil, ihm waren sie wohl schon von seinem Naturell her gleichgültig. Zwar besaß er mehr Bildung und Leidenschaft als andere Kaufleute, die ich kannte, doch jedes musische Interesse fehlte. Seine Freizeit – und seine Freizeit von mir – nutzte er ausschließlich zu sportlicher Unterhaltung, ruderte in seinem Club oder bestieg hohe Berge, und zwar allein. Er war im Außenhandel unseres Betriebs tätig, einer Textilfabrik in Rheydt; ich war ihm dorthin gefolgt.

Eines Tages aber – wir kamen auf unserer jährlichen Einkaufsreise durch Norditalien wie üblich auch nach Florenz – glaubte ich nicht richtig zu hören, als er mir vorschlug, den freien Nachmittag in den Uffizien zu verbringen. Natürlich ging es ihm nur darum, eine kulturelle Pflicht zu erledigen, und kein plötzlich entflammtes Kunstinteresse verbarg sich hinter seinem Wunsch. Dennoch willigte ich ein, arglos und vergnügt, und dachte mir weiter nichts dabei.

Man fuhr aus der Eingangshalle mit dem Lift hinauf in das Obergeschoß des gewaltigen Beamtenpalastes und mußte sich durch ein dichtes Menschengewimmel seinen Weg bahnen, sofern man einen bestimmten im Sinn hatte. Wir beide kamen aber ganz unvorbereitet in die Galerie und ließen uns zunächst vom allgemeinen Besucherstrom treiben. Die unzähligen Touristenscharen, Schulklassen, sich kreuzende und drängende Führungen, die lauten Vorträge in kaum beherrschten Fremdsprachen, die Masse der gleichgültig gaffenden und weitertrottenden Besucher und die zwischen ihnen Versteck spielenden Kinder, dies alles machte es fast unmöglich, einen freien Blick auf ein Gemälde zu werfen oder gar in Ruhe davor zu verweilen. Das Gemische und Geschiebe empfand ich zunehmend als bedrohlich. Ich geriet in eine würgende Bedrängnis; der kalte

Schweiß brach aus, und ich fürchtete, regelrecht ohnmächtig zu werden. In diesen überschärften Augenblicken, kurz vor dem wirklichen Schwächeanfall, da geschah es nun, daß die schweren Siegel über meinem Geheimnis aufsprangen und daß sich das künstliche Desinteresse mit einem Mal wie ein Schatten von meiner Seele löste. In diesen Augenblicken spürte ich, wie mein nüchtern-verhangenes Wesen aufriß und den frühen, unausgeprägten Charakter wieder frei gab – das junge Mädchen war wieder da, die Gehilfin, empfänglich und nichts als empfänglich; rein, roh und ohne jeden Vorbehalt. In diesem Zustand kam ich vor den Simone Martini zu stehen und konnte mich nicht mehr vom Fleck rühren. Und selbst als mich wieder ein starker Besucherstrom abdrängen wollte, strebte ich mit allen Kräften zurück an dieses herrliche Ufer der ›Verkündigung‹. Das Bild hatte mich ganz in seiner Gewalt, es verwies mir die falsche Geste, es entkleidete mich der braven Hülle, der bürgerlichen Bedeckung meiner Existenz. Ich stand vollkommen schutzlos und nackt vor seinem Antlitz. Und da traten sie hervor, und wie sie mich riefen und schauten, die Augen der Vergangenheit, die mich nicht mehr loslassen wollten! Nein, ich konnte ihnen nicht standhalten, mir wurde schwindlig, ich sank bewußtlos zu Boden. Mein Verlobter mußte schon einige Male nach mir gesehen haben, da ich mich aus dem vorderen Saal des Trecento nicht mehr fortbegeben hatte. Vielleicht hatte er sogar bemerkt, daß ich zitterte und wie mir vor Freude und Furcht die Tränen über das Gesicht liefen. So war er glücklicherweise gleich zur Stelle, um mir aufzuhelfen und mich unverzüglich aus der Galerie hinauszuführen. Er sollte ruhig glauben, daß allein das drangvolle Menschengewühl meine Schwäche verursacht hatte. Was mir wirklich widerfahren war, konnte und wollte ich ihm nicht erklären. So sprachen wir nicht weiter über den Zwischenfall und genossen, bis zum Ende unserer Reise, noch genügend andere, banale

Zerstreuungen, um für ihn die Uffizien rasch in Vergessenheit geraten zu lassen.

Der Simone Martini jedoch und seine Strahlen hatten mich tief getroffen. Und sie wirkten fort. Ich fand nicht wieder in die gesunde, harmlose Gewohnheit meiner Tage zurück. Ich kam immer mehr zu der Überzeugung, daß ich mich, seitdem ich vom Gerüst des Vaters gestiegen war, auf einen einzigen, unnützen Fluchtweg begeben hatte, eine künstliche Hohlheit wie einen Tunnel durch mein Leben gebohrt hatte. Aber was um alles in der Welt sollte ich denn nun anfangen mit dieser übermächtigen Beeinflussung? Schließlich war ich doch keine Künstlerin, nicht einmal das bescheidene Talent zur Sonntagsmalerei war mir gegeben, mit dem ich auf eine heimisch-nachahmende Weise mich vielleicht von diesem hohen Eindruck hätte befreien können. Frau Puppe aus Mutters Nornenkränzchen hatte mich in dieser Hinsicht völlig unzulänglich ausgestattet.

Eines aber wurde nun anders: meine Unempfänglichkeit für das Schöne durfte nicht wieder erneuert werden. Ohne mein Leben im äußeren auffällig umzuordnen, sann ich nun beständig darauf, wie ich das Kunstschöne wieder näher zulassen könnte und wie ich es in die nüchterne und nützliche Sphäre, in der ich arbeitete und meinem Verlobten angehörte, einfügen und zu meiner persönlichen Beglückung reservieren könnte. Aber so einfach und häuslich ließ sich das nicht einrichten. Die übermenschlichen Mächte lassen sich nur selten zur friedlichen Koexistenz mit uns herab. Wie man es von anderen Strahlenschäden kennt, so hatte auch das Uffizien-Erlebnis neben einer ersten, unmittelbaren Verbrennung seine schleichenden Spätfolgen. Sie machten sich zuerst im Verhältnis zu meinem Verlobten bemerkbar. Hier traten nun ungewohnte Störungen auf. Ich hatte ihm stets ganz angehört, ich war ihm gefolgt. Vielleicht war es die Blindheit meiner starken körperlichen Abhängigkeit von ihm, die mich nie recht sein

Gewissen, kaum je seinen Blick erforschen ließen. Wohl war mir immer bewußt, daß seine Gefühle für mich gröber und oberflächlicher waren als meine für ihn. Aber er war schließlich zu mir gekommen, er hatte mich gewählt und er hielt an uns fest. Leider hatte er nie gesagt, daß er mich liebe. Ich habe meine Freude an dir, das sagte er wohl. Aber nie: ich brauche dich. Mußte ich nicht dennoch zufrieden sein, daß er es an wirklicher Leidenschaft nicht fehlen ließ und meiner nicht überdrüssig wurde? Ich war doch gar nicht ausgebildet worden zur Frau. Nie hatte ich zu hoffen gewagt, daß ein Mann den befangenen Körper von Vaters Gehilfin einmal begehren und für sich entdecken könnte. Er hatte das aber getan. Allein schon dafür, daß er mir dies plumpe Selbstgefühl genommen hatte, war ich ihm dankbar und verschuldet. Zu sehr vielleicht, denn meine körperliche Erweckung führte nun nicht dazu, daß ich mich stolz und natürlich aufrichtete, sondern ich ging sogleich, von Lust und Angst gebeugt, zu einer süßen und süchtigen Unterwerfung über. Alles in mir war nun auf ihn eingestellt und abgerichtet. Selbst mein kühler Sachverstand, mein praktisches Gedächtnis behielt vornehmlich die Mitteilungen, die mein starker Geliebter mir machte, und nur was er wußte, war auch mir wirklich wissenswert. Ich empfand es sogar als eine zusätzliche Erregung, seine Floskeln und Ansichten selbst in den Mund zu nehmen, ja ich ahmte ihn nach, ich kniete mich förmlich in seine ganze Art. Hier nun zog Frau Puppe mächtig an den Fäden, hielt mich fest in ihrer Hand.

Es war aber nicht lange nach unserer Rückkehr aus Italien, da blickte ich eines Abends meinem Verlobten, als er zur Tür hereintrat, in ein unbekanntes Gesicht.

»Was tust du?!« rief ich entsetzt. Er wußte nicht, was ich meinte, denn er hatte ja nichts gegen mich vor. Ich aber hatte seine reine Verachtung erblickt, zum ersten Mal das still mich Untergrabende in seinen Augen gesehen. Der

Verlobte hatte ja längst aus mir eine unwerte Person gemacht.

Man stürzt sich in einen anderen Menschen, in eine sogenannte Liebe oft, nur um das eigne Unglück *Gestalt* werden zu lassen, um es einmal in greifbarer Form vor sich zu haben. Alles Verlangen zuvor, all der süße Tausch, sie dienen zuletzt nur dem Ziel, unserer Bitternis einmal in Fleisch und Blut zu begegnen. Statt daß man sich besser gleich sagte: laß diesen Fremden! Rühr ihn nicht an. Du willst ihn doch eigentlich gar nicht. Nein, man sagt sich vielmehr: oh, was für ein stattlicher Mann! Er kann dir sicher viel geben. Er besitzt eigentlich alles, was eine Frau vorm Schlimmsten bewahren könnte . . . Und schon zieht man einen unschuldigen Menschen mit hinein in sein tragisches Spiegelbild.

Was nun in nächster Folge auf das ›Erblicken‹ meines Geliebten geschah, weiß ich nicht mehr ganz genau. Ich erinnere mich merkwürdigerweise nur noch daran, daß ich am Vorabend jenes Tages, an dem mein Drama dann stattfand, eine große grasgrüne Zikade in meinem Zimmer beobachtete. Ein Heimchen. Eine Grille. Sie saß auf einem organgefarbenen Kissen. Ich betrachtete sie lange. Dies war also das Urbild des Parasiten. So erstarrt, wie sie da saß, konnte sie fast das Denkmal eines Grashüpfers sein. Konnte aber auch gleich einen enormen Satz tun. Die dünnen Schenkel standen spitz in die Höhe. Die Fühler lagen nach vorn gestreckt auf dem Kissen, wie der gesenkte Degen des Toreros. Was war dieses Vor-dem-Sprung-Sein? Heuschrecke. Wieviel Namen für dies immer ähnliche Tier! Man fürchtet sich vor der unmenschlichen Plötzlichkeit seines Sprungs. Das vollkommen Jähe ist seine Waffe gegen uns.

Ich fuhr an einem regnerischen Sommertag, einem Mittwoch, den ich mir freigenommen hatte, zum Einkauf nach

Düsseldorf. Schon bei der Einfahrt waren mir die rostroten Plakate aufgefallen, die überall an den Lampenmasten und an den Bäumen des Mittelstreifens befestigt waren. Sie luden zu einer Ausstellung amerikanischer Malerei, und mit aufgesteckten weißen Pfeilen wurde dem Ortsunkundigen der nächste Weg zur Kunsthalle angezeigt. Es war mir auf Anhieb ganz selbstverständlich, der Reklame und den Wegzeichen gehorsam zu folgen und von meiner eingeschlagenen Fahrtrichtung abzuweichen. Nach und nach unterschied ich auf den Plakattafeln auch einzelne Namen, offenbar die von Künstlern, deren Werke für einige Wochen in der Kunsthalle ausgestellt wurden. Sam Francis, Morris Louis, Kenneth Noland, Jackson Pollock, Mark Rothko. Lauter Namen, von denen ich noch nie in meinem Leben gehört hatte. Zuerst glaubte ich, es müsse sich um irgendetwas Exotisches, vielleicht gar um Indianerkunst handeln. Ich wurde jetzt sehr neugierig und war schon ganz abgelenkt und beiseitegenommen durch das verwirrende, aufsässige Rotbrummen auf dem Plakat. Ich parkte den Wagen auf dem angewiesenen Platz und beschritt wenig später die breite Steintreppe, die zum Eingang der Kunsthalle führte. Nachdem ich das Billett gelöst hatte, mußte ich eine weitere Treppe aufwärts, denn im unteren Geschoß sollten nur Entwürfe und Zeichnungen der Künstler zu sehen sein. Ich wollte aber zuerst die Gemälde selber kennenlernen. Da ich ringsum keine anderen Besucher bemerkte und mich gleich hinter der hohen Glastür eine gebieterische Stille empfing, eine tiefe Pause im Straßenlärm und Tagesbetrieb, war mir ein wenig zumute, als stiege ich die Stufen zu einem erhobenen Opferbezirk, zu einem Tempelheiligtum empor. Oben angekommen, erlebte ich indes eine arge Enttäuschung. Hier hingen gar nicht die Bilder, die ich mir erwartet hatte. Es waren eigentlich überhaupt keine Bilder, auf denen man etwas Schönes, etwas Menschenförmiges in seiner besten Gestalt hätte erblicken können. Ich erkannte nur breite, eintönige Farbfelder oder wirres Liniengestrüpp oder strenge bunte Streifen oder auslaufende, übereinandergewischte Placken, aufgeschlagenes Grün, Rot und Braun, wilde, gesprengte Ornamente. Dies war nun die abstrakte Malerei, mit der ich bis dahin kaum in Berührung gekommen war. In mir begann der Simone Martini zu scheinen und ein dringendes Glühen auszusenden. Ich schritt an den oft zwei bis drei Meter langen und kaum minder hohen Tafeln vorbei, ich lief durch alle Winkel und Kojen der Ausstellung, immer auf der Suche nach irgendeiner Öffnung, irgendeinem geheimen Eingang, der mich zu den gewissenhaften Regeln dieser völlig unergründlichen Spiele geführt hätte. Aber ich fand mich nirgends zugelassen. Verwirrt und beängstigt suchte ich auf einer Bank zur Ruhe zu kommen. Ich dachte darüber nach, wie ich mich gegenüber diesen gewaltigen Fremdlingen verhalten sollte. So schnell wollte ich denn doch nicht aufgeben. Ohne es recht zu bemerken, jedoch nicht ganz zufällig hatte ich gerade vor dem dunkelsten und mächtigsten Werk der Sammlung haltgemacht und mich niedergelassen. Schon beim ersten Mal, als ich an ihm vorbeikam, mußte ich mich unwillkürlich ducken, so bedrohlich erschien es mir. Wie erschrak ich nun aber, als ich den Kopf erhob und plötzlich vor mir sein ganzer massiver Farb-Körper sich aufrichtete, und dies Ungeheuer . . . Ich wußte ja nicht, um was es sich handelte. Beinahe die gesamte Leinwand wurde beherrscht von einer breiten, kelchförmigen Aufwehung, moosgrün, erdbraun und an einer Stelle feuerrot. Ein dunkler Überschwang, eine nach oben geworfene Existenz, die Fontäne einer einzigartigen Energieentladung mit einem Tanz von bunten Flämmchen auf dem Kamm. Ich konnte nicht glauben, daß ich ein lebloses Gemälde vor mir hatte. Ich sprang auf, ein schmerzhaftes, dichtes Gedröhn umschloß mich, der Herzton eines unvorstellbaren Kolosses schwoll und rollte heran, der maßlose Puls vor meinen Augen dehnte sich aus und wollte gleich schlagen, und er machte mich zu einem winzigen, flüchtigen Zeit-Bakterium und mein Leben zu einem jähen Sprung . . .

Ich verspürte keinen Haß auf das Werk. Ich mußte mich nur zur Wehr setzen. Der dunkle übermächtige Puls wollte mich erschlagen. Ich hatte ja nur diese kleine Nagelschere in meiner Handtasche. Und so lächerlich es auch war, ich mußte mich aufbäumen bis zuletzt. Ich nahm die Schere in meine Faust und lief mit erhobener Spitze gegen die Leinwand. Ich rannte sie ihm in seinen Rachen. Ich stach viele Male, doch je mehr ich stach, umso wütender wurde das Biest. Ich wand mich in seinem Würgegriff, doch ich ließ nicht nach, ich schnitt und schlitzte das Segeltuch und versetzte ihm tiefe Wunden. Zwei lahme Wärter kamen herbeigehumpelt; sie schrien um Hilfe, sie ergriffen mich zitternd und fluchend beim Arm, zerrten und rissen daran, als wär er ganz allein der Übeltäter.

Ich war außer mir, aber nicht von Sinnen. Ich wußte, was ich tat. Ich kämpfte um mein Leben. Es hieß, ich hätte versucht, eine großartige Schöpfung der amerikanischen Malerei zu zerstören. Aber eine wahre Schöpfung kann niemand zerstören. Ich hatte denn auch nur ein Bild geschändet.

Heute weiß ich, daß Morris Louis mir vergeben hat. Ich habe mich immer wieder mit seinem Werk beschäftigt. Ich habe nur noch gestaunt und bewundert. Er war ja schon lange tot, als ich meine Tat beging.

Es ist nach einem solchen Vergehen nicht leicht zu erwirken, wie ein gewöhnlicher Straftäter behandelt zu werden. Anders als der politische Attentäter gilt nämlich der Kunstattentäter zunächst einmal für geistes- oder nervenkrank oder wird zumindest als jemand angesehen, der zum Zeitpunkt seiner Tat nicht zurechnungsfähig war. Wie ich nun dem herbeigerufenen Verlobten in die verlegenen Arme sank, war es daher meine größte Sorge, mit Hilfe seines

Anwalts meine Einlieferung in eine Klinik zu verhindern, für die man schon alles vorbereitet hatte. Es lag mir daran, mich vor dem Gesetz zu verantworten und für eine eingestandene Straftat in Untersuchungshaft genommen zu werden. Ich wollte büßen, nachts in der Welt, aber um Gottes willen nicht therapiert werden, nicht in dieses unabsehbare Entschuldungs-Labyrinth der Psychiatrie hineingetrieben werden. Dort drohte der Höllensturz ins unbegrenzt Innerliche mit all seinen zeitlosen Martern. Demgegenüber würde mich die gesetzliche Strafe in der weltlich rauhen Ordnung festhalten, ohne mir den Sinn für Schuld und Sühne zu verderben.

Die Wirklichkeit sah nun aber etwas nüchterner und einfältiger aus. Zwar entschied der Untersuchungsrichter, daß ich bis zu Prozeßbeginn auf freien Fuß gesetzt sei und nirgends eingeliefert würde. Zugleich aber erfuhr ich zu meiner bitteren Enttäuschung, daß das Gesetz mein Vergehen auf das verächtlichste behandelte, indem es hierin nur den niedrigen Tatbestand der ›Sachbeschädigung‹ erkannte. In gar keinem Falle war also mit einer Gefängnisstrafe zu rechnen, da ich weder vorbestraft war noch in krimineller Absicht gehandelt hatte. Das Ärgste, was ich überhaupt zu erwarten hatte, waren ein paar tausend Mark Geldbuße. Diese Aussicht bedrückte mich sehr. Auch das amtliche Gutachten der Gerichtspsychiatrie, das meinem Verteidiger zugestellt wurde, schien meine schlimmsten Befürchtungen zu bestätigen. Hier wurde mit allen Mitteln versucht, meine Schuld*unfähigkeit* nachzuweisen. Der Verfasser erging sich in den seltsamsten Tiefendeutungen, er war regelrecht vernarrt in meinen Wahn oder das, was er dafür hielt. Meine eigenen Aussagen, meine offen dargelegten Motive fanden dabei keinerlei Berücksichtigung. Zahlreiche Beispiele aus der Geschichte der Kunstattentate wurden angeführt, die religiöse Symbolik solcher Akte hervorgehoben, von Hostienschändung und Bilderstürmerei, von

Image- und Idoltötung war die Rede, von der Zerstörung der ›falschen Bildnisse‹, und es wurde sogar die Geltungssucht des Herostratos bemüht, der den Tempel zu Ephesos in Brand gesteckt hatte. Unter all den erwähnten Motiven und Regungen konnte ich meine eigenen und eigentlichen aber nicht erkennen. Ich hatte weder aus Ruhmsucht noch aus Glaubensfanatismus gehandelt. Ich war mit einem fremdartigen Zeit-Maß zusammengestoßen und hatte mich dagegen zur Wehr setzen müssen. Das war alles. Aber niemand verstand das. Auch mein Anwalt gab sich mit meinen Erklärungen nicht zufrieden. Er drängte immerzu, ich möge ein *klares*, ein politisches Motiv angeben. Nur dies könne mich mit hoher Wahrscheinlichkeit vor der Einlieferung in eine Heilanstalt bewahren. Es läge doch immerhin nahe, meine Tat für eine *klare* antiamerikanische Demonstration auszugeben, und zwar nicht aus linkem, sondern in diesem Fall besser aus rechtem Gewissen, aus grunddeutscher Kunstauffassung. Schließlich sei es doch bedenkenswert, daß das beschädigte Werk einer *rein* jüdisch-amerikanischen Stilrichtung angehöre . . . Ich erklärte darauf, daß ich dann doch lieber das Irrenhaus vorzöge, als mich einer solch verabscheuungswürdigen Gesinnung zu bezichtigen.

Eine feige und unverschämte Hilfsbereitschaft erbot mir dann auch mein Verlobter. Er wollte für alle finanziellen Belastungen, die mir aus dem Prozeß entstünden, aufkommen, unter der Bedingung, daß ich zukünftig versuchte, ›mir etwas Eigenes aufzubauen‹. Zu deutsch, daß ich mich gefälligst von ihm entfernte. Nun, er bekam seine Freiheit gratis. Ich verabschiedete mich von beiden, dem Rechtsbeistand und dem genierten Verlobten.

In der Verhandlung kam dann später kaum noch die Rede auf meine mehr oder minder obskuren Tatmotive. Es tagte, wie man so sagt, ein sozial empfindliches Gericht. Die herbe Enttäuschung der Liebenden, die Erschütterung meiner bürgerlichen Existenz (damit war unter anderem mein Ausscheiden aus der Textilfirma gemeint) sah es als eine gehörige Bestrafung an und wollte dem nichts weiter hinzufügen. Ich erhielt schließlich den Freispruch. Ich konnte mich natürlich nicht darüber freuen, aber es erleichterte mich dennoch – angesichts der psychiatrischen Verwahrung, die mich bedroht hatte. Die Sache war also glimpflich ausgegangen; allzu glimpflich, wie mir schien, denn es konnte doch nicht wahr sein, daß dieser grelle, schicksalshafte Vorfall im Museum nun auf einmal ins Nichterwähnenswerte abgerutscht und mein privates Liebespech zum öffentlichen Strafmaß erhoben worden war. Meine eigentlichen Strafbedürfnisse waren hiermit in keiner Weise zufriedengestellt.

Ich hatte mir unterdessen Zugang verschafft zu jenen Menschen, die mit der Instandsetzung des von mir geschändeten Gemäldes beauftragt waren. Dabei vermied ich es vorerst, dem Kunstwerk selber wiederzubegegnen und etwa die Sachverständigen bei ihrer Arbeit vor Ort zu beobachten. Stattdessen traf ich sie häufig am Abend und ließ mir in allen Einzelheiten über den Fortgang ihrer Reparaturen berichten. Es waren fünf freischaffende Restauratoren, zwei Frauen unter ihnen, und sie bildeten eine enge Arbeitsgemeinschaft, die größere Aufträge stets auch im Team ausführte. Indem jeder ein eigenes Fachwissen besaß und ein besonderes Talent beisteuerte, konnte es immer zu einem nützlichen Austausch kommen, selbst wenn er nicht der direkten Verwendung diente. Dabei lernte der Restaurator von der Kunstgeschichtlerin, der Denkmalspfleger von der Röntgentechnikerin, und jeder war auf seinem Gebiet mit den neuesten Fortschritten vertraut.

Mein Opfer, so erzählten sie mir, sei nun vor allem anderen gründlich gereinigt und auf seinen allgemeinen Erhaltungszustand untersucht worden. Sodann, nachdem man festgestellt hatte, daß die Leinwand nicht im ganzen doubliert werden mußte, wurde das großformatige Bild in der Werkstatt aufgespannt und die eigentlichen Ausbesserungsarbeiten konnten beginnen. Die Schnitte und Wundmale, die ich dem Werk beigebracht hatte, wurden nun sorgfältig an den Rändern ausgefranst und geglättet. Stoffstreifen, die nach Stärke, Webart und Fadenzahl der Segeltuchbespannung genau entsprachen, wurden beschafft, fein ausgekämmt und dünn geschabt, um dann, mit Wachsklebstoff versehen, unter Vakuumdruck an der Rückseite aufgebracht und in die Löcher eingefügt zu werden. Darauf erst begann die eigentliche Instandsetzung auf der Bildseite; die Auskittung der Risse in der Malschicht; die empfindliche Feinarbeit der Retusche oder wie sie es lieber nannten: des inpainting, denn sie mußten schließlich nicht nur Farbwerte und Lasuren genau bestimmen, sondern der winzigste Strich enthielt ja etwas von der Energie, dem großen Hervorwurf des ganzen Werks. Ohne selbst doch mit dem geringsten Schwung arbeiten zu können, mußten sie den Rausch in seinem stillen Atom erfassen und pedantisch erneuern. Über mehr als zwei Wochen zog sich die mühselige Operation hin, bis sie mir eines Abends von ihrem glücklichen, alle zufriedenstellenden Ausgang berichten konnten. Niemand sollte diese Nachricht mit größerer Erleichterung und tieferer Dankbarkeit aufnehmen als ich. Noch dazu durfte ich mich diesen klugen, heiltätigen Menschen selber zuwenden, die mir freundlicher und umstandsloser begegneten als je irgendwelche, obgleich sie mich von rechtswegen als Barbarin, als Kunstschänderin hätten verurteilen müssen. Doch das taten sie von Anfang an nicht. Sie verwöhnten mich allzu sehr mit ihrem weichen Verständnis, mit ihrer versöhnlichen Moral. Weshalb ich ihnen aber dennoch anhing und immer herzlicher zugetan war, fand seinen Grund vor allem in dem Handwerk selbst, das sie ausübten und das mich unversehens wieder mit der

Sphäre meiner Herkunft verband. Im Kreis der jungen Restauratoren frischte so manches auf, was ich vom Vater erlernt und erfahren hatte. Hier fand seine Arbeit, seine Inbrunst, sein Wissen eine würdige, moderne Fortführung. Der naive, mutige Einzelgänger erschien mir jetzt ganz wie der aufstrebende Schaft, aus dem als Blüte ein solch buntes Team hervortreten konnte, mit seinen reich entfalteten Techniken und Kenntnissen, seinen fruchtbar verflochtenen Begabungen.

Diese auch in ihrer Freizeit engverbundenen Menschen, denen jedes Mißtrauen, jedes abgekapselte Selbstgenügen unbekannt war, hatten mich also nach und nach näherkommen lassen; und sogar der Umstand, daß sie tagtäglich mit der gewissenhaften Ausmerzung meiner Schandtat beschäftigt waren, während ich selbst nichts, absolut nichts zur Wiedergutmachung leistete, hatte unsere Zusammenkünfte nicht eigentlich behindert. Gewiß, sie stellten mir die ein oder andere Frage, jedoch nicht im Verhör, sondern aus gutmütigem Interesse, beiläufig ihrer allgemeinen Bekenntnisse und aufgeklärten Anschauungen, mit denen sie nicht hinterm Berg hielten. Und dann erzählte ich ihnen auch des langen und breiten von mir, schilderte die glücklichen Tage, an denen ich mit dem Vater von Dorfkirche zu Gasthaus, von Ratszimmer zu Schloßgiebel gezogen war und eben manche Arbeit, die sie jetzt ausübten, selbst kennengelernt hätte, wenn auch nur im gröbsten. Ich verschwieg aber auch die Geschichte meiner Trauer nicht, mein Abweichen, meine unterdrückten Antriebe und ausgesetzten Neigungen. Die ganze mutlose Selbstverleugnung, die mich lange Zeit wie eine Geheimagentin einen perfekt gefälschten Lebenswandel hatte führen lassen. Die Fünf hörten mir stets mit der größten Aufmerksamkeit zu, wenngleich sie meinen Trübsinn und die scharfen Selbstbezichtigungen mit Befremden aufnahmen und sich nicht an sie gewöhnen mochten. Durch den Verbund und Zusammenschluß waren ihnen auch viele Ansichten und Auffassungen gemeinsam geworden, ja es war diesen Menschen geradezu ein einheitliches Naturell entstanden, das sie nur alles, was freundlich und förderlich erschien, wahrnehmen und beherzigen ließ. Als ich ihnen gar die Geburtsmythe von Frau Zorn, Frau Puppe, Frau Nord zum besten gab, wußten sie nicht, ob sie lachen oder mich bedauern sollten. Dabei war ich gerade im Begriff, meinen tiefsten Grund bloßzulegen, denn ich war doch fest davon überzeugt, daß mich die Zorn in ihrer Gewalt hatte, als ich den Überfall auf Morris Louis beging. Ach nein, erwiderten die Fünf, wer einem solchen Aberglauben anhinge, der könne sich nun in der Tat zum Unheilstifter berufen fühlen. Wer sich einem solchem Regime unterwerfe, der müsse ja das Zerstörerische und Böse in sich groß werden lassen. Niemals, so meinten sie, könne ich daher zu meinen weiblichen und schöpferischen Kräften zurückfinden, solange ich mich nicht von diesen schädlichen Einbildungen befreite.

Sie, die Ausgeglichenen, forderten dementgegen, daß ich meine abgebrochenen Anfänge nicht liegen ließe und an jene Jahre mich wieder anschlösse, die nach meinen eigenen Worten die glücklichsten überhaupt gewesen seien. Mein Schönheitssinn, meine gestalterischen Fähigkeiten, die sich damals so günstig entwickelt hätten, müßten nun wiederbelebt werden und durch gute Übung nutzbar gemacht. Sie wollten mir hierbei jede Hilfe und Unterstützung gewähren und mich sogar, falls ich es wünschte, in eine fortbildende Lehre nehmen, damit mir die heutigen Techniken der Restaurierung vertraut würden. Dies setze nun aber voraus, daß ich innerhalb oder zur Seite des Teams irgendeine feste Pflicht erfüllte und ihnen nicht untätig im Weg stünde. Aber eine geschickte und schon vorgeschulte Person wie ich könne immer einem von ihnen Assistenz bieten oder eine vorbereitende Arbeit ausführen.

Diese ernsten und mir so zugewandten Worte ließen

mich wahrhaftig aufleben. Ich sollte sie also begleiten dürfen! Etwas Schöneres konnte ich mir gar nicht vorstellen. Ich bin wohl rot angelaufen vor Scham und Dankbarkeit. Stürmisch erbot ich mich, jeden beliebigen Dienst in ihrer Nähe zu versehen. Hier war nun eben meine schwächste Stelle berührt worden: kaum daß mich jemand im Innersten ansprach, antwortete ich umgehend mit blindem Unterwerfungsdrang. Ich konnte nicht anders, ich mußte ›Den mit der guten Stimme‹ sofort als meinen Herrn ansehen. Natürlich mußte das den Mündigen besonders mißfallen, da sie gegen jedes falsche Gefälle in ihrem Kreis sehr empfindlich waren und es als Störung ihres Gleichgewichts betrachteten. Sie erwiderten denn auch, daß es bei ihnen irgendetwas Beliebiges oder gar einen beliebigen Dienst überhaupt nicht geben könne. Infolge der genauen Abstimmung und wechselseitigen Verständigung zwischen Forschung und Handlung käme jedem Arbeitsvorgang die gleiche Achtung und Notwendigkeit zu. Ich wurde also angehalten, mein Bedürfnis nach Unterordnung zu zügeln. Jenes unselige Wohlgefühl, daß mich schon in die bittersten Notlagen gebracht hatte, da der Wunsch zu dienen – hier auf Erden und zu meinen schmerzlichen Lebzeiten – stets auf die schäbigste Weise ausgenutzt und mißbraucht wird und wohl niemals mehr in Würde erfüllt werden darf.

Die starke Anziehungskraft, die von der Gruppe und ihrer gemeinsamen Vernunft auf mich ausging, half mir aber, aus meinen vorgeprägten Spuren herauszutreten. Das Beispiel einer verfeinerten Bündnisfähigkeit unter Menschen ständig vor Augen, gelang es mir doch für einige Zeit mich aus meinem alten Schema zu lösen.

So wie sich die folgenden Wochen und Monate anließen, war es ja, als kehrte ich geradewegs in meine Mädchenjahre zurück. Tag für Tag eine Stimmung, ein Geruch, eine Redewendung, irgendein Merkmal, das mir aus meiner Heimat wiederkam; vielleicht weil ich so vieles plötzlich neu lernen mußte, wie man es gewöhnlich nur als junger Mensch tut; vielleicht aber auch, weil ich im Gefolg der Restauratoren von Kunstwerk zu Kunstwerk, von Ort zu Ort zog, ähnlich wie einst mit dem Vater. Auch fühlte ich mich im stillen Umlauf der Blicke, durch den sich die Arbeitenden verständigten und in den auch ich einbeschlossen wurde, für ebenso wichtig genommen wie damals, als ich dem Meister zur Stelle war, der mich zwar selten anblickte, dessen Arm jedoch auf meine sichere Handreichung angewiesen war. Die rasche Verständigung durch den Blick kennzeichnete wohl eher die höhere Stufe, die moderne und technisch bestimmte Abhängigkeit voneinander, und obendrein schien sie mir der lebendige Ausdruck für eine Arbeitsweise ohne Herrschaftsgefälle und ohne herkömmliche Rangordnung zu sein.

Ich mußte mich unterdessen mit einer Reihe von Tätigkeiten vertraut machen, von denen ich seinerzeit bei unseren biederen Ausmalungen wahrhaftig noch nichts geahnt hatte. Zwar hatte ich schon damals davon gehört, daß man Gemälde mit infrarotem Licht bis auf ihren letzten Malgrund ausleuchten und durchmustern konnte. Ich staunte nun aber, mit welch hohem Aufwand an technischem Gerät man inzwischen daranging, Firnisschäden eines Bildes oder aufstehende Farbschollen frühzuerkennen und zu beseitigen; ein Pigment bis in seine Spurenelemente zu verfolgen und zu bestimmen; der Verwerfung eines Holzträgers vorzubeugen, und was es an heiklen Raffinessen nicht noch alles gab. Der Zustand eines Gemäldes wurde nicht minder penibel untersucht als ein menschlicher Organismus. Es gab unzählige Röntgenaufnahmen, Labortests und Früherkennungsdiagnosen. Und tatsächlich waren die Kenntnisse in analytischer Chemie und die Beherrschung der Computertechnik für diese Prozeduren unerläßlich und forderten ihren eigenen Experten ebenso wie die Kunstgeschichte und die Maltechnik. Von allen Operationen die erstaunlichste aber war für mich jene, die aus einem Bild zwei werden ließ. Dies geschah, wenn auf einem alten Meisterwerk ein komplettes zweites, übermaltes Bild entdeckt wurde. Und nun war man wirklich imstande, die beiden Malschichten auf das säuberlichste zu trennen und voneinander abzuheben, so daß der Welt schließlich ein neues altes Kunstwerk geschenkt wurde.

Nun begriff ich überhaupt erst den vollen Nutzen dieser Teamarbeit. Denn der technischen Neuerungen waren so viele und die Erkenntnisse schritten so schnell voran, daß ein einzelner Meister, und selbst der erfahrenste, dies alles niemals hätte zusammenfassen können. Die Leistung aber dieser jungen Männer und Frauen, die jeder auf seinem Gebiet unbestrittene Experten waren, sie verhielt sich zu der braven Arbeit meines Vaters etwa wie die Kunst eines Rembrandts zur Tiroler Bauernmalerei.

Und doch gab es etwas, das diese fortgeschrittenen Fachleute nicht besaßen, etwas sehr Wesentliches, wie mir schien. Ein Bindemittel, das keine Chemie und keine teuren Apparaturen lieferten; eine tiefere Haftung mit dem Kunstwerk, als es seine noch so perfekte Konservierung darstellte. Was ich an ihnen vermißte, war kurzum die ursprüngliche Fähigkeit zur Bewunderung. Hierin war ich erzogen worden und sie war mir selbstverständlich, seitdem ich den Vater zum ersten Mal aufs Gerüst begleitet hatte und an seiner hellen Freude an einem schönen Fassadenornament teilhaben durfte. Mochten seine Mittel auch noch so unausgebildet, sein Geschmack noch so einfältig gewesen sein, diese gründliche Leidenschaft aber, zu staunen und zu bewundern, ist mir früh eingegeben worden. Sie blieb stets das eigentliche Medium, durch das ich ein Kunstwerk überhaupt wahrnehmen konnte, durch das es Einfluß auf meine Sinne und schließlich sogar auf meinen Lebenssinn gewann.

Die Leute vom Team aber hatten oft ein Gemälde oder

eine Plastik bereits langwierig aus dem Schrifttum erkundet und studiert, bevor sie es vor Ort in Augenschein nahmen. Aber auch dort, bei der ersten Begegnung, so schien mir, erblickten sie lediglich das ›Objekt‹, musterten es mit ihren aufs Verdeckte und Unsichtbare erpichten Augen, und niemals ließen sie sich von seinem Glanz, seinem schönen Schein, seiner Größe beirren. Ich glaube wahrhaftig, sie haben niemals die berüchtigten Augen der Vergangenheit zu spüren bekommen. Sie brauchten sich folglich auch nie zu fürchten und durften gelassen ihren Talenten vertrauen.

Nein, sie hatten ihren Meister nie gefunden. Aufgewachsen zu einer Zeit, da man mehr durch kritische Programme als durch erfahrene Menschen ausgebildet wurde, hatte es sie auch nicht nach einem solchen verlangt. Und gerade der führerlosen Erziehung war es ja zu verdanken, daß sie später zu ihrer gerechten Art gelangen konnten, zu dem Bund der Gleichen, in dem keiner die Vormacht über den anderen erstrebte.

Dennoch mußte ich jetzt auch die Verlustseite dieser schönen Selbständigkeit erkennen; denn wo man des Meisters ungewohnt war, dort blieb man auch das Bewundern schuldig, wie es sich doch vor allem Höheren und Vorbildlichen ganz natürlich einstellt. So mußte ich denn bemerken, daß sie offenbar gar kein Gespür für die *Macht* der Werke besaßen, an denen sie hantierten, und oft erschienen sie mir dann wie eine Handvoll emsiger Wichtel, die an den Zehen eines Riesen schnitten, feilten und polierten, in dem festen Glauben, es handle sich bloß um ein verwittertes Gesims. Wehe aber, wenn einmal der Gigant den Fuß erhob . . .

Nachdem ich bald ein halbes Jahr mit den jugendlichen Restauratoren zugebracht hatte, kam mir ihr kühles, geschäftiges Operieren immer fahrlässiger vor, und mein eigener dankbarer Sinn für die Kunstwerke begann Schaden zu nehmen. Ein Umkehr-Erlebnis, wie es nicht ausbleiben konnte, fand dann wenig später auf einer unserer Reisen statt.

Eines Tages, in der Werkstatt des Stockholmer Nationalmuseums. Wir arbeiteten vor dem Gemälde des Georges de la Tour, auf dem der kniende Hieronymus dargestellt ist. Eine der beiden Frauen des Teams war gerade damit geschäftigt, den Grund nach sogenannten Pentimenten abzusuchen, möglichen Skizzen und Vorstudien, die sich unter der Maldecke befinden konnten. Ich fragte sie, von der gewaltigen Wirkung der Tafel ganz benommen, ob sie denn die dringliche Körpernähe des alten, hochgewachsenen Heiligen nicht verlegen mache? Wie zum Riechen nah, dieser nackte, eingefallene Greisenleib dort, mit seinen langen dürren Armen und Beinen! Und gleichzeitig: wie endlos weit von heute entfernt, diese Haltung, die er einnahm, der zur Reue und Selbstgeißlung niederkniende Eremit! Doch gerade als Bußfertiger erschien er erst recht edel, aufrecht, ja siegreich. Ich fragte sie, die fleißige Kollegin, ob sie ebenso wie ich von dem Bild den Eindruck empfinge, daß in der Demut der wahre Menschenstolz liege, daß Schmerz und Entbehrung den reinsten Glanz verliehen, daß gerade der ausgezehrte und dünne Arm doch der beweglichste und zäheste sei, solange er zur Selbstzüchtigung benutzt würde?

Die Tätige hob das Gesicht von der Röntgenröhre und warf einen raschen Blick auf den Vordergrund des Objekts, nur um sich zu vergewissern, ob sie wirklich vor demselben Bild sitze, das ich ihr soeben mehr verheißen als beschrieben hatte. Darauf erwiderte sie, der Maler sei bekannt als ein später Manierist; er habe sich gern theatralischer Beleuchtungseffekte bedient und hierin seinem Vorbild Caravaggio nachgeeifert. In ihren Augen entdeckte ich nichts als Emsigkeit und die Angst, es nicht durchschauen zu können, was ihnen vorgeführt wurde. Wie um sich vor jeglicher Erscheinung des Bilds zu schützen, zog sie sogleich zwei Makrofotografien hervor und erläuterte mir einige Eigentümlichkeiten des Craquelés in der Grundierung, das dem Sprunggitter auf einer getrockneten Schlammhaut ähnlich sah.

Da nun alles in der Gruppe zur freien Aussprache kommen mußte, was sich als Störung oder Unstimmigkeit bemerkbar machte, war jetzt die Reihe an mir, meine Zweifel und Beschwerden offen vorzubringen.

»Mir scheinen unsere Arbeiten«, so erkärte ich, »je minuziöser sie ausgeführt werden, zugleich auch immer oberflächlicher zu geraten. Im wörtlichsten Sinn immer fadenscheiniger machen wir uns die höchsten Kunstwerke, indem wir sie einer radikalen Durchsicht unterziehen. Immer weniger bemühen wir uns, ihre gewichtige Gegenwart zu erkennen, ihre Schönheit zu würdigen. Zwar stellen wir unsere Auftraggeber sehr wohl zufrieden, und weder die sogenannte Fachwelt noch der öffentliche Geschmack haben irgendetwas gegen uns einzuwenden. Es wird ja nicht mehr verlangt, als wir zu bieten haben. Nur die Werke selbst und ihre Meister sind keineswegs zufrieden mit uns. Das spüre ich nicht zum ersten Mal. Oft genug widersetzen sie sich unseren ausbessernden Techniken und hinter der erfrischten Lasur habe ich so manches Mal das wiederhergestellte Werk eine schmerzliche Fratze schneiden sehen. Denn unsere modernste, behutsamste Pflege fügt ihnen doch etwas Unstimmiges zu, eine Unvollkommenheit, von der sie sich nie wieder befreien können. Weil wir ihren Geist verfehlen. Weil wir sie rein äußerlich behandeln.

Nein, wir vollbringen wahrlich keine Meisterleistungen. Niemand von uns versieht etwas Großartiges. Es ist ja auch gar nicht möglich, denn keiner kann und darf seine Fähigkeit über den gemeinsamen Verbund erhöhen. Wir denken und sehen, wir handeln und wünschen in einem umschlossenen Ausgleich der Talente. Dies führt aber nicht nur zur nützlichen Verteilung des Fachwissens, sondern auch zum mittleren Ausgleich von Intelligenz und feinerem Gespür. Und damit verhindern wir schon im Keim, daß sich ein Außenseiter, ein Vorkämpfer herausstellen könnte, ein irgendwie abweichender Charakter, ein regelverletzendes und dadurch kühneres Talent. Wir sind unterdessen so tüchtig geworden und so gerecht aufeinander bezogen, daß wir die überlegene Größe, wenn wir ihr gegenübertreten, gar nicht mehr anzuerkennen, ja vielleicht nicht einmal mehr zu *erkennen* in der Lage sind. Ein gefährlicher Höhenrausch unserer gutangepaßten, zeitgemäßen Intelligenz täuscht uns allzu leicht über unsere wahre Dürftigkeit hinweg. Er schwindelt uns vor, wir befänden uns tatsächlich zu gleicher Ebene mit dem anfälligen Werk, das wir kurieren, aber eben doch bloß behandeln und befingern, das wir mit ein paar tüchtigen Kniffen wiederherstellen. Aber wir sind und bleiben trotzdem ahnungslose Gesellen. Und gerade da, wo uns die Arbeit am reinsten gelingt, haben wir uns doch bloß als geschickte Fälscher erwiesen!«

Mit diesen Worten versuchte ich die Gemäßigten aufzurütteln und ihr patentes Gewissen zu stören. Aber so leicht ließ sich die Runde nicht aus dem Gleichgewicht bringen. Wieder sahen mich ringsum diese großen, gutmütigen Augen an, und ich meinte fast, sie wollten mich in das Zeitalter einer neuen Unschuld, gemischt aus Vergeßlichkeit und Perfektion, still hinüberholen.

»Wir haben schon seit längerem beobachtet«, antwortete schließlich einer von ihnen, »daß dir das Frühere, Vorbildliche und Meisterhafte oft bedrückend groß erscheint. Das kann doch nicht gut und nützlich sein. Vielleicht rührt es aber daher, daß du dir immer noch keinen sicheren Platz in deinem Leben zugemessen hast, von dem aus du mit Sachverstand und ruhigem Selbstbewußtsein den ›Größen‹, auch den althergebrachten Kunstwerken und Kulturgütern, gewissermaßen antworten kannst. Du suchst wohl immer noch nach einem solchen Platz, jedoch vermutest du ihn beharrlich in einer Ordnung, die im Ganzen längst dahingeschwunden ist und auch niemals wieder erneuert werden kann. ›Der Meister‹, so gut und teuer es klingt, er wird indes nicht mehr hervortreten und dich bei der Hand durchs Leben führen. Und auch die Kunstwerke selbst werden dir deinen Stand in der Welt nicht zuweisen. Es besteht im Gegenteil die Gefahr, daß dir das Alte und Schöne nur immer übermächtiger, ja bald schon als ein düsteres Gottgleiches erscheint, je ortloser du dich nämlich selber befindest und je länger du einem *Dienst* hinterherrennst, den es nicht mehr und nirgends zu versehen gibt, da eine vernünftige und hochqualifizierte *Arbeit* inzwischen denselben Zweck weit besser erfüllt: nämlich das Kunstwerk am Leben zu erhalten. Wir glauben im übrigen, daß jede Zeit, wenn sie zur lebendigen Überlieferung denn überhaupt fähig ist, sich ihr eigenes Gelenk oder Organ zu solchem Transport ausbilden wird und muß. In unserer Vereinigung haben wir zum Beispiel nicht nur ein hohes Maß an einzelnen Fertigkeiten erreicht, sondern insgesamt auch einen *Geist* hervorgebracht, den wir nicht geringer zu schätzen brauchen als den eines früheren, einsamen Meisters, jedenfalls solange von der handwerklichen Seite der Kunst die Rede ist, und an der schöpferischen haben wir ja keinen Anteil. In unserem Leben wie in unserer Tätigkeit haben wir eine komplexe, vielteilige und organisch bewegte Konvention geschaffen – auch eine solche ist schließlich ein ›Kulturgut‹ – und können es darin sehr wohl mit einem Gefüge aufnehmen, in der ›jedes Ding an seinem Platz ist‹, wie du es offenbar nur in der altertümlichen Rangordnung verwirklicht findest. Unsere Ordnung ist ausgefeilter und schwieriger als die alte, sie wird jedoch den Anforderungen einer rasch veränderlichen Außenwelt besser gerecht, und durch diese bewegliche Passung erfährt dann auch der Einzelne seine wichtigste Stärkung und

Erweiterung. Wir glauben aber, daß deine eigentlichen Vorbehalte gegen uns in etwas ganz anderem begründet liegen. Du hast stets die Werke in ihrem schöpferischen Kern aufspüren und nachempfinden wollen, ja du wolltest sie geradezu durch dich selbst noch einmal entstehen lassen. Daher hast du in unserem Restaurieren nie allein das nüchterne Handwerk, sondern immer gleichsam eine künstlerische Nachfolge-Tat erblicken wollen. Dies aber ist weder der Traum noch etwa der verdrängte Ehrgeiz unserer Arbeit.«

Ich hatte ihnen nun ebenfalls aufmerksam zugehört und doch bald festgestellt, daß es eigentlich nicht mehr darauf ankam, sich zu verständigen. Ich hatte mich innerlich schon zu weit von dem Team entfernt. Nichts von dem, was man mir entgegenhielt, mochte mir jetzt noch recht einleuchten. Daher zögerte ich nicht lange und stellte ihnen gleich meinen Entschluß vor, von ihnen fortzugehen, so versöhnlich wie es die Regeln ihrer Gemeinschaft geboten. Als sie es hörten, zeigten sie sich weder besonders überrascht noch versuchten sie, mich umzustimmen. Hingegen hatten sie mir einen Vorschlag zu unterbreiten, der nun wiederum mich in beträchtliche Verlegenheit versetzte. Sie meinten, daß ich mich ohne weiteres und zu jedem beliebigen Zeitpunkt von ihnen trennen könnte; jedoch sollte dies, nach allem, was uns zusammengeführt und beieinandergehalten hatte, nun nicht so billig und formlos geschehen. Vielmehr wollten sie mir – als Abschiedsgeschenk, als Meisterprüfung – einen kleinen Auftrag überlassen, der vor kurzem eingegangen war und den ich nun einmal ganz selbständig, ohne jede fremde Mithilfe ausführen sollte. Es handelte sich um eine geringfügige, jedoch nicht reizlose Arbeit, die ich, wie sie meinten, inzwischen leicht alleine würde bewältigen können. Im Stuttgarter Neuen Schloß, das zu Teilen einst von dem bayrischen Freskomaler Zick ausgestaltet worden war, sollte eine einzelne Sopraporte, ein Rahmenfeld über der Saaltür ausgetauscht werden. Es war nach dem Krieg aufgrund einer falschen Vorlage neu bemalt worden und sollte jetzt sein ursprüngliches Motiv zurückerhalten.

Nun war ich aufgefordert, einmal nach meiner Denkweise zu verfahren, mich ganz dem Vorbild eines immerhin würdigen Barockmeisters zu unterstellen und es gehorsam nachzuschaffen. Ich wußte zuerst nicht, wie ich über dies schwierige Angebot entscheiden sollte. Zum einen fühlte ich mich bei meinem Ehrgeiz gepackt, zum andern auf mein mangelndes Selbstvertrauen zurückgeworfen. Doch nach einer kurzen Bedenkzeit stand es dann fest: ich konnte nicht anders, ich mußte einwilligen. Ich war bereits viel zu aufgeregt mit der Sache beschäftigt, als daß ich mich auf triftige Gründe, es nicht zu tun, überhaupt noch hätte besinnen können.

Wenig später traf ich dann in Stuttgart ein, versehen mit Empfehlung und Befugnis, die mich dem zuständigen Beamten der Denkmalspflege als ein bewährtes Mitglied des angesehenen Kollektivs auswiesen. Sogleich wurde ich freundlich und respektvoll in Empfang genommen und zu meiner Aufgabe hingeführt. Der Saal, in dem die Sopraporte auszutauschen war, wurde unglücklicherweise von einer prunkvollen Deckenmalerei beherrscht, ebenfalls ursprünglich eine Arbeit von Zick und nach dem Krieg, jedoch nach der richtigen Vorlage, wieder neugemalt. Die Restaurierung war im ganzen ordentlich ausgeführt, wenn sie auch den neuesten Anforderungen an Farbbestimmung und Lichtwert kaum genügen konnte. Es handelte sich eben um eine typische Wiederherstellung im Stil der späten fünfziger Jahre. Sie konnte mir keinesfalls zur Anregung dienen. Im Gegenteil, es würde eher hinderlich sein, eine solche mittelgute Nachahmung beständig über dem Haupt zu haben. Ich entschloß mich daher, dem Meister zunächst einmal dorthin zu folgen, wo seine Werke noch in einem besseren Originalzustand erhalten waren. Ich besuchte also die Klosterkirche zu Wiblingen bei Ulm und andere Kirchen in der näheren Umgebung, die er ausgemalt hatte. Je länger ich mich mit den Zickschen Fresken befaßte, umso schwieriger stellte sich mir mein Auftrag dar. Ich erkannte jetzt doch, daß auf dem Deckengemälde des Saals die wahren Spuren des Meisters stark verwischt waren, und dieser zweifelhaften Nachahmung wollte und durfte ich mich keinesfalls anschließen. Zum anderen hatte ich aber auch zu beachten, daß die kleine Secco-Malerei über der Tür nicht allzu fremd und auffällig gegen die Decke abstach. Natürlich konnte ich nicht hinter die modernste Entwicklung der Kopistentechnik künstlich zurückgreifen, und zuerst einmal mußte das vormalige und ursprüngliche Rahmenbild mit aller Raffinesse zur Erscheinung gebracht werden, bevor man irgendwelche Angleichungen vornehmen würde. Ich brauchte nicht weniger als zwei Wochen für meine gewissenhaften und zunehmend ängstlichen Vorstudien, bis ich schließlich eines Morgens mit fertigem Karton den Schloßsaal betrat, wo bereits das Gerüst aufgebaut und die Wasch- und Farbtöpfe vorbereitet waren. Barfuß, nur in Jeans und Kittelhemd, begab ich mich also an meinen Arbeitsplatz und stand nun, eine Frau bald in ihren mittleren Jahren, zum ersten Mal vollkommen allein an einer solch erhöhten Stelle. Da war kein Vater mehr, kein sonstwie Vertrauter, der mich hätte anleiten, den ich um Hilfe oder Rat hätte fragen können. Nur dieser seltsame Beamte, den man mir zur Seite gestellt hatte, lungerte dort unten im Saal herum, schwieg immerzu, drückte sich an eine Fensterbrüstung und entließ mich nicht aus seinem undeutlichen, verplierten Blick. Zunächst hatte ich das vorhandene Medaillon, eine ländliche Szene mit Einsiedelei, aus dem von einem Girlandenrelief umgebenen Feld abzutragen und auszuwaschen.

Solange ich damit beschäftigt war, hatte ich keinen Zweifel, meine Aufgabe richtig angepackt zu haben und sie Zug um Zug gut bewältigen zu können. Meine eigne Hand, die, wie mir schien, sich behutsamer und erfahrener verhielt, als ich selbst es eigentlich sein konnte, ermutigte mich, und meine Arbeit gewann ein sicheres Profil. Nachdem aber die zierliche Malerei einmal verschwunden war, das Rahmenfeld gänzlich bereinigt, der nackte, stumpfe Mörtel hervortrat, da ergriff mich mit einem Mal ein furchtbarer Schwindel. Wie ein erloschener Spiegel sah es mich an! Es war weg. Vor mir war nichts mehr – und ich war nichts. Ich dachte: du kannst nichts dafür geben, du kannst nichts an seine Stelle setzen! Jetzt wurde es unruhig und wild in meinem Kopf. Frau Puppe, Frau Zorn, Frau Nord schrien mich an. Morris Louis schrie. Ich dachte: du bist wieder nur hergekommen, um zu vernichten, um auszulöschen und wegzunehmen. Du kannst nichts dafür geben!

Ich zitterte, meine Knie wurden weich, ich mußte mich auf das Brett setzen. Ich stocherte zum Schein in den Farbtöpfen herum, damit der trübe Beamte bloß keinen Verdacht schöpfte. Ich mußte schließlich den Eindruck erwecken, mit Sorgfalt, doch mit geringer Mühe eine solch harmlose Routinearbeit erledigen zu können. Um meine Verwirrung zu verbergen, griff ich zum Karton und tat so, als hätte ich noch etwas am Entwurf zu verbessern. Dieser – nämlich die alte Zicksche Vorlage – zeigte ein Puttenpaar am Flußufer, dahinter Gebüsch und Baum, dann eine weitere Amorette mit Pfeil und Bogen. Ein denkbar anspruchsloses Motiv. Zunächst aber mußte ich eine helle Grundierung auftragen. Ich erhob mich also und wollte wenigstens den nackten Mauerfleck bedecken. Doch kaum stand ich wieder vor dem leeren Medaillon, da befiel eine starre Lähmung meinen ganzen Körper. Es war, als wäre ich eingemauert. Ich konnte nicht mehr den Arm erheben, um bloß den Grund zu verstreichen. Das kahle Auge gaffte mich an. Plötzlich hörte ich den Vater reden, und sein tröstlicher Ton wurde mir fürchterlich ... »Sieh nur! Nichts gleicht den Farben im späten Herbst. Und doch genügt es den Menschen nicht, dies Wunder still zu betrachten. Sie wollen's sich selber zusammenmischen. Ja, die Maler möchten sogar noch viel mehr tun, sie möchten unserer bunten Lebenswelt noch etwas Einmaliges, Unvergleichliches hinzufügen. Und darauf kommt es auch an, mein Kind. Man muß dies Leben vielleicht nicht lieben, aber man muß ihm doch Gestalt abgewinnen. Das, was wir selber machen, macht dann im Gegenzug uns ...«

Ich konnte nicht länger in diesen Nichts-Spiegel blicken. Ich stieg vom Gerüst und erklärte dem Beamten, daß ich noch eine besondere Farbe auftreiben müsse und erst am nächsten Tag meine Arbeit fortsetzen könne.

In der Nacht hatte ich einen merkwürdigen Traum. Ich lag vornübergebeugt mit dem Kopf auf einer Tischplatte. Es hatte wohl vor langer Zeit ein großes Fest stattgefunden in diesem Saal, und allerlei Ungeziefer kroch über mich hinweg. Dann kam ein Maikäfer. Er flog mir ins Haar. Mein Kopf war aber mit bunten Luftschlangen und Konfetti bedeckt. Das Haar war von über mir ausgeschütteten Getränken verklebt. Der Käfer verwickelte sich darin und blieb stecken. Ich riß ihn mit einem großen Bündel von Haaren und Papier vom Kopf. Ich ging zum Fenster und warf ihn hinaus. Es war aber plötzlich der vierte Stock meiner Wohnung in Rheydt. So verklebt und beschwert wie er war, konnte der Käfer nicht fliegen und stürzte hilflos in die Tiefe. Erst kurz vor dem Aufprall auf dem Trottoir gewann er plötzlich seine Flugkraft wieder. Jetzt erhob er sich langsam in die Höhe und flog, in dem Bausch von Luftschlangen und Haaren immer größer werdend, hinauf zu meinem Fenster. Ich stand aber mit dem Rücken gegen die Fensterbank gelehnt, so wie der Denkmalspfleger den ganzen Tag über. Hinter mir tauchte nun ein riesengroßes und gewaltiges Insekt vor der Scheibe auf. Es stieß immer wieder dumpf und pelzig gegen das Glas. Es will nur mit dir schmusen, sagte der Traum, und es stupste wirklich mit seinem grauen Maul gegen die Scheibe wie ein bettelnder Hund. Als ich mich aber zu ihm umdrehte, da erfaßte mich sein fußballgroßes, tausendfach gefeldertes Seitenauge und ich sah die entsetzliche, zerstückelte Gestalt, die es von mir wahrnahm.

In den frühen Morgenstunden des nächsten Tags, noch bevor der Beamte eingetroffen war, stand ich wieder auf dem Gerüst und trat mit traumverhangenem Gesicht ein weiteres Mal vor das ausgeleerte Türfeld. Doch jetzt, als hätte ich das Schlimmste überwunden, konnte ich auf einmal *rücksichtslos* zu Werk gehen. In einem Zug trug ich den weißen Grund auf, verdeckte das Nichts und begann mutig zu schaffen. Als die Schicht getrocknet war, hinderte mich nichts mehr, den Karton anzudrücken und den Entwurf in seinen Umrissen auf die Wand zu pausen. Als bald darauf der Beamte erschien und mich so fortschreitend arbeiten sah, nickte er zufrieden und schmunzelte, als hätt er's nicht anders kommen sehen. Die Hemmung war durchbrochen! Ich empfand es so. Nun konnte ich endlich tun, geben, schaffen, die Leere füllen. Mut und Geschick trugen mich immer weiter, und bald schon hatte ich den Fluß, das bewaldete Ufer, Himmel und Hintergrund ausgemalt und zögerte auch nicht, zum Schluß den verliebten Kindern und dem Amor das heikle Inkarnat aufzulegen. Doch erst als ich auch dies ausgeführt und den letzten Strich beendet hatte, da verließ mich mein Hochgefühl und ich sah, was ich angerichtet hatte. Der Hautton zumindest war mir vollkommen mißglückt. Er war einfach gräßlich. Kann man sich einen Amor mit aschfahlem Teint vorstellen? Vielleicht war er nicht unbedingt aschfahl, aber doch im tiefsten leblos, grau, todkrank. Ich wusch die Figuren säuberlich ab und versuchte es mit verbesserter Farbmischung ein zweites Mal. Es gelang mir wieder nicht. Ein Fleischton, der einem Furcht und Erbarmen einjagte. Je häufiger ich aber korrigierte, umso schlimmer wurde es. Die Kluft zwischen der heiteren Farbe, wie sie doch vor mir im Topf lag, und der düsteren Ermattung, die sie beim Auftragen erfuhr, wurde immer tiefer. Es war vollkommen aussichtslos. Immer höhnischer grienten mich die Verfehlungen an. Ich wußte nicht mehr, was ich anstellen sollte, um dies zarte Kinderfleisch zum Leben zu erwecken. Und die Verhinderung war jetzt so schlimm, daß ich nichts Ungefähres mehr vortäuschen konnte. Nach einem letzten, schon halb irrsinnigen Versuch gab ich schließlich auf. Ich stieg vom Gerüst, ging zu dem Beamten und erklärte ihm, daß ich mit meiner Aufgabe nicht fertig würde und sie nicht beenden könne. Ich sagte das unumwunden und kurz, und es war auch mein letztes Wort, mit dem ich die langen und vergeblichen Bemühungen, im Kraftfeld des Kunstschönen auszuhalten und überwältigt zu leben, ein für allemal abschloß. Ich schlich mich davon.

Das Team hat, was ich hinterließ, die ausgeglichenen Fünf haben es später mühlos begradigt, und nach weniger als einem halben Arbeitstag befand sich die Sopraporte, die hübsche Kleinigkeit, harmonisch angepaßt an ihrem vorgesehenen Platz.

Ich setzte mich dann vor eine Bar, draußen auf den Bürgersteig, wo Tische, Stühle und Sonnenschirme aufgestellt waren, denn es war ein warmer Tag.

Auf der anderen Straßenseite schien ein Kiosk oder eine Baracke vor kurzem niedergebrannt zu sein. Auf der freistehenden Mauer des angrenzenden Hauses erhob sich eine Rußfontäne, der schwarze Widerschein einer gewaltigen Explosionsflamme. Darunter standen drei Container, überladen mit Sperrmüll. Dies war mein Ausblick, als ich unter dem Cola-Schirm saß wie am Strand und einen Eistee trank.

Vor mir eine Woge Ruß, als hätte Morris Louis seinen größten Überschwang gemalt. Kein Auto, kein Fußgänger kam hier vorbei. Die Nebenstraße der Nebenstraßen. Aber die Bar freundlich, wie es schien, freundlich und hell im Innern.

Hier beendete die schöne Niedergeschlagene ihre Erzählung von sich selbst.

Keinem von uns, nicht einmal dem eiligen Reppenfries wäre es nun eingefallen, der verhaltenen und schmerzlichen Bekundung der Almut gleich etwa sein eigenes Meinen und Glauben hinterherzuschicken. Sie hatte vielmehr einen wie den anderen sehr nachdenklich gestimmt. Jeder von uns drei Männern, die wir unsere Bekundungen bereits vorgebracht hatten, erkannte nun wohl, daß diese Frau ihn an Tiefe des Drangsals und Klugheit des Gefühls zweifellos übertraf. Wenngleich sie auch nur von einem einzigen traurigen und unabänderlich traurigen Standpunkt aus ihre Geschichte erzählt hatte. Doch in ihrem Nachhall konnten wir vorerst nur schweigen. Dabei wäre es wohl auch noch eine ganze Weile geblieben, wenn nicht in den nächsten Augenblicken Paula und Dagmar, die beiden Frauen des Sanitäters, die sich so lange von uns entfernt gehalten hatten, aufgeregt herbeigeflattert wären. »Hört ihr's nicht? Hört ihr denn nichts?« rief Paula, die Schwägerin, schon gleich wieder entrüstet. »Ihr mit euren muffigen Bekenntnissen im Morgengrauen! Sperrt doch die Fenster eurer trüben Seelen auf und laßt ein bißchen frische Ferne herein!«

»Wollt ihr nicht endlich einmal euer faules Ohr an den Wind heben?« tat es ihr, schwächer, die gutmütige Dagmar nach, »ihr könnt wohl nicht mehr die einfachste und anmutigste Weise des Herzens vernehmen?«

»Nun seid aber endlich still«, polterte jetzt der Sanitäter, »oder erzählt uns nicht dauernd von irgendetwas Luftigem, auf das wir achten sollen, und gleichzeitig übertönt ihr's mit lautem Geschwätz!«

Nun erst, als alle still waren, konnten wir tatsächlich etwas hören. Ein sachter Gesang ... In zögernder Strömung kam er durch den bleichen Morgen, an- und abschwellend wie ein uraltes Radio, in Schwaden und Teilen zog es zu uns herüber. Aus dem abgelegenen wilden Garten mußte es kommen, von weit hinter den Bosketten und barocken Spielplätzen. Ein langer, aufzählender Singsang schien es zu sein, kein kurzgefaßtes Lied. Eine vor sich hin gesungene, eintönige Melodie, gleichsam ohne Anfang und ohne Ziel.

> Komm, o Freund, und suche mich.
> Geh in die Irre, so wirst du mich finden.
>
> Schon wäscht der Tau die staubigen Blätter.
> Der langschwelende Dämmer erlischt.
> Bald wird es Tag, leicht und klar.
> In dünne Sonne getaucht. Wie geschaffen
> Für den Ausschau haltenden Mann!
>
> Ich bin die Blüte unter dem Strauch.
> Ich bin der Mund am Stein.
> Ich bin der Blick vom Grund.
>
> Ich bin unverständig und klug.
> Ich bin schamlos und verhüllt.
> Ich bin die Frucht und die Hälfte.

»Es ist die Stimme der Briefsortiererin«, stellte Reppenfries nüchtern fest. »Doch was sie da singt, hört sich beinahe an wie das Rätsel der Sphinx.«

»Yossica!« rief ich mit einem unwillkürlichen Seufzer, denn ich erinnerte mich betrübt an die grobe Behandlung, die sie vorher durch den Sanitäter erfahren hatte, und war nun froh, daß sie sich, wenn auch in ungewisse Entfernung, so doch nicht gänzlich von uns begeben hatte.

»Na endlich!« setzte mir daraufhin Paula zu, »endlich merken Sie etwas. Sie sind es doch! Sie, nach dem sich ihr stundenlanger Gesang ausstreckt.«

»Ich? Aber . . .?« fragte ich verwundert und blickte den Modernen an, den ich viel eher für den Angerufenen hielt.

»Wer denn sonst als Sie?« erklärte dieser aber und zuckte mit den Achseln.

»Sie wollen doch jetzt nicht behaupten«, mischte sich Dagmar ein, »daß Sie die ganze Zeit über, als die Kleine noch bei uns stand, die auffälligen Zeichen ihrer Zuneigung nicht bemerkt hätten?!«

»Nein!« erwiderte ich mit bestem Wissen und Gefühl, »davon habe ich wahrhaftig nicht das geringste bemerkt. Solange wir hier in Sichtweite, in greifbarer Nähe nebeneinander standen, hat es jedenfalls nie das leiseste Knistern zwischen uns gegeben.«

»Dann hat sich's eben erst bei äußerster Hörweite ergeben!« brummte der Sanitäter, »kurz vor der Schallgrenze hat's dann heftig zu knistern begonnen zwischen euch beiden.«

»Nun machen Sie schon!« drängte mich Paula, »und beeilen Sie sich! Suchen Sie das Mädchen. Ich glaube gar, es hat sich drüben im wilden Garten, weit hinter dem Labyrinth und dem Kegelspiel, hilflos verirrt . . .«

In diesem Augenblick aber geschah etwas vollkommen Unerwartetes, so daß wir uns alle in *einer* Wendung auf dem Absatz herumdrehten und Yossica fürs erste aus dem Sinn verloren. Was wir nun erblickten, ließ unseren Atem stocken. Nie hatten wir während des ganzen ausstehenden Morgens den gewaltigen Königspalast in unserem Rücken sonderlich beachtet; er war etwas, das unbelebt und wie in grauer, dumpfer Erinnerung hinter uns lag. Mit jedem Gedanken und jedem Blick hatten wir uns über die Terrasse zum Park gewendet, denn in dieser östlichen Richtung schimmerte zumindest der Vorschein einer Dämmerung, und wenn überhaupt, so war allein von dort irgendwelche Ankunft zu erwarten. Jetzt aber glaubten wir unseren Augen und Ohren nicht zu trauen, als sich das erhabene bronzebeschlagene Portal hinter uns mit uraltem Knirschen und Scharren auftat. Ein Schwall kühler, modriger Luft quoll aus der inneren Halle hervor. Eine Totenstille streckte sich lang nach vorne aus. Dann plötzlich setzte ein Trommelwirbel ein, er verebbte in leisem Rühren, er brach wieder ab. Kurz darauf folgte mit niederkrachendem Sturm das Solo eines Rockschlagzeugs, ein Ausbruch von unbändigem Trauerzorn. So wechselten militärische Ehrbezeugung und jugendliches Entsetzen einige Male hin und her, und für uns bestand nun kein Zweifel mehr, daß mit solchen Signalen das königliche Bestattungszeremoniell feierlich eröffnet worden war. Die Stunde war also gekommen, der Großmächtige wurde hoheitlich zu Grabe getragen. Zuvorderst erschien ein weicher Jüngling mit blondem Pagenschopf und im schwarzen, mittelalterlichen Rock. Er hielt die Standarte des Herrschers mit ausgestreckten Armen in die Höhe und schritt in gestochenem Maß und Takt heraus auf die Terrasse. Ihm folgte in einigem Abstand der geschliffene Block der Banner- und Fahnenträger, aber auch der Wimpel-, Emblem-, Abzeichen- und Signet-Behafteten, welche alle einstanden für Länder und Provinzen, für Vereine, Verbände, Genossenschaften, Clubs und Freundeskreise, die sich dem Gewaltsamen unterworfen hatten oder zuinnerst verpflichtet fühlten. Darauf nun eine doppelte Reihe von Knaben und Mädchen, die auf seidenen Kissen Reichsinsignien, Geschmeide und kostbare Dokumente sowie etliche Grabbeigaben dem Sarg voraustrugen; Kinder, die sich mehr durch tapfere Nachahmung als durch innere Ergriffenheit dem schweren Schritt des Umzugs anpaßten. Der prunkvolle Sarg, der nun aus der Halle, dem

Tor herausgetragen wurde, geschultert von acht Getreuen, die nur mit kleinsten, schlurfenden Schritten vorwärts kamen, flankiert von einer Ehrenstaffette höchster kirchlicher und staatlicher Würdenträger – der Sarg enthielt nun wirklich, denn dies war kein leeres Schauspiel, den Kadaver des größten Frevlers und schlimmsten Deutschen. Da lag er aufgebahrt und fügte sich friedlich in die engen Grenzen des Kastens, als hätt er niemals über Länder und Völker ausgegriffen, als hätt er seine Untaten bloß still und furchtbar geträumt. Aus dem vormals rotfleckigen, schlagflüssigen Kopf war jegliche Farbe gewichen. Auf dem purpurnen Bahrkissen lag ein mondblasses, erdrücktes Gesicht.

In gemessenem Abstand folgte dann erst die Familie des Herrschers, angeführt von des Königs Mutter, der Gemahlin mit ihren Kindern und den nächsten Verwandten. Ihnen schlossen sich an die Spitzen des Militärs, der höheren, mittleren, niederen Beamtenschaft; sodann das graue Heer der Ratgeber und Fachleute, der Diplomaten und Bevollmächtigten, der Abgesandten und Parlamentarier, alles nach Amt und Rang gestuft, wie das öffentliche Protokoll es vorsah. Bis hierhin behielt das Geleit Form und Gepränge, wie es bei Bestattungen von Oberhäuptern, Führern, Regierungschefs, je nach Landessitte, allgemein üblich ist. Bis hierhin jedenfalls schritt die versammelte Menge in Reihe und Riege, in Fügung und Folge. Was nun aber sich anschloß, bildete den sonderbarsten, den verkehrtesten und zugleich wahrhaftigsten Leichenzug, der wohl jemals in deutscher Geschichte erblickt wurde. Denn hinter dem letzten Schergen des alten Regimes strömte nun gleich die schlichte Nachwelt hinterdrein, quoll jene herrenlose Gesellschaft durch das Portal, welche vom bittersten Erbe des Frevlers belastet, nämlich die *unsere* war, die ungefüge, die mutlose und unverschämte, die reiche und ausgezehrte, offene und heimtückische, verrückte und biedere, tatenlose und überbeschäftigte, freie und durch und durch befangene *Gesellschaft*. Eine unüberschaubare Menschenmenge drängte wohl noch auf der Westseite zum Palast vor und schien weit über die vordere Auffahrt hinaus die umliegenden Felder und Wiesen zu bedecken. Nach den Wappen und Standeszeichen kamen nun gleich die Transparente und Plakate, wurden die Mahnbänder und Schimpfbanner hochgehalten, und die schnell sich wandelnde Gesellschaft ersetzte die Treue durch den Protest. Wo aber vorn die Rangfolge und das starre Etikett die Geleitordnung beinah von selber schufen, da galt unter den Nachfolgenden scheinbar alles gleich und hielt sich bunt nebeneinander. Doch in Wahrheit fand sich auch unter ihnen eine regelmäßige Anbindung der Kräfte, denn es herrschte hier ein weitgestaffeltes Aufeinander-fixiert-Sein und durchformte ihre Reihen, eine halb unbewußte Abhängigkeit war an die Stelle der offenen Stufung, der erklärten Achtung oder Feindschaft getreten. Da klebte förmlich am Rücken des allerletzten Offiziellen des alten Reichs eben der erste aus dem neuen Lager der modernen Gewissensmacher, der kritischen Aufräumer und Durchleuchter. Diese nämlich bildeten den unmittelbaren Anhang zu der feierlichen Prozession und sie zeigten auch noch eine verhältnismäßig strenge Ausrichtung und Formation. Jetzt aber machten sie ernste und bittere Gesichter. Denn der dahingeschwundene Geist beraubte so manchen von ihnen nicht nur der Moral und der Kritik, sondern oft auch der schieren Erwerbsgrundlage. Sie erkannten wohl nun ihre verzweifelt abhängige Lage und spürten das ganze Unglück einer verdrehten Hörigkeit des Widerstands vom Gegenstand, die sie stets daran gehindert hatte, einen einzigen kühnen Gedanken zu fassen. Unablässig nur mit dem Ungeist beschäftigt, hatten sie selbst schon eine recht geisttötende Intelligenz um sich verbreitet und waren eigentlich nur noch in der Lage, Andersdenkende zu bezichtigen, aufzuspüren und zu umzingeln. Auf diese Musterdemokraten und Berufsantifaschisten waren zwei Gruppen zumeist jüngerer Menschen fixiert, die ihnen denn auch gleich auf dem Fuße folgten. Die einen waren die entschieden Gleichgültigen, die freiweg erklärten, sie ließen sich ihr Leben keinesfalls ans Kreuz von 1933 nageln, und sie trotteten leichtgewichtig und gelangweilt hinter den kritischen Vätern einher, die für sie weder als Vorbild noch als Schreckbild recht zu gebrauchen waren. Die anderen hingegen, weitaus säuberlicher fixiert und anhaftend, hatten im Anti-Gewinde noch eine weitere Drehung vollzogen. Ihnen gefiel es, ihre Vorgänger, die sie für hohle Gesinnungstöner hielten, mit neubarbarischen Provokationen aufzuscheuchen und in flatterhafte Aufregung zu versetzen, was ihnen meist auch ohne viel Witz und Mühe gelang. Derart war also der schlimmste Deutsche durch eine lange Kette von Unfreiheiten verbunden den Nachgeborenen bis ins dritte und vierte Glied. Und diesem Verhängnis entsprach es, daß nun in den weitläufigen Zeit-Raum des zögernden Morgens mehrere Geschlechter und mehrere Generationen einzogen und dem Herrscher, willens oder unbewußt, das letzte Geleit entboten.

Einige gingen dabei nüchtern und unverkleidet, andere taten's vermummt und zeigten sich in alltäglichen Allegorien. Und alles durcheinander floß wie ein breiter trübseliger Karneval dahin. Die hoheitliche Trauer troff, fädenziehend, zu traurigen deutschen Fest- und Feiertagen ab.

Vatertagsreisende, Veteranen-Rebellen, Ur-Antis in gestreiften Turnertrikots, mit der Kreissäge und am Handgelenk das Ledertäschchen, auf Leiterwägen mit Aluminiumbierfässern und auf dem Rücken halsunter festgeschnallt die Magnumflasche voll Cognac, aus der dann der Nachläufer, der Hintermann zapfte; so torkelte der Haufen ›Väter‹ im Zug. Auf sie fixiert voller Hohn und Abscheu die jungen Kachel-Kühlen, die Radikal-Narzißten, die Paradiesvögel der Hygiene, Walkman-Tänzer, unansprechbar, elektrisch zuckend. Nahebei, doch abgetrennt, die redseligen Selbstverwirklicher, denen ein Außerirdisches leuchtet am Ende des Tunnels: ihr Ich numinos. Sie umspielend, kaum einzudämmen, die Flut der Flauen, in brüderlicher Laschheit wogend, gigsendes Lachen im Cola-Rausch; in ihrer Mitte, allen zuteil, allen zupaß, Deborah, der Kinderstar; Nymphe mit Knautschgliedern, selig schwimmend in der eigenen Gestalt, übergelenkig und anfaßsüchtig, lachendschleckend und dabei so biegsam, daß sie aus jeder Umarmung herausrutschte. Verdrossen kämpften sich da zwei alternde Kitafrauen durch das Gewühl der Netten und Adretten, zwei autonome Matronen in T-Shirt und knöchellangem Gipsyrock, und hinter ihnen auf ihrem Revolutionskarren voller Winzlinge mußte dauernd einer Pipi machen und sie wurden's nicht müde und gruben den Knaben ›deinen Penis‹ aus dem Höschen.

Um wieviel getragener ging es aber zu, als nun die Großen Gesinnungen erschienen; als die Allegorien, die Genien der menschheitsbeglückenden Politiken auf ihrem hohen düsteren Festwagen heranfuhren, groß aufgemacht, in kostbaren schwarzen Pomp getaucht. Jedes mächtige Ideal hatte sich bei seiner übermächtigen Schattenseite untergehakt, jede lausige Praxis hielt sich an ihre güldne Theorie. So kam der Kapitalismus am Arm der erbarmungslosen Zerstörungswut, der Marxismus am Arm der finsteren Knechtschaft; in ihrer Mitte aber, ein höhnisches Gerippe, gab Meister Fortschritt den Takt vor, dem beide – unter dem Wahlspruch: der eine tut, der andere weiß das Falsche – sich willig anbequemten. Des weiteren traten in den milden Abschiedsreigen: der Reformeifer, der gutsinnige, mit der frechen Vergeßlichkeit als Partnerin; der Konservativprophet mit seiner Herrin Verächtlichkeit; der Nationalstolz mit seiner haßsüchtigen Schwester gleichen Namens; und schließlich der hochaufgeschossene Friedensengel, der keinen Partner fand und sich beständig um sich selber drehte.

Nach diesen ausgewählten Abstraktionen, den erhöhten Figuren auf rollendem Podest, nun wieder zu Fuß die breite Menge, Volk durcheinander, ohne Maske und Stil. Herausgestellt nur, wenn auch nicht wirklich verehrt, die allseits Beliebten, die Öffentlichen, die Idole daheim, die freilich nie in den Rang von Hausgöttern aufstiegen, bloß zu besseren Bekannten wurden als es die Nachbarn waren. Dennoch besaßen sie Strahlkraft und Legende genug, um eine Unzahl von namenlosen Unglückswürmern in ihrem Gefolge zu haben. Unter ihnen aber auch solche, die wahrlich nicht dorthin gehörten. Die Kranken, die Beladenen und Bedrängten, die geistig Strauchelnden und die armen Schöpferischen auch, denen plötzlich Lichthüte am Kopf standen und dann wieder matt in sich zusammenfielen, doch für kurz unseren düsteren Morgen erhellten. Die Leser, die Trinker, die Weinenden und die Stotterer, die in der Prüfung Durchgefallenen, die mit Eigelb bekleckerten Kleine-Mädchen-Anbeter, die immerwährenden Verlierer beim Canasta – ach, ihr einsamen, unglücklichen Städter, die ihr nicht mehr zu enttäuschen seid: ihr taugt nicht, vereinigt zu werden! Entzieht euch dem flächendeckenden Netz der Demoskopen und Prognostiker, die euch hier auf den Fersen sind, die euer Dasein auf unsinnsbereinigte Daten verkürzen wollen!

Inmitten der Unglückswürmer befanden sich aber die Überinformierten und intellektuellen Tölpel, die alles fallen ließen oder miteinander verwechselten, die Überausaufgeklärten, denen die Nackenstütze des TV-Sessels am Kopf festsaß. Viele erschreckte, an die Oberfläche gepreßte Gesichter. Hierherum herrschte viel Unruhe. Jedem von ihnen schien etwas entlaufen zu sein: das Kind, der Hund, der Schuldner, der Gott, das Aktmodell. Und so hatten denn die Prozessionshostessen alle Hände voll zu tun, den Verwirrten behilflich zu sein; in ihren hochgeschlitzten Röcken und roten Strumpfhosen liefen sie immerzu am Zug vor oder zurück auf der Suche nach irgendeinem vermißten Wesen. Manche von ihnen hatten zwei Sichtkarten über den Brüsten angeklammert. Sie waren dann nicht nur Ordnungskräfte, sondern dazu noch zur Volksbefragung eingesetzt, und viele Menschen, denen sie gerade beigestanden hatten, wurden im Handumdrehen zu Daten verarbeitet.

Und siehe: der Durchschnitt erschien; die Haushalte, gut befestigte Rückzugsgebiete, dichtgefüllte Warenkörbe mit Verwandten, Heim und Hobby, mit Urlaub und Wochenenden, mit Sparbuch und Schulden und Plänen, Plänen. Sogar der knorrige Arbeiter-Spruch wurde noch einmal laut: ›Mein Kind soll es einmal besser haben als ich‹ – da hatte sich jemand ein Herz bewahrt für die gute alte Zukunft, wie man sie einst zum Träumen und Hoffen so gut gebrauchen konnte, bevor sie der gnadenlosen Prognostik zum Opfer fiel.

Daneben aber gleich der EDV-getippte Telebürger, so leiblos wie Computerschrift, geisterhaft wie Bildschirmtext, der Auswurf eines Scheins, der innig rückkontrollierte Partner seines Rechners, Störanzeige bei Verliebtsein, übermäßigem Tablettenkonsum und Anflügen von Frömmigkeit.

Dahinter nun die Bessergestellten. Die Händler mit ihren ›Und übermorgen bekommen wir wieder Aufwind‹-Gesichtern. Die Pharma-Vertreter, die nichts merkten von ihrer Zeit und mit viel analer Zuwendung einen Witz auf den anderen setzten, lachend abschwebten in die nächsten dreißig Jahre Aufstieg. Mitten unter ihnen dann der Magus der Bonität, immer zahlungskräftig, doch weitschauend, aufs monetäre Ende hin. Der Mann mit dem Polarbart, ein Prospero, der's wenden will? Die Herrennaturen, die mitleidlosen Casino-Gestalten, selbstgerecht und rücksichtslos, schmalmütig und gewalttätig, verdorben für den Mitmenschen wie für Gott.

Die Dominanten wurden immer dominanter; die Subalternen immer subalterner, wie Raupen, die nie zu Schmetterlingen werden, und wenn sie sich bewegten, durchwanderte sie ein Buckel vom Nacken bis zum After.

Es folgten die Außenseiter, die pathetischen Sonderlinge, selbst schon eine blühende Branche. Die sich gegenseitig den Selbstmord androhenden und dann doch drüberweg schnupfenden Tölen und Tunten, ebenfalls gutplaziert, längst tonangebend in allen Zweigen der Verzweiflungs- und Vergnügungsindustrie. Die fraubewußten Frauen, die vergittert-vergatterten Geschöpfe, die Verunglückten aus geliehenem Gefühl, der männlichsten Denkart verfallen; und aus jeder sah oben heraus, trotzig-träg, der ›Körper einer Frau‹, durch Selbsterfahrung ausdruckslos. Und hin und wieder ein verirrtes Löwenhäuptlein, niedlich und müd, im Kuß gestrandete Nymphe, mit ihren Leih mich-Lieb mich-Laß mich-Blicken.

Und neben dem Zug, entlang aller Bereiche, verteilten sich die unzähligen Betreuer, Psychagogen, Animateure, die Sozialpfleger, der pädagogische Versorgungsdienst und andere wahre Stützen der Gesellschaft. Unzählig auch und allgegenwärtig: die Kaltschnauzen, das Mediengeschmeiß, die Epochen-Löcher, durch die die Zeit abfließt, blubbernd wie im Gully.

Was sahen wir denn in diesem gewaltigen Strom der tausend Scheinbarkeiten, der bizarren Nachgeburten? War's ein Volk oder nur eine einzige gigantische Lotto-Tipp-Gemeinschaft?

O Deutschland! Deine Häkelhaube überm Klopapier im Heckfenster deiner Mittelklassewagen!

Was sahen wir: einen Passionszug oder eine kunterbunte Parade? Ein karnevalistisches Zwischenspiel oder einen Kehraus für immer?

Die Spitze des Leichenzugs mußte nun bald die Gruft erreicht haben, in der der schaurige König beigesetzt werden sollte. Es war eine domhohe Höhle, in der seit Jahrtausenden ein steter Tropfen von der Decke fiel, so daß sich darunter ein großer dunkler See gebildet hatte. In ihm sollten, nach der Verfügung des Herrschers, seine Überreste versenkt werden. Die Menge war nun längst über die Terrasse zu beiden Seiten der Rampe hinunter ins offene Gartenparterre geströmt. Sie hatte unser Stelldichein, unseren getreuen Kreis entzweigeschnitten und aufgelöst. Dagmar und Paula waren als erste mitgerissen worden. Reppenfries hatte sich mit einem Ruck in Bereitschaft versetzt, den Gesellschaftsfeind gegen den Sanitäter vertauscht und sich mit blindem Hilfedrang in die Fluten gestürzt. Almut hatte sich willenlos davontreiben lassen, während Hanswerner der Moderne sich an eine Handvoll Wissenschaftler geklammert hatte, Biologen und Evolutionsforscher mochten es wohl gewesen sein, die voller Ungeduld schmunzelten, das neue Weltbild fest im Sinn, das sie nun bald verkünden würden dem ganzen versammelten Volk, um endlich das Ansehen von neuen Kopernikussen zu genießen. Ich hatte die Freunde aus den Augen verloren und war wohl als einziger auf der Empore geblieben. Da stand ich nun, ein Protestant in der Erscheinungen Flut, ein Spötter in Trance. Und was vor meinen Augen geschah, glich der Sekunde der Fülle, wie sie nicht anders der Ertrinkende, Erdrückte, Abstürzende erleben mochte. Ich war der aus zu vielen Menschen Gemischte, und doch wollte ich nicht aufhören zu *sehen*. Jetzt stiegen die ingrimmigsten Gestalten aus den tiefen und feuchten Kellern des Schlosses wirbelnd empor, und übers Dach wehten aus einem Lichtschacht die himmlischen Heerscharen hernieder, und beide umgaben sich, verschmolzen zu einer gesellschaftlichen Masse. Ah, wie sie sich wälzten in abscheulicher Mischung! Die Toten mit den Heiligen, die Teufel mit den Seraphen, die Verdammten mit den Erlösten, und wurden zu Blinden und solchen, die nur mit den Hitzestellen des

Körpers noch sehen, die gierig von einer Berührung zur nächsten irren.

Durch die Gesellschaft! so ward ich belehrt, durch Abfluß und Kloake führt allein der Weg zu den Seligen. Durch Abfluß und Kloake geschieht auch die erweiterte Geburt. So werden wir alle noch einmal durch den Trichter gepreßt und manche bleiben wie Max und Moritz liegen am Boden in flacher, geschroteter, erschreckter Gestalt.

In diesem Augenblick trat eine verhüllte Person auf den Altan im oberen Geschoß des Palastes. Sie hielt in ihren Armen einen hohen verschlossenen Krug. Mit diesem richtete sie sich vorwärts gen Osten und erwartete eine vorbestimmte innere Sekunde. Plötzlich aber griff sie den Deckel und riß ihn vom Gefäß. Da entwich die Nacht. Der Zinnhimmel zerbrach. Unten hielt alles Gedränge an. Der Leichenzug stockte. Durch das lange Geleit huschte das Zucken eines erschlagenen Fischs, das Flackern einer erlöschenden Kerze. Ein erster milchiger Lichtstrahl berührte uns wie ein tastender Blindenstab. Dann wurde die schwere graue Masse über unseren Köpfen allmählich zurückgezogen. Wir blickten für einen Augenblick in die unendliche Reinheit des Tages. Doch es war nur eine kurze Vorschau auf einen viel späteren Frieden der Stunden. Denn diese stürzten vorerst wieder aufeinander, noch einmal stießen Hell und Dunkel, Vorwärts und Rückwärts, Früh und Spät hart zusammen im Streit.

Ein aufgesprengter Wind aus dem Hain griff über uns her und drückte mit blahendem Zorn. Die Wolken, eben noch ein sanftes Gefieder, ballten sich wieder zu obskuren, fetten Bäuchen, und im krachenden Bruch entlud sich ein dichter Regen, ein Schinder, mit ganzer Härte fegte und striemte er die breite Menschendünung, die sich nach allen Seiten hin aufwellte und ausdehnte. Blitzsensen fuhren dazwischen und schließlich tanzten die Hagelkörner auf den ungeschützten Schädeldecken. Das kabbelige Treiben der

Lüfte wurde immer unverschämter, und es zeigte nun der Wind, der alles brechen, reißen, stürzen wollte, wie er auch mit uns umspränge, wenn wir bloß etwas leichter wären. Und unter der Raserei des Regens beugte sich die künstliche Natur der Boskette und Rabatten.

Nun entstand auf der Terrasse ein grausames Durcheinander. Die einen, noch nicht aus dem Tor getreten, stauten sich in der Halle, verstopften den Durchgang; die anderen, vorm Wetter fliehend, strebten über die Rampe zurück zum Schloß, um darin Schutz und Unterstand zu finden.

Um nicht erdrückt zu werden, mußte ich meinen Standort auf der Empore aufgeben. Ich schob mich durch die Ritzen im Gewühl, quälte mich mühsam vorwärts, um schließlich die seitliche Balustrade zu erreichen. Mit einem Satz sprang ich hinunter in den Kies. Ich suchte vor den Rand der auslaufenden Gesellschaft zu gelangen. Doch dieser stieß immer schneller nach den Seiten vor, und ich war gezwungen, die Flucht zu ergreifen, um nicht wieder untergemischt zu werden.

Zum Glück hielten das Unwetter und der Stunden-Streit nicht allzu lange an. Bald schon öffnete sich der Himmel, der unterdessen seinen Lichtflor nie wieder ganz verloren hatte, tat sich auf langsam und ruhig. ›Frohe und dankbare Empfindungen nach dem Sturm‹, so hieß es doch, und nicht anders war mir zumute, als ich nun, mit ungewissem Ziel, in das duftige Morgen-Mögliche hinausrannte. Goldlack und Levkojen, Glyzinien und Ehrenpreis, Mohn und Violen und an welchen Beeten und Stauden ich auch immer vorbeikam, überall schienen die Farben eben erst in den Blütenknauf gesprungen zu sein, so lebendig und frisch leuchteten sie nach diesem langen trockenen Grau, nach dieser endlosen blutarmen Frühe. Wenngleich das meiste Gewächs von Regen und Sturm ordentlich gezaust und gedätscht worden war; doch was wir vielleicht wie Peitschenhieb empfangen, bereitet den Pflanzen sichtbar das allergrößte Behagen. Zum beschaulichen Verweilen blieb mir hier keine Zeit, denn schon hörte ich hinter mir die ersten Schritte der sich ausbreitenden Menschenmenge. Ich mußte also weiter. Ich entfernte mich nun aus der klaren Achsenordnung des Barockgartens, ließ rechterhand Heckenlabyrinth und Kegelspiel zurück, überquerte die kleine Palladiobrücke, um nun in den romantisch-modernen, den illusionären Teil der Park-Anlage vorzudringen.

Erschöpft und durchnäßt, wollte ich mich als erstes in den alten Freimaurerturm, den eine schwermütige Gruppe von Pappeln und Maulbeerbäumen umgab, zurückziehen, um dort ein wenig Erholung zu finden. Indessen hatte ich kaum das ägyptische Portal durchschritten und mich niedergelassen auf der untersten Stufe der Treppenspindel, da brach über mir aus der Flüstergalerie ein erbärmliches Geheul hervor. Die Schreie Gefolterter, das Stöhnen und Brüllen, Wimmern und Seufzen von gequälten oder tödlich bedrohten, von vergewaltigten oder eingekerkerten Menschen drang aus allen Poren und Ritzen des gedenkenden Gemäuers. Das grausame Konzert trieb mich unverzüglich aus dem Turm, und ohne lange zu wählen, schlug ich den nächstbesten Pfad ein, der mich von dem hinterhältigen Refugium entfernte. Ausgerechnet war ich nun auf einen Weg geraten, der mich des längeren mit zwar harmlosen und kunstvoll erdachten, aber in meinem Zustand sehr unwillkommenen Schreckensillusionen belästigte. Nicht nur wurden meine Schritte durch ein beständiges Beben des Grunds verunsichert, sondern auch jedesmal, wenn ich mich festhalten wollte an einem Strauch oder Zweig, wurden mir heftige elektrische Schläge versetzt. Mehrmals detonierten in unmittelbarer Nähe Selbstschüsse und Tellerminen, die zwar nur ein winziges Erdhäufchen vor mir aufwarfen, deren Lärm und Knall jedoch immer eine echte Lebensgefahr vortäuschten. Eine gotische Ruine, Zierde eines jeden würdigen Landschaftsgartens, der ich mich nun freilich mit unglücklicher Ahnung näherte, ohne ihr aber ausbiegen zu können, sie barst mit enormem Getöse, wurde in die Luft gesprengt, als ich gerade an ihr vorbei wollte, und die umfliegenden Gesteinsbrocken hätten mich erschlagen müssen, wenn sie nicht alle, an unzähligen Fäden befestigt, gegen ein kaum sichtbares Gitter geprallt und sogleich wieder in ihre feste Fügung zurückgesprungen wären. Es sollte mir also auf diesem Weg durchaus nicht langweilig werden. Nachdem mir noch aus einem Borkenhäuschen mit erhobenem Dolch die Wachspuppe eines Eremiten entgegensprang, ich einen flammenwerfenden Obelisken glücklich umgangen und einen sich teilenden Schlangenteich durchquert hatte, trat ich endlich auf eine besonnte Lichtung vor und erfreute mich schon an den heiteren Wiesenhügeln, dem blinkenden Mühlbach im Grund, und glaubte ans Ende der tückischen Plagen gelangt zu sein. Im selben Augenblick aber fand ich mich in einen dunklen Schwarm von zischenden Pfeilen eingehüllt, die von allen Seiten auf mich einschossen. Vielleicht trugen sie in ihren Spitzen winzige Fotozellen oder Entfernungsfühler, jedenfalls, so als umgäbe mich ein geheimer Strahlgürtel, fiel jeder Pfeil vor mir zerbrochen zu Boden, bevor er hätte auftreffen können. Nun hatte ich aber genug von den elenden und bedrohlichen Unterhaltsamkeiten und verließ den Schreckenspfad, um mich schnurstracks über die Wiese zu dem hellen Bach zu begeben. Dort ging ich am Ufer auf die Alte Mühle zu, in der ich ein wenig ausruhen wollte von den gefälligen Schikanen, den scheinbaren Bestrafungen, die ich offenbar alle selber, geheime Schwellen und Auslöser berührend, gegen mich in Gang gesetzt hatte.

Leider war auch die Alte Mühle für die erwünschte Rast wenig geeignet. Wie in solch verspielten Herrschaftsgärten, auf solch gezinktem Gelände üblich, fand ich nur eine ländlich-schwärmerische Attrappe vor, in deren Innerem sich ein schäbiges Nachtlokal verbarg, ausgestattet im Stil der späten zwanziger Jahre. Obzwar menschenleer, war der Flitterraum angefüllt von üblen, künstlich erhaltenen oder nachgemachten Schweiß- und Geschlechtsgerüchen, die mir den Aufenthalt darin gründlich verleideten. Als ich wieder vors Tageslicht trat, wurde sogleich meine Aufmerksamkeit von einer sonderbar reizvollen Szene angezogen, die sich in einiger Entfernung am Ufer des Flüßchens abspielte. Dort standen zwei Frauen, die sich mit großem Behagen wuschen, und eine dritte, die sich langsam entkleidete. Dies taten sie, unschuldig oder absichtlich, unter den Augen eines Bauern, der nebenan sein Heu wendete. Als ich ihnen aber näher kam, erkannte ich – und wie hätte es hier auch anders zugehen sollen! – eine Gruppe von leblosen Glasfiberfiguren, die sich wie in einer motorisierten Weihnachtskrippe bewegten und deren obszöne Grazie sich aus tausend kleinen Rucken zusammensetzte.

Hätte ich nur geahnt, in welch ein Labyrinth von müßigen und überspannten Maschinen und Vexiergeräten ich mich verrennen würde, ich hätte doch wohl lieber meinen Fluchtweg entlang der schnurgeraden Hecken und Rabatten des klassischen Gartens fortgesetzt. Wo sollte ich hier je den Ausgang aus dem totalen Trug finden? Alles war ja vom Schein durchdrungen, und eine Täuschung oder Tarnung folgte auf die andere. Der magische Spielplatz, ersonnen und entworfen im Geist der stillstehenden Zeit, wurde nun für mich, der ich endlich hinaus in den Morgen wollte, zu einer rundum verschlossenen Stunde; wie ich auch fortschritt und rannte, ich kam nicht aus dem Säumen heraus.

Ich hatte unterdessen eine bewaldete Anhöhe erklommen, in der Hoffnung, von dort eine Übersicht über das ganze Gelände, seine Grenzen, seine möglichen Öffnungen zu gewinnen. Ich sah aber nicht weit. Oben angekommen, umfing mich sogleich das dunkle Halbrund eines Grottenkinos. Wie eine fossile Herde standen Dutzende leerer Stühle vor der Leinwand, auf der lichtschwach und ohne

Ton ein Luis-Trenker-Film lief, wie es schien, in endlosem Umlauf, vielleicht für immer.

Da aber rings ein hoher, dichter Tannenforst jeden Ausblick verhinderte, konnte ich auch hier keine bessere Orientierung gewinnen und hatte mich also umsonst in die Höhe bemüht. Hinter dem Grottenrücken führte ein befestigter Pfad in weiten Schleifen abwärts und ihn wollte ich nun im Laufschritt hinter mich bringen, denn meine Unruhe war inzwischen sehr groß. Kaum hatte ich mich zu beeilen begonnen, da versperrte mir ein kriechendes Ungetüm den Weg. Es war eine Riesenschildkröte, die unendlich langsam den Pfad überquerte, und auf ihrem Rücken, der als halber Erdball bemalt war, hockte, in seinen Feldherrnmantel gehüllt, kein anderer als der greuliche König selbst! Jener, der doch eben zu Grabe getragen wurde! Der schlimmste Deutsche auf dem Rücken der Kröte, der halben kriechenden Erdkugel . . . Nein! Ich wollte es nicht mehr sehen! Mochte in diesem Geistergarten passieren, was wollte, mich verwunderte nichts mehr und es war mir gleichgültig. Natürlich sah ich, daß die Gestalt auf dem gemächlichen Urtier nur ein Narr war, ein debiler Mime, ein verkleideter Gnom, unansprechbar und in tiefen Stumpfsinn versunken. Ich drückte mich an diesem absonderlichen Hindernis vorbei und rannte nun noch einmal so schnell als zuvor. Ich war auch schon in die unterste Wegkehre eingebogen, als mich plötzlich ein helles Klirren anhielt und unwiderstehlich beiseite zog. Ein feines, schellendes Rieseln, verlockend wie Sirenengesang, dessen Herkunft ich mir auf keine Weise erklären konnte. Ich verließ also den Weg und trat über die Böschung in den tieferen Wald, um dem betörenden Klang näherzukommen. Es brauchte nicht lange und ich stand vor einer neuen zwecklosen und ironischen Attraktion. Ein hoher Strahl silberner und goldener Münzen stürzte klimpernd über einen Felsvorsprung hinunter in ein weites, umwälzendes Marmorbassin. An diesem war eine Tafel angebracht, und sie trug die rätselhafte Aufschrift: ›Mein Altertum‹. Ich wußte nicht, wie das zu verstehen war; es schien mir aber in diesem Titel wie in dem glänzenden Münzfall überhaupt wieder jene unernste Geisteshaltung vorzuherrschen, die mir auf dem gesamten Illusions-Gelände bisher begegnete. Aber vielleicht sah ich es nicht recht, und die Ironie war nur der enge Spalt, durch den ich in den tieferen Sinn des Spielzeugs hätte spähen können. Ich war jedoch zu beeilt und auch zu ermüdet schon, um der hübschen Erfindung noch länger nachzuhängen.

Mein weiterer Weg führte dann auf einen breiten, staubigen Steinbruch zu, dem ich mich aufgrund unguter Erfahrungen mit einiger Beklommenheit näherte. Alle Arbeiten waren hier seit langem eingestellt; auf den verrosteten Schienen standen noch drei alte Loren mit Splitt und Schotter. Unterhalb der anstehenden Kalkwand befand sich eine niedere, ausgerundete Erdvertiefung, eine verfängliche Anlage, der ich gern ausgewichen wäre, wenn mich das hohe Haufwerk rechts und die Bruchwand links nicht daran gehindert hätten. So kam ich geradewegs vor die gewiß schaurigste Lustbarkeit zu stehen, die mir bisher auf meiner Wanderung geboten wurde. Am Boden der flachen Kuhle rollten im trägen Kreis wohl an ein Dutzend leibloser Männerköpfe. Mächtige kahle Schädel, die sich leise knirschend aneinander rieben, alle mit geschlossenen Augen und mümmelnden Mündern.

Hier stand nun auf einem Schild ›Mein Reservoir‹, und der Besucher wurde aufgefordert, die ›Denkenden in der Kuhle‹ freundlichst zu versorgen. Er sollte dazu von einem bereitgestellten Zeitungsstapel Blätter abreißen und sie zur Fütterung hinunterreichen. Ich bückte mich aber an den Rand und streckte den Köpfen voll Mitleid meine offene Hand entgegen. Die knöchernen Häupter schienen meine Blutwärme wahrzunehmen und schoben sich, neugierig wie die Teichenten, in meine Richtung, ein leises Wimmern hervorstoßend. Bevor der erste meine Fingerspitzen erreicht hatte, schrak ich doch vor der Berührung zurück und zog es vor, die zerknüllten Zeitungsblätter unter sie zu werfen. Tatsächlich schnappten sie danach, sie fraßen das alte bedruckte Papier und stahlen sich's gegenseitig vom Mund.

Mit müdem Abscheu, entmutigt und niedergeschlagen wandte ich mich darauf von der grausigen Kuhle ab. Wollte denn dieser unholde Garten nirgends ein Ende finden? Wie vergeblich war all mein Laufen und Eilen! Es führte mich nur immer tiefer in die Irre. Überdrüssig all der höhnischen Vergnügungen, der menschenverächtlichen Sensationen und jeden Augenblick auf eine weitere, noch schlimmere gefaßt, stolperte ich auf einer unebenen Landstraße dahin, zu deren Befestigung es wohl nicht mehr gekommen war. Die Schotterberge und selbst die zerfallenen Bauwagen, die den Weg säumten, waren mit Unkraut überwachsen. Unter der offenen Sonne und doch ohne Hoffnung, je irgend vorwärts zu kommen, war mir das Gehen immer beschwerlicher geworden. Beinahe gleichgültig nahm ich deshalb den Schattenwurf eines Triumphbogens auf, der meinen Weg überspannte und den ich nach wenigen Metern passieren würde, hinter mich bringen würde wie so manch andere Geschmacklosigkeit, der ich in diesem freudlosen Lunapark begegnet war. Ich dachte kaum noch darüber nach, mit welch kranker Erfindung mich dies hochtrabende Bauwerk gleich triezen würde – als plötzlich der Dunst von meinen Sinnen wich und ich durch den Torbogen hinaus ins Freie blickte! In die schiere freie Wirklichkeit! Das Leben! Die Straße! Die Stadt! Da lagen sie vor mir, ich brauchte nur noch wenige Schritte zu tun und schon stand ich mitten auf einer herrlichen, modernen Großstadtstraße! Wie war es möglich? Wie konnte dies altertümliche Gelände so ohne jeden Übergang in die pralle Lebensader einer glitzernden

City einmünden? Läden sah ich, Spielhallen, Eissalons, parkende Autos, das Gewühl freier Menschen, und sogar einen U-Bahnschacht . . .

Ich rannte blindlings darauf zu, um durch dieses wahrhafte Siegestor endlich hinauszugelangen. Wie ein Hürdenläufer, der sich auf den letzten Metern das Äußerste abfordert, würde ich hinter der Zielgerade zusammensinken und von der gütigen Woge der banalen, vergänglichen, brüderlichen Straße umfangen und hinausgetragen werden auf das offene Meer des modernen, tätigen Lebens . . . Eine Strahlenbarriere, härter als ein Stahlriegel, schlug mir gegen die vorgestreckte Brust. Es schmerzte zwar nicht, versetzte mich jedoch augenblicklich in tauben Stillstand. Was war geschehen? Ich war draußen – und konnte mich nicht bewegen. Ich kam voran – ohne mich zu rühren. Ich war unter Menschen – konnte sie aber nicht umarmen. Ich roch, schmeckte, sah und hörte die Straße – Kleider, Benzin, Waffeln, Haare, Kaufhausabwärme. Die Autos fuhren an, die Lautsprecher plärrten, die Menschen lachten, erzählten, rauchten. Ich konnte nicht die geringsten Zweifel an ihrer Anwesenheit, an dieser brausenden Daseinsfülle hegen. Und selbst meine sonderbare Beschränkung, meinen jähen Stillstand hätte ich getrost für einen vorübergehenden Schock, eine Glücksstarre halten können. Wären da nicht von Zeit zu Zeit gewisse Eigentümlichkeiten im Straßenbild aufgetaucht, befremdliche Beimischungen, die in der gesunden Wirklichkeit eigentlich nicht vorkommen durften. Zum Beispiel gab es da dicke weiße Pfeile, die plötzlich über dem Nacken einer Person aufblinkten. Geheimnisvolle Kennzeichnungen wurden an den Passanten vorgenommen oder sie erschienen mit überbelichteten Umrissen. Plötzlicher Farbentzug oder -wechsel von ganzen Häuserfassaden! Und wäre nicht schließlich gar ein Schwarm geflügelter griechischer Buchstaben aufgeflattert und hätte sich quer über die Fahrbahn zum Schriftzug zusammengesetzt; in Abendrotfarben erschien nur ein einziges Wort: Elysion. Nun mußte ich es wohl erkennen: abermals war ich ins Bizarre hineingerannt, wieder nur in eine Falle, und ich saß nun mittendrin in dieser Trugmaschinerie, die mir die Sinne zu zerstückeln drohte. Eine Art Holodrom war es, welches um mich herum Bilder von ganzer, plastischer Körperfülle entwarf und allen Sinnen den vollkommenen Anschein vermittelte, als bewegte ich mich unter all den reproduzierten Gestalten auf einem freien, leichten Spaziergang im Einkaufszentrum. Was für ein Verdammter war dieser einsame und menschenferne Gewaltherrscher! Das Gefild der Seligen: ihm war es nur eine Straßenszene. Nichts Besseres, nichts Höheres als Großstadtrummel! Noch der Ewige Frieden spöttisch behandelt! . . . Nun ertrug ich's nicht länger. Ich kam außer Fassung. Ich tobte in meinem Strahlenkäfig, ich schrie und trat aus gegen das Holodrom. Und wollte es nicht weichen, dann eben weg mit mir! Lieber der leibliche Tod als diese synthetische Ewigkeit!

Irgendein noch verbliebener guter Geist oder bloß eine elektronische Tastatur, die ich bei meinem verzweifelten Gestrampel berührt hatte, schien nun doch ein Erbarmen mit mir zu haben. Denn als ich mich heulend zu Boden warf, gab dieser lautlos nach, und ich sank, wie in einem gläsernen Lift, der von hochgelegenen Badehotels hinunter ans Meer führt, durch einen kühlen Schacht und schwebte wohl einige Sekunden so harmlos und leicht in die Tiefe, daß mir davon ganz heiter wurde. Auf dem weichen Mulm eines Waldbodens wurde ich abgesetzt, und als ich mich langsam aufrichtete, befand ich mich in einer zwar dunklen und unbekannten, aber doch auf Anhieb vertrauenswürdigen, ja nach Aufrichtigkeit geradezu duftenden Umgebung. Nach so vielen Schritten auf verfänglichem Grund war ich nun etwas tapsig und schwächlich auf den Beinen. Aus dem Bergschacht hinaus führte eine kleine eiserne Tür, durch die ich in ein unbewohntes, schummriges Kabäuschen gelangte. Ich sah, daß es mit vielerlei technischem Gerät ausgestattet war. Hohe Drahtwinden, Schalt- und Meßapparaturen, tellerrippige Isolatoren aus Porzellan, die dicker Staub bedeckte, und durch ein schmales, schmutzverkrustetes Gitterfenster fiel ein erstorbenes Licht darauf. Ich trat nun aber ohne Aufenthalt zum Vorderausgang hinaus, und als ich mich noch einmal umblickte, da entdeckte ich an der Tür das Schild, das jedermann bekannt ist, mit dem roten Hochspannungsblitz und der Warnung ›Lebensgefahr!‹ Ich war also durch ein altes Transformatorenhäuschen gekommen, so wie es sich häufig oberhalb von Dörfern und kleinen Gemeinden am Waldrand befindet.

So stand ich denn auf einem breiten Weg und sah den Tag und die Stunde, das Licht, das Wetter, die Fliegen und Spinnen, die Käfer, die Schwalben im Sommerabend, und alles mir freund, alles vergänglich. Ich konnte es kaum fassen. Frei! – endgültig und zuverlässig. Aus dem besiedelten Tal erstreckte sich eine Kolonie von Ferienhäusern durch eine breite Senke bis hinauf an den Waldrand. Das Geräusch von Rasenmäher und Sprenkelanlage, der zarte Radiolärm, Pingpongspiel und Hundegebell, wie betörend klang dieser nahe, dieser grundanständige Feierabend mir jetzt in den Ohren! Eine große Erleichterung, ein müdes Behagen überkam mich, und ich ließ mich an einem Baumstamm niedersinken. Ich lehnte meinen Kopf an die Rinde und wollte eine Weile noch ausruhen, bevor ich mich in den Ort hinunterbegab, um dort einen Gasthof für die Nacht zu suchen. Zuviel Täuschung und schlechte Wunder hatten mir die Augen verdorben und ich durfte nun nicht gleich damit auf ernste Menschen blicken. Erst sollte doch der lange Zauber sich verflüchtigen und von mir gehen. Vergeßlich und klar wollte ich später in die Siedlung hinuntersteigen und ganz so, wie es im berühmten Klingsohr-Märchen heißt, sollte mir dann zumute sein:

*»Kein Stein lag mehr auf einer Menschenbrust und alle Lasten
waren in sich selbst zu einem festen Fußboden zusammengesun-
ken . . .«*

Ich hob einen abgebrochenen Zweig auf und stocherte mit
der Spitze in der lockeren Erde. Ich stieß an eine grüne
Raupe, und sie kringelte sich um meinen Stock. Ich sah, wie
wenig ihr bescheidenes Erbteil an Reflexen gegen die Rei-
zung vermochte. Besaß ich denn ein anderes Schicksal als
dieses hilflose Geschöpf? Ein höherer Wanderer trieb mit
dem Zweig sein Spiel mit mir Erdwurm. Er reizte mich in
der Seite und ich krümmte mich. Er klopfte mir an das
Haupt und ich krümmte mich. Er ließ mich über seine Rute
kriechen und hob mich vom Boden – ich krümmte mich
vor Schwindel und Todesangst.

Ich setzte das Tier auf ein großes Lattichblatt. Als ich
von neuem mit dem Stöckchen auf der Erde scharrte, da
wurde es plötzlich festgehalten. Es war, als hätte ein schar-
fes Gebiß danach geschnappt. Am Ende des Zweigs wurde
wie von aufbeißenden Zähnen gezogen. Die Berührung
ließ mich erschaudern. Ich schob einen abgeknickten Farn
beiseite, und der Fund, den ich darunter machte, unvorstellbar grausig und lieblich zugleich, ließ mich vor Entgei-
sterung und Rührung vornüber auf die Knie fallen. Ich
nahm dies wunderschöne Gesicht, das dort am Boden lag,
in beide Hände, wie einen zerbrechlichen Pilz. Stirn und
Wangen waren mit Sommersprossen besprenkelt, und zwei
wache, genußsüchtige Augen, dunkelbraun und ahnungs-
voll, blickten mich an. Es war nicht einmal der ganze Kopf,
den ich da in Händen hielt, sondern nur dies vordere
Gesicht, denn hinter den Ohren war es einem Erdklumpen
aufgewachsen, der locker und ohne Wurzelbindung auf
dem Grund gelegen hatte. Da ich es also aufheben konnte,
ohne Nerven- oder Nahrungsfasern zu verletzen, nahm ich
es nah vor die Augen. Ich spürte seinen Atem. Die blaßro-

ten, warmen Lippen zuckten ein wenig und eine sanfte, feste Stimme sprach mich an.

»Ich bin es. Yossica.«

»Ja«, antwortete ich leise und fassungslos. Die Briefsortiererin oder das kostbar Wenige, das von ihr übriggeblieben war – dies niederwüchsige, zwittrige Geschöpf, Zweidrittel Pflanzenknolle, ein Drittel Vorderkopf, ein Wesen, das sich nicht bewegen konnte und nur noch Antlitz war und Stimme. Darüber, daß ich sie so erschrocken betrachtete, wurde sie nun sehr verlegen. Auf einmal war sie mit ganzer Miene die lüsterne Unschuld, die aus der Ferne mutig anlockt, jedoch vor Scham vergeht, wenn erst der Gerufene endlich vor ihr steht. So wandte sie ihre großen Augen zur Seite und verhüllte mit züchtigem Wegsehen nur schlecht, was sie sich in ihrem Hinterkopf schon alles ausgemalt hatte. Aber diese Yossica hatte ja keinen Hinterkopf, sondern stattdessen nur einen bröckligen Erdbatzen. Was war sie denn? Eine über die Art getretene Pflanze oder ein aufs Lieblichste verringerter Mensch? Eine gesteigerte Frucht oder eine verworfene Transplantation?

»Wie ist es passiert, Yossica?«

»Es ist halb so schlimm wie es aussieht«, antwortete sie, »ich brauche nur ein kleines Stück Erde, in die du mich eingraben mußt, Leon. Dann wachse ich ganz von selbst wieder auf und hab meine alte Figur.«

»Wie ist es passiert?« flüsterte ich dringend.

»Es ist passiert, als ich –. Ach, wenn du es wirklich wissen willst, mußt du dir eine ziemlich trostlose Geschichte anhören. Willst du? Na gut. Ich erzähl sie dir.«

Nachdem man mich auf der Terrasse so schlecht behandelt hatte und auch du nicht näher auf mich geachtet hast, lief ich eine Zeitlang ziellos und aufgelöst durch den Schloßgarten und versuchte mich langsam wieder in Ordnung zu bringen. Um mich besser zu beruhigen, begann ich eines meiner Lieder zu proben. Du mußt wissen, daß es nach den öden Jahren auf dem Postamt mein größter Wunsch ist, eine wirklich gute Liedermacherin zu werden. Das wollte ich eigentlich schon immer, und irgendwie werde ich es auch noch schaffen. Als ich nun ein paar Strophen gesungen hatte, da traten plötzlich zwei ausgefallene Gestalten hinter der Hecke hervor. Sie grüßten sehr höflich und machten mir Komplimente wegen meiner Stimme und wegen des Lieds, das ich gerade geübt hatte. Sie gaben sich bald als Talentsucher aus, als Agenten und Produzenten, als Profis und Konzertveranstalter und was weiß ich noch alles. Sie kamen allerdings nicht aus dem gleichen Stall, sondern machten sich untereinander aufs schärfste Konkurrenz, wodurch sich der Eindruck, daß sie es auch ernst meinten, für mich noch verstärkte. Der eine war also der Agent der Schwarzsicht und der andere der Agent der Zuversicht. Der erste, der von der Melancholie, war ein verlotterter Prinz mit löchrigem weißem Cape, zerrissenen Strümpfen, bekleckertem Wams. Der andere war ein winziges Männlein, das auf einem Bein mit rotem Schuh stand oder tänzelte, während das zweite Bein im Gürtel seiner feinen seidenen Pumphose steckte. Die Schwarzsicht war also ein Mensch von hohem Wuchs, die Zuversicht ein verwachsenes Kerlchen. Jedoch sah jener elend und heruntergekommen aus, so war dieser nicht nur elegant gekleidet, sondern tanzte auch so leicht wie ein Blatt im Wind auf der Stelle.

»Wenn du mir folgst«, sagte zuerst die schlottrige

Schwarzsicht, »so wird deine Begabung behutsam gefördert. Wenn du dann eines Tages reif genug bist und den
großen Durchbruch geschafft hast, dann wird dein Aufstieg zu legendärer Größe durch nichts mehr aufgehalten
werden. Denn deine Kunst, hart geprüft und reich entfaltet,
wird jeden Wechsel der Moden mühelos überleben.«

»Ha!« rief darauf das Männlein Zuversicht, »sieh ihn dir
nur an, den Lumpenprinz! Was er dir verspricht, kann er
erstens nicht halten und zweitens wird es dich nicht zufrie-
denstellen. Wenn du ihm folgst, dann wirst du lange auf
deinen Erfolg vergeblich hoffen, und bevor es noch zum
großen Durchbruch kommt, wirst du längst verbittert und
verfinstert sein und damit das kleine Publikum, das dir
ohnehin nur beschieden ist, auch noch vergraulen. Solltest
du aber auf mich hören, so werde ich dich nicht nur zu einer
erstklassigen Sängerin machen, sondern darüber hinaus zu
einer Pilotfigur für einen weltweiten Trend, für eine ganz
neue Kultbewegung.«

Auf diese Worte erwiderte nun Prinz Schwarzsicht mit
zittrigem Hohn: »Du siehst es ja selbst: hier wirbt ein
Krüppelchen für die Athletenschule! Mehr ist dazu eigentlich nicht zu sagen. Im übrigen, selbst wenn! Solche Bewegungen, auf die er setzt, weil er keine beständige Qualität zu
bieten hat, die kommen und gehen schneller als du nur
deine Akkorde finden kannst. Wenn du aber erst einmal
eine wirkliche Künstlerin bist, dann werden deine Lieder
den Leuten über Generationen im Gedächtnis bleiben.«

»Kurzum, ich biete dir eine steile Karriere«, unterbrach
ihn schroff der Bucklige.

»Ich biete dir reife Kunst«, setzte der Scheppe dagegen.

»Ich die breite Menge«, so der Winzige.

»Ich die treuen Kenner«, so der Wacklige.

»Ich den Welterfolg«, das Stümpfchen.

»Ich den langen Ruhm«, der Schlabbes.

»Nun«, sagte ich schließlich, »ihr braucht euch vor mir

nicht gegenseitig zu überbieten. Nennt mir lieber gleich die Geschäftsbedingungen, die mit euren erstklassigen Angeboten verbunden sind.«

Denn ich wußte ja, daß einem in dieser Branche nichts geschenkt wird. »Wollt ihr euch eine goldene Nase an mir verdienen?«

»Wir stellen keine finanziellen Bedingungen«, sagte Prinz Schwarzsicht, »und wollen keine unlauteren Geschäfte mit dir machen. Die einzige Forderung, die wir haben, ist vielmehr die, daß du, sobald du dich einmal entschieden hast, überall und aus tiefster Überzeugung für eines unserer beiden Prinzipien eintrittst, ohne Wanken und Weichen und, was auch immer kommen möge, ein ganzes Leben lang. So ist es doch, nicht wahr?« Der Zuversichtsgnom nickte beifällig und sagte: »Ja. In diesem Punkt und nur in diesem sind wir uns einig.« Daraufhin unterbreitete ich, einer plötzlichen Eingebung gehorchend, dem ungleichen Paar einen handfesten Vorschlag. »Ihr habt mir beide zwei riesengroße Versprechungen gemacht. Wenn ich mich nun entscheiden soll, wem von euch ich mich ein für allemal verschreiben werde, dann muß ich vorher wissen, wer von euch auf große Worte auch große Taten folgen lassen kann. Laßt euch also ein Beispiel für eure außerordentlichen Fähigkeiten einfallen und führt es mir im Wettstreit vor.«

Das Zuversichtsstilzchen antwortete: »Darauf bin ich bestens vorbereitet. Ich werde dir sogleich vorführen, wie ich mir selbst den Kopf abschlagen kann, wie dieser mein Kopf einmal um den Mond kreist, während zu gleicher Zeit mein Rumpf durch den Erdmittelpunkt hindurchsaust, und wie beide, der Kopf aus der Höhe, der Rumpf aus der Tiefe, hier vor deinen Augen wieder zusammentreffen und ein heiles Ganzes bilden.«

»Und ich«, beeilte sich der Schwarzsichtsschlaks, »ich werde dir in noch kürzerer Zeit vorführen, wie ich mich von unten nach oben selber verbrenne, in Asche zerfalle,

durch die Wurzeln dieses Baums hier aufsteige, als Eich-
kapsel vom Blatt falle und vor deinen Füßen zu meiner
vollen persönlichen Gestalt wieder aufwachse.«

Damit erklärte ich mich einverstanden, und eh ich mich
versah, gingen die beiden ans Werk.

Der Gnom zog ein blankes, kurzes Schwert hinter seinem Rücken hervor, holte mit seinem rechten Arm weit aus
und schlug sich den Kopf ab. Unterdessen stand, wo eben
noch der schäbige Prinz war, schon ein wogender Flam-
menbusch. Ich wußte gar nicht, wo ich zuerst hinschauen
sollte, so schnell geschahen diese Undinge. Eben noch
erblickte ich dort den Zuversichtsrumpf, durch dessen
kopflosen Hals das Blut zurück in den Körper floß, dann
hier die graue Asche der Schwarzsicht, die sich in den
Boden verkräuselte, und wieder dort den Kopf des Männ-
chens, der wie ein Satellit in die blaue Unendlichkeit davon-
schwirrte, während der Rumpf sich durchs Unterholz abwärts ins Erdinnere bohrte.

Verschwunden waren sie beide. Nun wußte ich doch zumindest, daß sie es ernst meinten mit ihren Angeboten und
keine leeren Versprechungen machten. Ich werde mich also
für den entscheiden, der zuerst wieder vor mir erscheint, so
sagte ich mir; allerdings, es kommt auch noch darauf an, in
welchem Zustand er sich bei seiner Rückkehr befindet.

Aber ich hatte nicht mehr als diese beiden einfachen
Gedanken gedacht, da standen sie auch schon wieder vor
mir. Aus dem Himmel stürzend, aus der Erde emporschie-
ßend, so kamen ihre Teile wieder zusammen, und unver-
sehrt standen die beiden Talentsucher, wenn auch unter
heftigem Schnaufen, pünktlich wieder nebeneinander. Bei
einem solchen Beweis von übermenschlicher Geschwindigkeit war es mir ganz unmöglich auszumachen, wer von
ihnen der erste gewesen sei. Sie blickten mich indessen
erwartungsvoll an und wollten nun wissen, wie ich mich
denn entschieden hätte. Da wandte ich mich spornstreichs

an den Zuversichtsfex und erklärte, daß ich ihm den Vorrang gebe und ihm folgen wolle. Das versetzte ihn derart in gute Laune, daß er mit einem Luftsprung auf dem obersten Ast der Eiche landete und von dort oben eines der Liedchen vorquäkte, die ich künftighin wohl zu singen hätte, wenn ich seinem Prinzip die Treue schwüre.

Die Schwarzsicht aber wurde nun so betrübt, daß sie der Länge nach umfiel und wie tot am Boden lag. Da ergriff mich ein großes Mitleid, ich begab mich zu ihr und erklärte, daß ich dem anderen, dem Widersacher nur zum Schein eingewilligt hätte, aber in Wirklichkeit nur ihr zu folgen wünschte. Da rappelte sie sich im Nu wieder auf und gab mir die magere Hand.

»Wenn dem so ist und du wirklich für mein Prinzip eintreten willst, dann bedarf es nichts weiter, als daß du das kleine Kunststück, das ich dir eben vorgeführt habe, selber nachmachst. Wenn du mit dir ins Reine gekommen und innerlich fest entschlossen bist, kann dir dabei nichts passieren, und es wird dir leichtfallen. Hinterher bist du dann endgültig eingeweiht in unsere Sache.«

Damit war ich einverstanden. Ich ließ mir heimlich den Zündsatz, mit dem ich mich gleich in Brand stecken sollte, aushändigen. Zugleich rief ich den eleganten Wichtel, der argwöhnisch vom Baum heruntergeblinzelt hatte, herbei, nicht ohne dem windschiefen Prinzen bedeutsam mit einem Auge zuzuzwinkern.

Auch Meister Zuversicht verlangte nun, daß ich seine waghalsige Übung nachmachte, um mich endgültig auf sein Prinzip zu verpflichten. Ohne daß Schwarzsicht es bemerken konnte, ließ ich mir also seine Waffe geben und zog mich ein wenig von beiden zurück.

Ich dachte nun, daß mich eigentlich nichts daran hindern konnte, auf beide Prinzipien zugleich zu schwören. Denn wer würde es sich nicht wünschen, sowohl eine unsterbliche Künstlerin als auch ein Liebling der Menge zu sein?

Weshalb sollte ich mich also unklug verhalten und mein Talent, das ich schließlich für groß genug hielt, nur einem einzigen Prinzip und damit einer unnatürlichen Beschränkung unterwerfen? Da ich innerlich zu beiden Welt-Sichten gleich fest entschlossen war, müßte es doch gelingen, daß mir der Leib aus der Erde wüchse und gleichzeitig der Kopf vom Himmel fiele. Und ehe noch die beiden Agenten einschreiten konnten, hatte ich auch schon Schwert und Brandsatz zugleich gegen mich zur Anwendung gebracht.

Nun wurde ich mit einer ungeheuren Wucht teils durch die Erde gestoßen, teils in die Lüfte geschleudert; von einem prinzipiellen Umlauf in den anderen gesprengt. Doch bei diesem wilden Wechsel der Bahnen büßten meine Teile ihre Anziehungskraft ein und fanden nicht richtig wieder zusammen. So kam es denn, daß von mir am Ende nur dies bißchen Gesicht aus dem Boden wuchs. Denn die beiden Prinzipien hatten sich heillos miteinander verheddert und dabei ihre Wunderkraft verloren. Als nun mein Spacing beendet war und ich, in der Wiederherstellung verunfallt, am Boden festhing, ein niederwüchsiges Krautgeschöpf, das nicht mehr so schnell in die Höhe kam, da stürzten die Talentsucher herbei und erkannten sofort, daß ich sie schamlos betrogen hatte. Nun sahen sie, daß ich wohl einerseits eingeweiht, zum andern aber für ihre Zwecke nicht mehr zu gebrauchen war. Darüber wurden sie furchtbar wütend und rissen mich mit den Wurzeln hinter den Ohren aus der Erde – Schmerzen erlitt ich, wie sie ein entbundener Mensch niemals auch nur ahnen kann. Im hohen Bogen warfen sie mich aus dem Garten hinaus. So bin ich denn hier unter die liederlichen Farne des Walds gefallen und muß mich ihrer Zudringlichkeiten ständig erwehren. Einem habe ich bereits das Genick durchgebissen, damit er mich nicht mehr belästigt mit seinem klebrigen Wedel.

Nachdem Yossica ihre Erzählung beendet hatte, war ich nicht weniger ratlos als zuvor. Immerhin mußte ich staunen, wie jemand in solch mißglückter Lage noch so munter dahinplappern konnte.

»Und jetzt?« fragte ich vorsichtig.

»Na und jetzt – jetzt singe ich besser als früher«, antwortete sie, »jetzt trägt meine Stimme viel weiter.«

»Nur auftreten kannst du nirgendwo«, sagte ich ein wenig bissig, »nicht einmal die Post würde dich noch nehmen, denn so kannst du keine Briefe mehr sortieren.«

»Tja. Irgendetwas ist nie so, wie es eigentlich sein sollte.« Und mit diesen Worten traf mich ein verletzter, zurückstechender Blick.

»Was soll nun geschehen?« fragte ich mit nüchternem Ernst. Sie gab ein Achselzucken mit den Mundwinkeln wieder. Eine Pause entstand. Sie senkte die Augen, gerade so, als wäre sie noch imstande, unter sich zu schauen.

Sie dachte offenkundig: warum sagt er's nicht von sich aus. Ich fragte mich hingegen, was sie eigentlich von mir hören wollte. Und so tauschten wir ein paar stumme Vermutungen aus.

»Nimm mich mit zu dir«, forderte sie schließlich.

»Zu mir? Wo sollte das sein?« gab ich, vor Schreck ganz munter, zurück.

»Hast du denn keinen Garten?«

»Durchaus nicht. Ich habe nicht einmal eine eigene Wohnung.« Unaufgefordert, mit der instinktiven Gesprächigkeit des bedrohten Einzelgängers, sprühte ich mein Revier ab. Ich schüttete den ganzen Krempel meiner ungeregelten Verhältnisse vor ihr aus und hielt ihr den Ausweis des freien Suchers vor die Nase, so wie ich es schon viele Male getan hatte, um mich dem beengenden Zugriff eines Menschens oder Amtes zu entziehen. Mich eröffnend herausreden, darin hatte ich eine gewisse Übung.

Yossica, das warme Gesicht, aber schaute durch all meine

abschirmenden Bekenntnisse hindurch mit erwartungs-
frohem Blick, und darin spiegelte sich hartnäckig mein Bild
als das eines neuen, von Grund auf gewandelten Menschen.

»Es genügt, wie gesagt, ein kleines Stück Erde«, erklärte
sie ungerührt, »mit etwas gutem Sonnenschein und nicht zu
saurem Boden. Dort könnte ich mit wenig Pflege wieder
aufwachsen.«

»Ich besitze nichts«, erwiderte ich knapp.

»Dann such uns etwas!«

Ihre linke Braue hob sich ein wenig, die Lippen öffneten
sich, eine leicht ironische Miene erschien, zu der unbedingt
die übereinandergeschlagenen Beine einer aufrecht sitzen-
den Frau gehörten sowie der auf die Sessellehne gestützte
Ellbogen mit dem locker abgeknickten Handgelenk, den
langen herunterhängenden Fingern, deren Spitzen von der
anderen Hand umfaßt und leicht gedrückt wurden, während der zugehörige Unterarm quer über dem Schenkelge-
fälle lag.

Würde sie jemals so vor mir sitzen, in dieser einladenden
Verschlossenheit, in dieser züchtig schmiegsamen Haltung,
zu der sie jetzt alle Miene machte?

Yossica brachte es tatsächlich fertig, allein mit ihrem
bewegten Gesicht mir jeden erdenklichen Körperreiz vor-
zuführen, obgleich da gegenwärtig nichts vorhanden war,
das ich hätte berühren und umfangen können. Nur dieser
Vordergrund eines wahren Dickschädels! Da es nun aber
ganz unmöglich war, ihn hier auf dem Waldboden liegen-
zulassen und einfach davonzugehen, blieb mir, Garten oder
nicht, Körper oder keiner, gar nichts anderes übrig: ich
packte das Kopfgewächs und klemmte es unter den Arm.
Dabei ließ ich es wohl an der nötigen Vorsicht fehlen, denn
Yossica stieß einen kurzen wilden Schrei aus. Ich hatte ihr
weh getan! Erschrocken und gerührt beugte ich mich zu ihr
und entschuldigte mich. Mit einem flüchtigen Lächeln tat
sie es ab, obwohl ihr die Tränen in die Augen geschossen

waren. Dann traf mich ihr tiefer, lebensdunkler, unbeirrbarer Blick und durchdrang mich ruhig. Wir traten langsam einer aus des anderen tiefster Erinnerung hervor. Ich küßte ihren Mund. Ich schloß die Augen. Wie lange waren sie auch offengestanden! Seit dem Fest und dem Tod des Königs, in den Stürmen der Enthaltsamkeit, im Bann der Terrasse, inmitten der Trauergesellschaft und schließlich auf meiner langen Gartenflucht, niemals hatte ich ausgeruht und meine Blicke nicht geschont.

Ich schloß die Augen . . . Ich war der Aufstehend-Aufatmende; einer, der sich nach langer, langer Zeit von seiner Warte erhob, vom Dasitzen losgekommen und von seinen noch ungetanen Schritten unwiderstehlich angezogen. Keine Absicht, nur Gesicht.

Der Turm

Es wurde ein trübes, regnerisches Wochenende, und wir beschlossen, diesmal in der Stadt zu bleiben. Am Samstag hatte ich ohnehin Bereitschaft und konnte bis zum späten Nachmittag nicht von zuhause weg. Ich mußte wenigstens telefonisch erreichbar sein, falls irgendeine Redaktion ausgefallene Fotowünsche für die Montagausgabe anmeldete. Meine beiden alten Damen im Archiv hielten zwar an diesem Samstag die Stellung, aber da sie sich standhaft geweigert hatten, einen Computerlehrgang mitzumachen, kamen sie mit der neuen, auf EDV umgestellten Registrierung nicht mehr zurecht. Sie brauchten Stunden, bis sie irgendetwas gefunden hatten. Jedenfalls schien es mir so, nachdem ich mich einmal an den Zeitgewinn und die erhöhte Geschwindigkeit gewöhnt hatte, mit der man inzwischen unsere Bestände sichten und erfassen konnte. Die Art, wie sie im Trott einer auslaufenden Ära ihren Dienst verrichteten, ihre ›alte Zeit‹ überhaupt hatte für mich jetzt oft etwas besonders Begriffsstutziges, ja Aufsässiges. Sie gingen mir manchmal buchstäblich auf die Nerven, einfach weil diese Nerven ja in besserer Übereinstimmung mit der Elektronik als mit der Mechanik arbeiten.

Yossica und ich hätten also nur den Sonntag gehabt, um zu unserer Wochenendhütte hinauszufahren. Mir wären ein paar Stunden zum Angeln geblieben, und sie hätte an ihren Liedern herumgebosselt, unzufrieden, da wir draußen noch kein Musikstudio hatten. Mit An- und Abreise wäre das ein kurzes Vergnügen geworden, und wir ließen es lieber bleiben, zumal ein weiterhin wechselhaftes Wetter angesagt wurde.

Ich befand mich seit Tagen in einer merkwürdigen Stimmung. Obwohl ich mit Yossica gut auskam und unser Zusammensein keine Anzeichen von Erschöpfung zeigte, dachte ich jetzt doch hin und wieder an jene Zeiten, da ich noch allein unterwegs war und Land und Leute etwas verwunderter zur Kenntnis nahm. Jede gewohnte Nähe eines anderen Menschen bedroht unsere angeborene Welt-offenheit, beschränkt unsere vielfältige Bündnisfähigkeit. Vielleicht macht sie furchtlos und stabil, aber gewiß auch weniger empfänglich für neue, tiefgreifende Einflüsse.

Ich war mir bewußt, daß ich um mich herum alles so eingerichtet hatte, um die nächsten dreißig Jahre in dersel-ben Weise zu leben, wie ich es gegenwärtig tat. War das der Sinn des großen elektronischen Zeit-Gewinns?

Ach, ich war ausgesprochen unzufrieden. Ich blickte ins Leere. Ich dachte wehmütig an gewisse laue Tage an einem Winterende, da man in einer fremden Stadt aus dem Hotel tritt, und die tiefhängenden Wolken werden vom Wind gezaust, es nieselt und hört wieder auf, ein blendender Lichtsturz plötzlich über der Stadt, ein lautloser Fanfaren-stoß, der dich kühner schreiten läßt, an den hübschen Läden vorbei, durch die ehrwürdigen Gassen und inmitten der vielen Beschäftigten, die mit ihren eifrigen Besorgun-gen, ihren zielbewußten Gängen den Eindruck erwecken, als seien sie gemeinsam an einem einzigen, allseits verabre-deten Werk tätig. Sie kennen ihre Wege, sie habe ihre Zeit fest in der Hand. Du aber gehst hier zum ersten Mal, berührst den Saum ihrer Gewohnheiten, schlenderst neben anderer Leute Werktag dahin.

Yossica war es übrigens, die mir an jenem Samstag die Notiz aus der Zeitung vorlas. Sie stand auf der letzten Seite, unter der Rubrik ›Zu Gast in unserer Stadt‹, in der Liste der namhaften Personen, die in den ersten Hotels übernachte-ten. Dort las sie: ›Ossia, deutscher Komiker, im Hotel Tower-Bellevue.‹

Ich verspürte augenblicklich ein starkes Herzklopfen, wie man es sonst wohl bekommt, wenn man von einer vergangenen, schmerzlich abgebrochenen Liebe wieder etwas hört.

Ossia. Dieser Mensch, dem ich einmal so nahe war, mittlerweile ein Berühmter, ein Beliebter, eine öffentliche Figur. Mein Freund, mein Lehrer!

Alfred Weigert. So hieß er noch, als ich ihn kannte. Bevor er die berühmte Kinofigur erfunden hatte, deren Namen er dann selber annahm. Als ich sehr jung war und für kurze Zeit am Theater arbeitete, hat er mich nach Kräften gefördert. Er, der ältere und anerkannte Regisseur, glaubte in mir ein Talent zu entdecken, und vielleicht besaß ich's ja auch, aber es trug doch nicht weit, es genügte mir selber nicht. Ich war dann beim ersten Ossia-Film sein Assistent geworden oder wie man damals besser sagte: sein kritischer Mitarbeiter.

Oft genug mußte ich Yossica diese Geschichte erzählen und selbstverständlich sahen wir in den letzten Jahren alle seine Filme mehrmals. Er hatte es tatsächlich geschafft, mit nur vier Filmen seinen komischen Helden richtiggehend populär zu machen. Obwohl doch eher eine schwierige, exzentrische Type, kam er sogar bei einem breiten Publikum an. Die Deutschen hatten buchstäblich einen Narren an ihm gefressen. Sie liebten den Clown ihrer hehren Ideen. Man mag vielleicht denken, volkstümlich, das sei heute nicht mehr viel, da es so leicht ist, aus der Menge hervorzuragen und selbst der abgründig eigenschaftslose Mensch, der als Nachrichtensprecher im TV erscheint, bereits eine Berühmtheit darstellt. Aber es ist denn doch etwas anderes, ob man den Leuten nur als ein Augenwisch, als ein tagbleicher Spuk bekannt ist oder ob man Einlaß findet in ihr Herz, in ihr menschliches Gedächtnis. Und dies war meiner Meinung nach Ossia gelungen. Vielleicht war er überhaupt der letzte Komiker, der nicht aus der Parodie, der totalen

Selbstbespiegelung der Medien hervorgegangen war, der nicht aus bereits gefilmtem Material bestand. Er hatte die Wesenskraft und das Glück, noch einmal eine Gestalt, ein Original, einen allgemeinen und doch unverwechselbaren Typ zu erschaffen, den jedermann sofort erkannte, indem er sein Teil an ihm hatte. Er war jemand, der zutiefst den Deutschen gehörte. Wie Tatis Monsieur Hulot zuerst den Franzosen, Woody Allen vor allem den New Yorkern gehörte, auch wenn sie später weltbekannt wurden. Es brauchte aber nicht nur eine glückliche Erfindungsgabe, es brauchte ja auch einen empfindlichen Mut, eine komische Figur ganz aus deutschem Gewissen zu bilden, die gleichwohl den billigsten Instinkten ihrer Landsleute keinerlei Anreiz bot, die weder rüpelhaften Klamauk vorführte noch die Grimassen der Selbstvergessenheit schnitt. Ossia, das war auch ein heimlicher Wiedergänger aus deutschen Sagen und Dichtungen, ein Wahrheitssucher im ›modernen Nervenkostüm‹, ein Narr des hohen Willens und der Ideale; einer, der wohl das Unheil ständig in sich trug und oft zu komisch bedrohlicher Wirkung brachte, der aber zu guter Letzt immer den Ausgleich mit den glücklicheren, dem Leben zugeneigten Anlagen des Menschen fand. Ein pedantischer Träumer, ein preußischer Taugenichts, und mit welch flackernden Begriffen ihn die Zeitungen sonst noch bedachten; eine Kreuzung zwischen Parzival und Paracelsus; ›der Mann mit den weichen Augen eines Rilke und dem knöchernen Schädel des Hidalgo‹ hieß es sogar einmal in unserem Blatt. Seine Wirkung war tatsächlich nicht leicht zu beschreiben. Er vermochte die Leute trotz allem Gelächter schließlich zu rühren. Sie folgten seiner verschrobenen Einfalt, sie nahmen es sich zu Herzen, wenn dieser Ossia über einen schaurigen Geschichtsabgrund hinweg seine dürre Hand ausstreckte, um sich mit deutschen Gestalten von hohem Charakter zu versöhnen, die uns lange Zeit abhanden gekommen waren, mochte es nun ein Hagen von

Tronje oder der getreue Eckart vom Venusberg sein. Wenn er sich derart zu den heroischen Deutschen begab und sich als Komiker in ihre Nachfolge versetzte, dann war das zuweilen eine gefährliche Fracht, die er da schwankend und strauchelnd überbrachte: Traditionen, die im Gedächtnis der Nation längst eingeschlummert waren und durch die Erschütterung eines Gelächters aufgeweckt wurden. Nicht nur seine äußere Figur, sondern auch die ganze Art seiner komischen Handlungen erinnerten dabei in der Tat häufig an die Abenteuer des Ritters von der traurigen Gestalt. In ›Nicht zu zweit‹ etwa benahm er sich auf einer Party im Penthousegarten geradewegs wie in einem mittelalterlichen Rosenhag. Oder er bestieg feierlich einen Apfelbaum, um einer auserwählten Blüte, in die er sich unsterblich verliebt hatte, seine Aufwartung zu machen. Ein anderes Mal befreite er eine holde Riesin, die ängstliche Bürger in einen Flugzeughangar eingesperrt hatten, entführte sie mit großer Galanterie, ohne doch recht zu wissen, wo er sie unterbringen sollte und wie er seine unglückliche Leidenschaft für alles leiblich Große an ihr stillen könnte (in ›Bericht für eine Kommission‹). Ossia spielte den letzten Ritter vom Heiligen Orden des Individuums. Nein, er spielte ihn nicht nur, er selbst, Alfred Weigert, glaubte stur und inbrünstig daran, daß der starke Einzelne wie eh und je beinahe alles vermöge, wenn er sich nur von hohen Ideen, von grandiosen Vorsätzen leiten ließe. Aus dieser tiefverwurzelten Überzeugung, aus diesem kraftvollen Irrtum sprudelte die Quelle seines Talents. Und diese Quelle war heilig. Man durfte sie ihm nicht verunreinigen. Ich habe es selbst schmerzlich zu spüren bekommen, und unsere Zusammenarbeit ist daran zerbrochen, daß ich es wagte, diese heilige Allmacht des Individuums in Zweifel zu ziehen und an seiner Erfindung, der Ossia-Figur, dauernd herumzumäkeln. Ich war, wie gesagt, sehr jung damals, knapp über zwanzig. Mein ausschließliches Interesse galt den Formen,

Symbolen, Riten, Institutionen, dem gesamten ›Gesell-
schaftswerk‹, aus welchem der Mensch besteht und das ihn
bis in seine intimsten Bereiche hinein reguliert. Der Einzelne hatte sich für mich restlos in seine Fremdbestandteile
aufgelöst. Ich war so dumm, mir einzubilden, ich müßte
einem Künstler zur richtigen ›Intelligenz‹ verhelfen. Heute
könnte ich leicht darüber lachen. Wenn ich mich nicht auch
schämen müßte. Denn meine naseweisen Auffassungen haben mich entschieden daran gehindert, Alfreds Wirkung
schon im Anfang zu erkennen und richtig einzuschätzen.
Ich war sehr kleingläubig, was Ossias Sendung als deutscher Komiker betraf. Und was hätte er damals beim
schwierigen Beginnen dringender gebraucht als jemanden,
der fest an ihn glaubte? Ich war zu der Zeit ein unzufriede-
ner Mensch, lungerte unschlüssig am Theater herum, hatte
an allem etwas auszusetzen und hielt mir auf meinen kritischen Verstand viel zugute. Mein erster Versuch, eine eigne
Regie zu führen, war, wo nicht gescheitert, so doch merkwürdig ins Leere verpufft. Am Theater wollte ich nicht
weitermachen. Ich bildete mir ein, es genügte meinen Ansprüchen und Ideen nicht. In Wahrheit hatte ich aber von
den beiden Schauspielerinnen, mit denen ich damals arbeitete, allzu viele Demütigungen einstecken müssen, es hatte
mich nachhaltig verschreckt. Ihre unbarmherzigen Spiele,
die blutige Beutegier, mit der sie sich mehr auf mich als auf
die Rollen und das Stück gestürzt hatten, ließen mich daran
zweifeln, ob ich der richtige Mann für diesen entsetzlich
eitlen und unberechenbaren Betrieb wäre. Mein eigentliches Interesse am Menschen und seinen Verhältnissen
mußte hier Schaden nehmen. Zuviel Vortäuschung und
Scheinbarkeit waren mir im Weg. Die beiden Raubkatzen
damals waren im übrigen – Yossica wollte es mir anfangs
nicht glauben, daß ich schon als junger Mensch solchen
Größen begegnet war! – Pat Kurzrok und Margarethe
Wirth, die dann in fast allen Ossia-Filmen mitwirkten, die

Kindfrau und die Dame, die Freche und die Schöne, denn ein solches Frauen-Gespann gehörte gewissermaßen zum Wahrzeichen dieses hageren Helden und umgab ihn mit einer sonderbaren erotischen Macht wider Willen. Schon im ersten Film waren sie dabei, in ›Nicht zu zweit‹, an dem auch ich noch beteiligt war. Eine etwas theaterhafte Komödie, in der Ossia seine Umwelt von einer rätselhaften und ansteckenden Seelenkrankheit befreite, dem sogenannten Zweier-Grauen, das den modernen, veröffentlichten Menschen plagte und ihn daran hinderte, je nur mit *einem* anderen allein zu sein. Wann immer sich die Gefahr eines solch nackten Vis-à-Vis abzeichnete, ergriff er entweder die Flucht oder sorgte für die umständlichsten Schutz- und Begleitmaßnahmen. Selbst bei der Abwicklung gewisser Intimvorgänge wurde daher die Anwesenheit eines heilsamen Dritten schließlich unerläßlich. Später gaben Pat und Mag dann vor allem in ›Montanus‹ ein hinreißendes Paar, in seinem vielleicht schönsten Film. Ich hatte ihn schon früh mit diesem Stoff bekannt gemacht, und er hat ihn sich, lange nach unserem Zerwürfnis, wieder vorgenommen und herrlich anverwandelt. Hier spielte er einen Gabelstaplerfahrer in einem Gefrierhaus, der zum Begründer einer sehr irdischen Erweckungsbewegung wird und mit seinen beiden Prophetinnen Priscilla und Maximilla, seinen ›Getreuen der Liebe‹, durch unsere verkaterte, lustlose Gesellschaft pilgert bzw. tingelt. Unvergeßlich für jeden, der das sah, die Bildfolge am Schluß: wenn ein ganzes Feld voll hoher Sonnenblumen in Reih und Glied bereitsteht, sich unter Ossias Kommando in Bewegung setzt und wahrlich wie eine Heerschar der Sonne in die nächtliche Ödnis der Stadt einmarschiert ...

Wie auch andere seiner berühmten Kollegen fand er verhältnismäßig spät zu dem Typ und der Figur, die ihn berühmt machten, nach vielen Vorstudien und längeren Umwegen. Ernsthaft komisch, meinte er damals, könne ein Mann ohnehin nicht vor seinem vierzigsten Lebensjahr wirken. Und das war auch ungefähr das Alter, in dem er eines Tages seine Bühnenkarriere für beendet ansah und sich in ein komisches Subjekt verwandelte. Er hatte, wie gesagt, lange daran herumprobiert und unzählige Anläufe genommen. Und nun wollte er endlich das ganze Gewicht in die Waagschale werfen, das war es, was ihn vor allem antrieb. Einmal nicht bloß der Regisseur, der Interpret sein, sondern Autor, Hauptdarsteller, Filmemacher, kurz der Verursacher von allem ganz allein. Nun wurde gleich die erste Arbeit wider Erwarten zu einem großen Publikums-erfolg, und er erhielt daraufhin alle nötigen Mittel und Möglichkeiten, um so weiterzuarbeiten, wie er sich das immer gewünscht hatte. Alles, was er geplant und seit langem vorbereitet hatte, ließ sich eins nach dem anderen zum Werk formen und im großzügigen Stil produzieren. So entstanden innerhalb von zehn Jahren sechs große Filme, die dieses Ossia-Wesen, diesen Sonder-Deutschen, den heroischen Tölpel, zu einer beinahe sprichwörtlichen Figur werden ließen. Die beiden letzten Filme allerdings, in denen er selbst nicht auftrat, gefielen nicht. Sie waren auch nicht besonders komisch und enttäuschten sein Publikum. Auf einmal hatte ihn der Ehrgeiz gepackt, etwas völlig Neues auszuprobieren – kaum noch erkennbare Handlungsmuster zu benutzen und in zersplitterter Schnittfolge zu erzählen –, ohne selbst zu bemerken, daß er damit auf die ziemlich ausgetretenen Pfade eines sterilen Modernismus geraten war. ›Erinnerung an Till‹ und vor allem ›Klingsohr‹ waren dazu noch angefüllt mit allerhand schwer erträglichem, tiefsinnigem Geschwätz und verbreiteten eine ausgespro-chen miese Weltstimmung, wie sie in seinen früheren Fil-men niemals aufkommen konnte. Die entführende Fanta-sie, den freien Atem der Sequenzen vermißte man schmerz-lich in diesen beiden letzten Werken, wie natürlich auch

Ossia selbst, den Helden, die zentrale Leit-und Leidensge-
stalt.

Gut zwölf Jahre älter als ich, mußte er sich mittlerweile
auf die Fünfzig zubewegen. Es war denn auch seit einiger
Zeit hin und wieder von einem Jubiläumswerk die Rede,
das der Meister von langer Hand vorbereitet habe und das
alles Bisherige seiner Kunst in den Schatten stellen sollte.
Lediglich infolge geringfügiger Finanzierungslücken ver-
zögerte sich der Drehbeginn noch um ein paar Wochen.
Aber dies Gerücht geisterte nun schon seit anderthalb Jahren durch die Zeitungen, und man durfte vermuten, daß es
die Produktion selbst an die Presse lenkte, um die Erwartungen zu steigern und das öffentliche Interesse munterzu-
halten.

Als Yossica nun in der Zeitung las, daß Ossia sich in unserer
Stadt aufhielt, ließ es ihr durchaus keine Ruhe und sie
drängte, daß wir doch zu ihm hinausfahren sollten, und sei
es, um ihm ›bloß mal‹ Guten Tag zu sagen.

Mir war aber der Gedanke nicht geheuer, ihm nach so
langer Zeit wiederzubegegnen. Was mochte von meinem
Alfred Weigert übriggeblieben sein? Ein so breiter Erfolg
und die Gunst von Millionen lassen einen Menschen doch
nicht unverändert, sie formen ihn unerbittlich nach ihren
Geboten. Würde er überhaupt noch ansprechbar sein für
unsereinen? Zumal für jemanden, der sich so gründlich vor
ihm ins Unrecht gesetzt hatte. Er, der fest an sich und auch
an andere Menschen glaubte, hatte das Glück auf sich
gezogen. Ich hingegen, der an ihm und anderen, vor allem
aber an mir selbst gezweifelt hatte, war stets vor meinen
Fähigkeiten und Antrieben ausgewichen und hatte mich
schließlich hinter einer nahezu bedeutungslosen Arbeit und
Anstellung versteckt. Ich hatte eine Beschäftigung, aber
nicht einmal einen Beruf. Zwar war ich nicht faul gewesen,
doch hatte ich nur ein einziges Geschlinge von Umwegen

zurückgelegt. Mein Suchen und Suchen hatte mich wohl um manche Erfahrung bereichert, doch bevor ich's noch hätte zusammenfassen können, waren meine besten Kräfte schon aufgezehrt. Deshalb schämte ich mich, ihm unter die Augen zu treten. Er war einmal mein Lehrer. Ich hatte ihm keine Ehre gemacht.

Aber Yossica wollte ihn unbedingt kennenlernen, den Berühmten. Wir nutzten also meinen bereitschaftsfreien Sonntag, an dem der Himmel wiederum trüb und die Stadtluft besonders stickig war, zu einem Ausflug ins Tower-Bellevue.

Dies vielbeschriebene Meisterwerk einer postmodernen Hotel-Architektur war ja an sich schon einen Besuch wert, dieser nationale Luxus-Turm, in dem schon so viele Berühmtheiten abgestiegen waren und bedeutsame Begegnungen stattgefunden hatten. Neben dem normalen Hotelbetrieb gab es hier auch eine Reihe kleinerer und größerer Wohnungen, die an residierende Gäste vermietet wurden. Darunter befanden sich dann vorzugsweise Geschäftsleute aus Übersee, wandernde Sektenprediger, Flugkapitäne und Fernsehschaffende und eine Menge einsamer, reicher Leute, die einfach gern unter Leuten waren, und zwar unter besseren. Der Turm lag etwa fünfzehn Kilometer nordöstlich der Stadtgrenze und bildete gewissermaßen das vorherbestimmte Zentrum einer zukünftigen, bereits absehbaren Megalopole, ragte als Wahrzeichen einer noch gar nicht vorhandenen Riesenstadt empor, zu der die umliegenden Ballungsgebiete rechts und links des Rheins sich langsam zusammenschlossen. Daher war es etwas merkwürdig für uns, daß wir, vom äußeren Schnellstraßenring hinausgetragen, sogleich in den Sog dieses gigantisch vorschwebenden neuen Zentrums gerieten. Wir, die wir doch aus der eigentlichen Stadtmitte herkamen, drangen nun wie ferne Vorortbewohner in das Innere dieser Schatten-City vor. In seiner

Anlage und Linienführung war das Ganze bereits derart gegenwärtig, daß wir gar nicht umhin konnten, uns einen langen Boulevard mit Geschäften, Banken, Wohnblocks und Parks vorzustellen, als wir jetzt an den noch unbebauten Feldern, kleinen Fabrikanlagen und zerrupften Forsten entlangfuhren. Diese eindringliche Vorspiegelung einer neuen Stadt bewirkte wohl einzig der mächtige Turm am Ende, der ganz allein auf weiter Flur herausstand, fast königlich im Strahlenkreis blanker Straßen, die, kaum befahren, alle zu ihm hintrugen. Diese Straßen schienen uns aber auch wie Fließbänder, wie ein ausgedehntes Gerät zur Besiedelung und zur Herstellung einer Stadt. Doch die unbezweifelbare Mitte, die hier von der magisch schimmernden Säule behauptet wurde, schloß ringsum alle Ballungsräume auf und zwang sie, sich einem neuen Innenraum, einem neuen Kern zuzuwenden. Es war ein Turm aus rosa Granit, mit einer bronzefarbenen Glashaut überzogen; eine schlanke Errichtung, gut hundertfünfzig Meter in die Höhe steigend, am Fuß in eine leicht abgespreizte, sockelartige Verbreitung auslaufend, die an den tieferen Stamm eines Baums erinnerte. Dies Gebäude hatte nichts mehr gemein mit den klobigen Quadern, den schwunglosen Cornflakesschachteln einer früheren Hochhaus-Epoche. Auf jeden, der es betrachtete, mußte es unbedingt beglückend wirken. Man empfand es als betörend leicht und mit der Luft innig verbunden. Es spielte mit jedem Licht; noch den geringsten Himmelsschimmer nahm es auf und machte etwas daraus. Es wirkte auch ein wenig erhaben, ohne deswegen den strengen Fingerzeig der Kirche nachzuahmen. Und doch konnte man sich schwer ein weltliches Bauwerk unserer Tage vorstellen, das einen ähnlich spirituellen Abglanz verbreitete wie dieses. Denn unumstößlich und dabei rein aus tausendfacher Lichtbrechung zu bestehen schien der hohe Turm, unumstößlich wie der Glaube, der ihn errichtet hatte; ein Dom des Luxus und der

Anonymität, als hätte unser rüder Wohlstand hier zu durch-
geistigter Form gefunden.

Yossica und ich betraten den Turm jeder durch eine der vier
gläsernen Drehtüren, die die Eingangsfront unterglieder-
ten. Unwillkürlich schritt jeder für sich weiter, als gehörten
wir gar nicht zusammen. Die augenblickliche Größe und
Fremdheit, der entrückte Schall der Empfangshalle nahm
jeden eigens beiseite und zog ihn ins Staunen. Eine kühle
Strömung von Stillstand und Muße kam uns entgegen, als
hätte man das Gestade einer anderen Zeit betreten, einer
immerwährenden, hellichten Schläfrigkeit. Es war nun um
die Mittagsstunde und nur wenige Menschen waren überhaupt zu erblicken. Sie verloren sich in der weitläufigen
Lounge und Empfangsebene, sie wurden von den weißen
Ledersesseln verschluckt, wurden beinahe überblendet von
soviel künstlicher Klarheit, oder sie verweilten in glitzern-
der Entfernung unten im Garten des Atriums, zu dem von
der Halle aus langgestreckte Marmorstufen hinterführten.
Da sah man eine glasüberdachte Piazza, eine komplette
kleine City mit Boutiquen und Ladenpassage, Sauna, Kino,
Restaurants und Reisebüro. Der Platz selbst war eingefaßt
von Bambusstauden, die meterhoch aus dem Boden ragten
und zwischen denen über einen Felsvorsprung ein kräftiger
Wasserfall niederging, rauschend, aber nicht tosend. Nicht
weit davon entfernt ein zugefrorener Teich, der als Schlitt-
schuhbahn diente. Dies war also ›Tower-Stadt‹. Alle Wände
waren hier weit über Kopfhöhe mit honigfarbenem Mar-
mor bedeckt, poliertes Messing floß an Geländern und
Lampen in Strömen und geschliffene, farbig beleuchtete
Glasbänder, umfaßten Brunnen und lange Beete, auf denen
bizarre, kreidebleiche Sträucher standen.
    Nachdem ich diesen kühlen und friedlichen, diesen vor-
nehmen und verwunschenen Ort allmählich in mich aufgenommen hatte, wurde mir auch bewußt, weshalb sich Ossia

ausgerechnet hierher zurückgezogen hatte. Man befand sich hier immerzu in einem halbwegs unbelebten Zeit-Raum, in dem sich die Augenblicke übermäßig dehnten, ganz ähnlich wie ich es in seinen letzten Filmen gesehen hatte, wenn der Kamera-Blick an einem sinnlichen Detail anhaftete, so lange bis es zu ›sprechen‹ begann, bis sich der Blick zur Schau erweiterte. Eine solche physische Mystik hatte er uns dort in vielen Bildern vorgeführt, ja fast schon gepredigt. In dieser Umgebung nun ergab sich dergleichen beinahe von selbst. Die träge Schau, die Zeit-Lupe bildeten hier die ortseigene Form der Wahrnehmung. In dem leeren, lilienweißen Nobelrestaurant saß allein an ihrem Tisch eine junge Frau im schulterfreien, geblümten Kleid. Sie goß schluckweise aus einer Flasche Wein in ihr Glas und trank jedesmal hastig. Sie saß mit dem Rücken zur Fensterfront, traurig vorgebeugt, die Unterarme auf den Schenkeln verschränkt. Vor ihr aber, wie ein ausschauhaltender Raubvogel vor seiner Beute, stand gerade aufgerichtet der Kellner, ein stattlicher Bursche, der die weiße Schürze um den Bauch gebunden hatte und das Serviertuch in beiden auf dem Rücken liegenden Händen hielt. Er blickte überlegen und leer hinaus durch das hohe Fenster in den wiederum gläsernen Garten des Atriums. Der Ausblickende und die zu ihm Vorgebeugte, zwischen ihnen kein Wort, vielleicht nichts, nie das Geringste. Nur der *Form* nach ein Schicksal, der Haltung nach ein entstelltes Paar. Das waren Blicke, die ich hier mühelos für Ossia hätte sammeln können.

Am Frontdesk mußten wir den Empfangschef persönlich herbeirufen lassen, da alle übrigen Bediensteten keine Befugnis hatten, auch nur eine telefonische Verbindung zwischen einem unangemeldeten Besucher und dem Künstler herzustellen. ›Der Künstler‹ hieß es immer wieder, da sie schlecht ›Herr Ossia‹ sagen konnten und ›Ossia‹, wie ihn alle Welt nannte, ihnen wohl zu vertraulich und respektlos

geklungen hätte. Nein, wir hatten natürlich gar nichts vorzuweisen, keine Verabredung, keine Einladung oder Empfehlung. Der Empfangsherr, ein dicklicher Südamerikaner,
musterte uns flüchtig und nahm sogleich seine Brille von
der Nase. Es war mir klar, daß nichts zu machen sein würde.
Er stützte sich mit überkreuzten Armen auf und blickte
bedauernd auf seine Gästeliste. Er durfte uns nicht einmal
durchstellen. Mein Verdacht, daß man sich Ossia nicht
mehr wie einem gewöhnlichen Sterblichen nähern konnte,
hatte sich also bestätigt. Ich wäre sofort umgekehrt, aber
Yossica ließ nicht locker. Sie lehnte sich etwas freizügig
über das Pult und begann ihm unser persönliches Anliegen
vorzutragen, die Geschichte einer langen Freundschaft und
Kollegenschaft zu erzählen bzw. zu erfinden. Doch es
führte lediglich dazu, daß der kleine runde Mann seine
Brille wieder aufsetzte, um Yossica ins Kleid zu schauen,
wobei er das Gestell mit häßlichem Nasenkräuseln nach
oben drückte; es sah aus, als verdecke er seine Lüsternheit
zwanghaft unter einer fiestuerischen Miene. Am Ende aber
erntete auch Yossica nur ein Achselzucken. Er hatte nun
einmal ausdrückliche Anweisung vom Künstler . . .

In diesem Augenblick wurden wir seltsam unterbrochen.
Eine der Drehtüren schaufelte eine Schar junger, hochgewachsener Frauen in die Halle. Man hätte sie für kostbare
Mannequins halten können, wenn sie nicht alle das gleiche
hellrosa Gewand getragen hätten, mit einer breiten Kapuze
auf dem Rücken. Elf waren sie im ganzen, zwei von ihnen
Farbige. Als sie nun heranzogen, bildeten sie eine geflügelte
Spitze, die Form eines Pflugschars, und strebten leicht und
unaufhaltsam durch die Halle. Dazu sangen sie im leisen
Chor eine monotone Melodie, die ein wenig an ein religiö-
ses Erweckungslied erinnerte. Sie zogen an der Rezeption
vorbei und steuerten auf die Wand mit den Liften zu. Nun
brach unter den Portiers eine beflissene Unruhe aus. Unser
Empfangsherr ließ uns abrupt stehen und stürzte in die

Telefonzentrale. Vermutlich mußte jemand von der Ankunft der bildschönen Frauen benachrichtigt oder gar in letzter Minute gewarnt werden. Mir erschienen sie hingegen wie die Vestalinnen des Turms, wie Tempeldienerinnen. Yossica und ich folgten ihnen kurzerhand, mischten uns einfach unter sie, als sie sich auf die verschiedenen Lifte verteilten. Mit vier von ihnen standen wir dann in der durchsichtigen Aufzugkapsel, die frei an der Turmwand emporschwebte. Sie sangen verhalten, doch ohne Unterbrechung weiter. Sie waren durchaus nicht ansprechbar in ihrer lässigen Verzückung. Ich versuchte es trotzdem, da mir schien, daß sich die Mädchen im Turm recht gut auskannten und zudem auch in eine der Etagen für special guests hinauf wollten. Die Kreolin, die ich nach Ossia fragte, neigte sich mit einem süßen Lächeln vor und hauchte mir eine Schleife ihres endlosen Lieds ans Ohr. Aber sie antwortete nicht. Ich hatte eigentlich längst die Lust verloren, noch weiter nach meinem streng abgeschirmten, allzu berühmten Freund zu suchen, aber leider zeigte Yossica noch keinerlei Neigung aufzugeben. Als der Lift im 37. Stockwerk hielt, empfingen uns zwei stämmige Kerle der Hauspolizei. Sie drängten die singenden Frauen unauffällig-gewaltsam in die Gondel zurück, nachdem sie uns zuerst hinaustreten ließen. Die aufgehaltenen Frauen wehrten sich mit lauter werdender Stimme, mit anschwellendem Gesang. Gerade aber, als es zu einem leichten Gerangel kam zwischen den Ordnungskräften und den ungelittenen Vestalinnen oder wer immer sie sein mochten, kurz bevor sich die Aufzugtür schloß und sie wieder hinabsinken mußten, da rief die Kreolin noch hinter uns her: »Four-O-One!« Im ersten Augenblick dachte ich, unter dieser Nummer sollte ich schleunigst Hilfe für sie bestellen oder jemanden benachrichtigen, aber wo und worüber? Dann aber kam mir der Gedanke, daß sie uns zu guter Letzt doch wohl die Nummer von Ossias Apartment nachge-

rufen haben könnte. Es zeigte sich auch, daß die ›401‹ auf
demselben Stockwerk liegen mußte, auf dem wir nun angekommen waren und das die heiteren Frauen nicht betreten durften. Von außen unterschieden sich die Türen der
Residenzen nicht von denen gewöhnlicher Hotelzimmer,
nur daß sie in größeren Abständen aufeinanderfolgten und
mit einer Klingeltaste versehen waren. Am Ende eines
langen, mit schallschluckenden Fliesen ausgelegten Flurs
standen wir dann plötzlich vor der ›401‹. Ich bekam einen
trocknen Mund, und das Herz schlug mir bis zum Hals. War
es meine Art, mich über die Schutzsperren hinwegzusetzen,
die ein erhöhter Mensch, ein Publikumsliebling gegen
rücksichtslose Nachstellungen um sich errichtet hatte?
Sollte ich denn gegen jeden Anstand verstoßen, nur damit
Yossica ihre Neugierde befriedigen konnte? Ich blickte sie
an; eine Spur zu mißfällig vielleicht, sie erriet meine Gedanken. Sie hob die Schultern. Bitte, wenn du nicht willst . . .
Ich drückte auf die Klingel. Ein elektrischer Türöffner
antwortete umgehend. Als hätte der Inwohner jemanden
dringend erwartet. Wir betraten ein großzügiges, von hart-
eckigen Kristalleuchten erhelltes Vestibül. Zwischen zwei
hohen, vierkantigen Spiegelsäulen führte ein Gang über
flache Stufen abwärts in eine ovale, mit moosgrünem Teppich bedeckte Wohnmulde. An den weißlackierten Wänden
hingen zarte Efeuranken, ein abstrakter Lichterbaum aus
Edelstahl stand auf einem Glaspflock, in dem Goldfische
schwammen, und neben der lachsroten Ledercouch gab es
eine üppige Dekoration von Pampasgras und Getreidebün-
deln. Es war eine ähnliche Mischung von Gewächshausstil
und Techno-Design, wie wir sie schon unten im Atrium des
Hotels kennengelernt hatten. Nur daß hier ein weit entfal-
tetes Netz von persönlicher Unordnung über den kalten
Prunk ausgeworfen war. Überall lagen Kleidungsstücke
herum, Bücher, Videokassetten, auseinandergerissene Zeitungen. Die gesamte Fensterfront war mit einer schwach

344

durchscheinenden Illusionsmalerei bedeckt; ein Golfplatz
mit Meeresblick.

»Pat?« rief Ossia aus dem Nebenraum.

Sie war es also, die er erwartet hatte. Ich schob die
angelehnte Tür beiseite. Ossia lag aufrecht in seinem Mor-
genmantel auf dem Bett; umgeben von unzähligen Notiz-
zetteln, Skizzen, Fotos und Zeitungsausschnitten. Vor sich
hatte er ein kleines Schreibpult, wie es bettlägrige Kranke
benutzen. An den Fenstern waren die Jalousien heruntergelassen, die Türen der Wandschränke standen sperrangel-
weit offen. Ich glaube, zum ersten Mal in meinem Leben
blickte ich in ein Gesicht, das vom Todesschreck gezeichnet
war. Er schien uns für Entführer oder Geiselnehmer zu
halten. Doch auch ich war bei seinem Anblick zutiefst
erschrocken, und Yossica trat schüchtern hinter meinen
Rücken. ›Deshalb also tritt er in seinen Filmen nicht mehr
auf!‹ schoß es mir als erstes durch den Kopf. Es war fast so
schlimm, als sähe man einen sehr vertrauten Menschen
wieder, den ein Unfall gräßlich entstellt hatte. Dieser Mann
dort, der plump in seinen Kopfkissen lehnte, war nur noch
mit Mühe als derselbe zu erkennen, der einst den hageren
Asketen-Clown erfunden und gespielt hatte. Dort lag ein
fettleibiges Monster. Ein Koloß mit aufgeschwemmtem
Gesicht, speckigem Kinn, halber Glatze, mit langen Haar-
strähnen, die im feuchten Nacken anklebten, mit kleinen
Augen hinter faltigen Wülsten. Dieser Ossia war nun so
unförmig, daß er nicht mehr in seinen Typ paßte. Jene
strenge komische Figur, die unter dem Namen Ossia bekannt war, gab es einfach nicht mehr. Aber wie um alles in
der Welt konnte sich ein schmaler, vogelhafter Kopf zu
einem derartigen Ballonschädel ausweiten? Wie kam ein
schroffes Knochengespenst zu einem solch schwammigen
Wanst? War er krank oder wollte er aus seiner Haut?

»Ich bin's. Leon«, sagte ich mit belegter Stimme.

»Ja?« fragte er furchtsam.

Ich genierte mich vor Yossica, weil er mich nicht erkannte.

»Leon Pracht. Ich war einmal dein Assistent.«

»So.« Er blickte sehr schnell und mißtrauisch, aber immer an mir vorbei. »Wann denn?«

»Es war bei ›Nicht zu zweit‹.«

»Hm«, brummte Ossia. »Wo hast du die ganze Zeit gesteckt, mein Junge?«

Ich mußte lachen. Die joviale Anfrage, und dabei so kleinmütig, ja fast zimperlich dahingesprochen, wirkte reichlich komisch. Aber mein Lachen machte ihn sofort zutraulich. Bei solchen Tönen wurde er gleich hellwach. Man sah förmlich, wie das Showtier in ihm sich regte und den Angsthasen verjagte. Er richtete sich in seinen Kissen auf und linste zu uns rüber, wohl um zu prüfen, ob der Zeitpunkt für eine kleine Nummer schon gekommen wäre.

»Mein Gott, Leon! Ich hab dich nicht gleich erkannt« – ich zweifelte sehr, daß er's inzwischen getan hatte! – »es kommen ja 'ne Menge Leute hier rauf. Meistens Irre. Oder Schlimmeres. Die kommen rein und sagen: ›Ich wollte bloß schnell Bescheid sagen . . .‹ Bescheid? Was für 'n Bescheid? frag ich. Sie wissen es nicht. Sie glotzen im Zimmer herum. Bescheid von wem? Sie wissen es nicht . . .«

Jetzt setzte Ossia seinen massigen Leib in Bewegung. Er spielte uns seine lästigen Besucher vor. Dabei war er sichtlich bemüht, uns die komischen Vorzüge seiner neuen, schweren Gestalt erkennen zu lassen. Dennoch war es für mich schmerzlich zu sehen, wie er sich zugleich hinter seinen Kunststücken versteckte, um nur ja keine Frage nach dem Ossia, den wir eigentlich suchten, aufkommen zu lassen.

»Oder sie kommen rein und sagen: ›Äh ich glaube äh ich meine äh ich finde, ich wollte nur mal sagen, Ihre Filme stellen für mich letztlich kein echtes Identifikationsangebot dar.‹ Oder sie kommen rein und sagen: ›Ich bin jemand, der Ihnen ein paar Fragen stellen möchte. Ganz kurz. Nord/ Süd?‹ – Weiß nicht. – ›Ost/West?‹ – Weiß nicht. ›Friede, Mikroelektronik, Sex und Sinn?‹ – Weiß nicht. – ›Aber gerade Sie und die brennenden Fragen der Zeit . . .‹ – Hören Sie! Was fragen Sie mich? Bin ich ein Parteikongreß? Ich-weiß-es-nicht. Oder sie kommen rein und ich sage: Machen Sie, daß Sie rauskommen! Sie bleiben aber stehen und schmunzeln. – Habe ich mich nicht richtig ausge- drückt?! – Sie grinsen, sie lassen den erhobenen Zeigefinger kreisen und sagen: ›Oh, ich durchschaue das Spiel. Ich durchschaue es wohl!‹ – Was für ein Spiel? Ich spiele nicht. Ich möchte bitte allein sein. – Sie sagen: ›Ich verstehe Sie sehr gut. Ich verstehe genau, was Sie meinen‹ – und rühren sich nicht vom Fleck. Das sind die Psychologischen. Sie legen die Hände auf den Rücken und wippen auf den Fußsohlen. Sie wissen nämlich ganz genau, daß man stets das Gegenteil will von dem, was man sagt . . .«

Ossia kam nun groß in Fahrt. Yossica lachte, als säße sie im Kino. Sie klatschte sogar Beifall. Plötzlich ging die Türklingel. Ossia, der sich zum Vorspielen vom Bett erho- ben hatte, ließ sich in seine Kissen sinken, drückte den Türöffner neben dem Nachttisch und begann angestrengt in seinen Zetteln zu kramen. Für einen Moment erinnerte er mich an John Gielgud, der in Resnais' ›Providence‹ diesen alten Schriftsteller spielt, der schlaflos auf seinem Bett liegt, unablässig Chablis trinkt und die Geschichte seiner unor- dentlichen Familie vor sich hin brabbelt.

Pat Kurzrok betrat das Zimmer. Sie trug Jeans und ein kariertes Flanellhemd. Ihre Haare waren jetzt lang und im Nacken zusammengebunden. Sie war noch kleiner und zierlicher, als ich sie in Erinnerung hatte. Pat, schon damals, vor rund fünfzehn Jahren, beliebter beim Publikum als Margarethe, die schöner, aber auch die schwierigere Seele war. Inzwischen stand die Kurzrok in der Gunst der Massen. Beliebt bei Millionen, steckte auch etwas von Millionen in ihr; das rätselhaft Allgemeine strahlte aus ihr. Sie warf einen Stapel frischer Handtücher neben Ossia aufs Bett und verschwand wieder. Ohne ein Wort, ohne jemanden von uns auch nur eines Blickes zu würdigen.

Ich fragte, ob Pat auch hier im Turm wohnte, und Ossia nickte.

»Manchmal arbeitet sie draußen irgendwo. Manchmal ein Fernsehen, mal eine Theatertournee. Aber sie kommt immer wieder zurück. Sie kommt zurück, hat dann tagelang Durchfall, erbricht sich und behauptet, sie höre Stimmen, solange sie hier bei mir ist. Sie verliert drei Kilo ihres Gewichts und dann verschwindet sie wieder. Erholt sich von uns und wird verrückt vor Sehnsucht. So etwa läuft das jedesmal ab. Ich muß unbedingt etwas tun für sie. Es wird höchste Zeit, daß ich einen Film mit ihr mache.«

In diesem Augenblick schien ihn eine Art Lähmung zu befallen. Er rutschte von den Kissen und legte sich flach auf den Rücken. Er starrte zur Decke hinauf und ich hörte ihn leise jammern. »Was ist das nur? Was hat das zu bedeuten? Was kann das bloß sein?« Er konnte sich offenbar nicht bewegen. Ich fragte, ob wir ihm behilflich sein könnten. Ob wir besser gehen sollten?

»Leon Pracht«, flüsterte Ossia und blickte aus seiner steifen Lage zu mir herüber. »Klingt wie eine Romanfigur von Julien Green. Bist du etwa ein katholischer Jude?«

»Nein«, sagte ich verlegen.

»Nein. Ein Wiedergutmachungskind, wie?«

Ich war mir übrigens seit längerem sicher, daß er mich wiedererkannt hatte. Er wußte jetzt ganz genau, wer ich war. Er wollte nur um jeden Preis irgendwelches Gerede über vergangene Zeiten vermeiden. Vielleicht lag es aber auch an Yossica. Er schien sie überhaupt nicht wahrzunehmen. Er schnitt sie regelrecht und wandte sich ausschließlich an mich, an jemanden, den er eben kannte. Das tat mir um ihretwillen weh, und es war sehr unhöflich vom Künstler. Ich hätte sie darauf vorbereiten müssen. Ich kannte ja seine besonderen Hemmungen Frauen gegenüber, mit denen er nicht durch die Arbeit verbunden war. Er fremdelte dann wie ein verstockter kleiner Junge. Es wirkte aber sehr beleidigend.

»Alle im Turm«, murmelte Ossia, »alle versammelt unter einem Dach. Walther wohnt jetzt auch hier.« Das war sein Kameramann. »Und langsam kommen sie alle angekrochen aus ihren verstopften Lebensnischen, ihren verdorbenen Ehen, die Freunde, die guten Bekannten, all das biografische Gelichter. Jedenfalls diejenigen unter ihnen, die es zu etwas gebracht haben, die sich's leisten können, die ziehen hierher, nisten sich ein. Aus allen Zeiten und Himmelsrichtungen kommen sie angekrochen, meine Ärzte, meine Schauspieler, meine Sportlerfreunde, der Kinderbuchautor, die Optikerin, meine alte Klavierlehrerin, mein Tankwart, die Gräfin Meerapfel und die Köchin vom ›Schwanenhof‹. Alle unter einem Dach. Zusammenrücken! Was noch da ist: zusammenrücken. Nur noch wenige Leute . . .«

Er fantasierte jetzt vor sich hin, so als müsse er sich der verbliebenen Beweglichkeit seines Hirns, seines Munds, seiner Kieferknochen versichern. Schließlich schien der Anfall ein wenig nachzulassen. Er legte beide Hände rechts und links neben sich auf die losen Notizblätter und Skizzen.

»Jede Geschichte«, erklärte Ossia, »ist ein frevelhafter Eingriff in die schöpferische Unordnung der Lebensfülle. Alles was ich zu sagen habe, ist: ein Haufen Zeugs. Die einzige Ausdrucksform, die der Wahrheit nahekommt: ein Haufen Zeugs.«

Dann aber fügte er schnell und beängstigt hinzu: »Ich muß etwas finden für Pat. Sonst läuft sie mir weg.«

»Und Margarethe? Wohnt sie auch hier?« wollte ich wissen.

»Nein. Die hat geheiratet. Einen Lederwaren-Industriellen hat sie geheiratet. Die arbeitet schon lange nicht mehr.«

Er holte unter dem Bett ein dickes, verschnürtes Album hervor, ein Skizzenbuch, und knüpfte die Fäden auf. »Hier habe ich alles, was ich brauche.« Der Band war mit Zetteln und Fotos vollgestopft, mit unzähligen Zeichnungen und Notaten verziert.

»Die Frau als komische Figur. Der attraktive Tölpel. Formbewußt, inkonsequent, geschwind. Alleinstehend. Anlageberaterin oder Häusermaklerin. Die Schöne und der Aufstand der Dinge. Der Slapstick-Teufel. Die männlichen Elementargeister, die sich an ihr rächen wollen, weil sie so schön und selbständig ist. Die idealische Gestalt und Schwärme von realistischen Mücken. Die weibliche Komik muß aber in uns die Furcht des Kleinkinds berühren, das von den Erwachsenen nur sichere, ›edle‹ Bewegungen sehen will. Erwachsene dürfen nicht fallen, nicht betrunken sein, keinen Geschlechtsverkehr treiben. Wie die Objekte der Schutzsuche haben auch die des Begehrens ein gemessenes Verhalten an den Tag zu legen. Stolpert die Geliebte, so erschrickt das Kleinkind im Mann. Wir müssen unsere schöne Mama noch einmal zum Stolpern bringen, Leon.«

Er las nun aus seiner Sammlung einige Episoden vor, Entwürfe für Pat als komische Person. Wenn ich es richtig verstand, war das Ganze nach Art einer faunischen Geisterbahnfahrt angelegt, auf der die ›Liebreizende‹ von allen Seiten ständig belästigt und erschreckt wurde. Ein ernstes sinnliches Herz inmitten einer schier ausweglosen Scherz- und Fratzenwelt der erotischen Verblödung. Menschen, die sich nur noch tapernd vergnügten und ihre frühvergreiste Geschlechtlichkeit anboten, so wie man sich bunte Papiertröten ins Gesicht bläst. Vor diesem Hintergrund erschien Pat nun als eine Sagengestalt aus dem heroischen Zeitalter der Lüste. Doch alles, was sie in ihrem brennenden Verlangen berührte, ob Mann oder Frau, es verwandelte sich in ihren Armen zum Zwitter, in ein ungreifbares, montiertes sexuelles Zwischending. Vorerst war es nichts als eine lose

Aneinanderreihung von alptraumhaften Begegnungen, die Ossia hier vorschwebten. Um einen wirklich guten Film zu ergeben, fehlte es nicht nur an einer bündigen Geschichte, sondern auch an den nötigen ›unumwundenen‹ Gelegenheiten zum Lachen. Als er mich nun fragte, ob ich mir eine solche Fantasterei mit Pat vorstellen könnte, bestärkte ich ihn zunächst aufrichtig in der Idee und der Grundlage des Stoffs und hob auch manche Erfindung hervor, die mir besonders gelungen zu sein schien. Dann gab ich aber auch zu bedenken, daß die ganze Sache unter Umständen nicht besonders komisch werden würde.

»Komisch wird es erst, wenn ich es mache«, erwiderte er knapp. »Erst wenn ich von einer Sache fest überzeugt bin und ich mache sie, dann wird sie schon komisch. Aber ich bin nicht fest überzeugt. Das ist nämlich nichts für Pat. Das kann sie nicht. Sie ist gar nicht der Typ, den ich brauche. Margarethe wäre viel richtiger. Aber die ist wieder nicht geschwind genug. Eine komische Frau muß sehr schnell sein können. Das ganze Ding ist eine gefräßige Ruine. Es verschlingt jeden bessernden Baustein. Es wird nichts daraus. Ich sollte mich nicht länger damit befassen.«

Plötzlich wurde mir bewußt, in welch armseliger und verzweifelter Lage sich der Komiker in Wahrheit befand. Eine Art Howard Hughes des Pläne-Reichtums, verborgen und abgeschirmt in seiner geheimen Machtzentrale, gebietend über ein geisterhaftes Imperium von Ideen und Entwürfen, Treatments, Gags und Storyboards; ein Reich, das jedoch ständig bedroht wurde durch eine gewaltige Entschlußlosigkeit, durch die Krankheit der offenen Wahl und der Inkonsequenz. Nichts schien ihm mehr notwendig zu werden. Der Künstler war eins geworden mit dem Schweigen der ungeformten Materie: Pläne, nichts als Pläne.

Wieder ging der Türbrummer. Eine gewisse Carmela kam hereingeschneit, ein ziemlich aufgeputztes Fräulein mit platinblondem Pagenhaar, senffarbenen Flecken auf den Wangenknochen und in einem rosa Overall. Sie beugte sich vor und klatschte im Takt ihrer Ausrufe in die Hände: »Os-sia! Os-sia! Auf-stehen! Raus-gehen!« Sie machte Anstalten, sogleich überall einzuschreiten, Jalousien zu öffnen, Schranktüren zu schließen, Kissen zu klopfen, und behandelte den Künstler überhaupt wie einen kleinen Schulschwänzer. Ossia ließ es sich merkwürdigerweise gefallen, wenn er sie auch darin unterbrach, sich in seinem Schlafzimmer allzu nützlich zu machen.

»Du hast mir versprochen, daß du mit mir ins Kino gehst und in der Stadt einen Wellensittich kaufst.«

»Ich bitte dich, Carmela, sei vernünftig«, knurrte der dicke Mann, »ich fahre niemals in die Stadt. Das weißt du doch. Ganze Straßenzüge abgesperrt, Häuser von der Polizei umstellt, Ausgänge zugemauert, überall brennende Autowracks, umgestürzte Bauwagen, aufgerissenes Pflaster, geplünderte Geschäfte, zerrissene Mützen und Masken, in jedem Feuerlöscher ein Sprengpaket und die Luft verpestet von Brandschwaden und Tränengas, die Hubschrauber kreisen wie die Geier über dem Stadtkadaver und die Regierungssoldaten laufen kreuz und quer durch die Tierhandlungen – du glaubst doch nicht im Ernst, daß wir dort einen Wellensittich kaufen sollten?«

»Du hast es mir aber versprochen«, motzte die schlanke Frau und stampfte mit dem Fuß auf. Jetzt war sie auf einmal das schmollende Kind, während sie doch eben noch als Mutti hereingerauscht war, die ihren faulen Liebling aus den Federn scheuchen wollte. Ich erschrak über dies wechselhafte, affektierte Gehabe, denn es wirkte auf mich beinahe wie verhaltensgestört. Nach kurzem Hin und Her, währenddem Ossia bekräftigte, daß er keineswegs aufstehen und noch weit weniger den Turm etwa verlassen wollte, brach das schicke Geschöpf in einen stummen Tränenstrom aus und ihr kühl koloriertes Gesicht verzog sich zu einer häßlichen Kleinmädchengrimasse. So lief sie völlig fassungslos aus Ossias Wohnung. Ich verstand nicht, was sich hier abspielte. Wie konnte ein so nichtiger Anlaß einen erwachsenen Menschen in diese doch echte und bitterliche Verzweiflung stürzen?

»Es ist schon wahr«, sagte Ossia, der mein Befremden bemerkt hatte, »unter den Leuten hier im Turm macht sich seit einiger Zeit eine eigenartige Gemütsmode breit, oder wie soll ich es nennen. Mir scheint, sie verkindern zusehends. Neulich saßen sie zu fünft nebenan um meinen Tisch und sagten stundenlang Abzählreime auf. Sangen Wiegenlieder. Spielten Häschen in der Grube und Blinde Kuh. Und das treiben sie gewöhnlich so lange, bis sich bei allen ein nebliges Wohlbehagen einstellt. Ich weiß ja nicht, wie es draußen zugeht, aber ich könnte mir denken, daß dort, wo es an einem überzeugenden Entwurf nach vorne, an Zuversicht und Tatkraft fehlt, solch schubartige Rückfälle ins Infantile beinahe unvermeidlich sind. Und natürlich besonders hier, wo praktisch nichts passiert und ein grenzenloses Warten herrscht. Diese Leute kleben ja alle an mir, machen mir andererseits aber die Arbeit sauer. Sie finden Ossia nämlich gar nicht komisch. Diese infantilen Gemüter können überhaupt nur noch lachen, wenn einer die Zunge rausstreckt oder auf die eigne Nasenspitze schielt.« Ich fragte ihn, ob Carmela auch eine Schauspielerin sei. »Ach was. Irgendeine Zugelaufene. Die sprichwörtliche Freundin des Dollyfahrers, oder was weiß ich. Aber sie ist Gift für mich. Es gibt solche Frauen, mit denen schläft man und eine heimtückische Unlust breitet sich in allen Venen aus, wie eine Geschlechtskrankheit. Du kannst dann auch mit keiner anderen mehr.«

Ich blickte etwas verlegen zu Yossica. Ich empfand es doch als sehr ungehörig, daß er jetzt sogar Scherze von Mann zu Mann machte, so als sei sie überhaupt nicht anwesend.

»Nein, die ist nichts für mich«, fuhr er fort, »die wär aber was für Houdebich. Die schick ich ihm ins Irrenhaus, zum Aufschlitzen!«

Jetzt wurde er selber sehr albern und kicherte in kleinen Konvulsionen. Claus Houde – er nannte ihn verächtlich bei seinem bürgerlichen Namen – war ein Komiker-Kollege, der in den letzten Jahren mit einigen erfolgreichen Filmen hervorgetreten war. Nachdem er lange Zeit im Schatten von Ossia gestanden hatte, war es ihm schließlich gelungen, ihn in der Gunst des Publikums sogar zu überholen – einfach auch deshalb, weil es seit längerem keine Filme *mit* Ossia mehr gab. Aber eines Tages hatte ein tragisches Geschehen seine Karriere fürs erste unterbrochen. Offenbar in einem Anfall von seelischer Verwirrung hatte er sich mit der Gartenschere auf seine Lebensgefährtin gestürzt und sie schwer verletzt. Die Zeitungen – die unsere allen anderen voran – hatten sich mit beflissener Betretenheit dieser unglücklichen Geschichte angenommen und langwierig in ihrer tieferen Bedeutung herumgestochert. Der Sensationsruhm seines Kollegen wurde nun von Ossia mit beißendem Spott bedacht, und er war nicht frei von kleinlicher Mißgunst, wenn er etwa bemerkte, daß die Kunst dieses Komikers allein wohl kaum ausgereicht hätte, ein solch großes öffentliches Interesse zu erregen. »Hast du gelesen, was da einer geschrieben hat? ›In der Verdüsterung dieses Mannes hat die deutsche Komik des 20. Jahrhunderts ihre Vorhänge zugezogen!‹ Houdebich, ausgerechnet der! Ein Grimassenschneider. Ein Schnutenfabrikant. Das fehlte noch, daß solche Mundpuper den Ton angaben. Ich will dir sagen: der ist durchaus nicht verrückt geworden. Der wollte seine Frau schon seit langem aufschlitzen. Das war Houdebich in seinen lichten Momenten . . . Ich hab sie doch erlebt zusammen, ich kenn die beiden. Die hat ihr Terrorregime seit vielen Jahren systematisch aufgebaut. Und je größer er rauskam, umso schlimmer wurde es. Er konnte sich nicht mehr frei bewegen. Er durfte rein gar nichts mehr. Er durfte ja nicht mal mit den Fingern seine Schnurrbartenden zwirbeln, schon klopfte sie ihm auf die Pfoten. Das wär geradeso, als würde dir deine Frau das Onanieren verbieten. Aber genauso ging's dem armen Houdebich – unserem deutschen Visagenwunder.« Ossia hatte sich nun wieder in ›Flugstimmung‹ versetzt und war ganz dazu aufgelegt, uns eine Serie von Houdebich-Nummern vorzuspielen. Doch es war unterdessen später Nachmittag geworden, und ich sagte ihm, daß wir uns langsam auf den Heimweg machen müßten. Ich konnte aber nicht umhin, ihm zum Schluß doch noch Yossica vorzurücken. Ich erzählte ihm von ihrer eigentümlichen Laufbahn, von ihrer guten Begabung als Liedermacherin und daß sie gerade dabei sei, die ersten hübschen Erfolge zu erzielen. Ich sagte ihm aber auch, daß sie es gewesen sei, die mich zu diesem Besuch überredet hätte, da sie alle seine Filme kenne und immer wieder hineinrenne. Doch es nützte alles nichts. Er brachte es einfach nicht über sich, sie geradeaus anzusehen. Ein kurzes Kopfnicken, ein müdes und verwöhntes Dankesehr, das war alles, was er für sie erübrigen mochte.

Wir hatten uns schon verabschiedet und stiegen nebenan durch die Wohnmulde, als er mich noch einmal zu sich rief.

»Glaub mir, Leon, ich will etwas machen. Ich muß und will es unbedingt. Aber ich brauche jemanden, mit dem ich reden kann. Ich hab zuviel Zeugs. Zuviel. Man muß das Richtige finden, das einzige Richtige, verstehst du? Warum willst du's nicht noch mal mit mir versuchen?«

Er sah mir mit gewichtigem Ernst in die Augen. Vor diesem Blick stand ich plötzlich wieder da als der junge Mann, der sich einst vor ihm bewähren mußte und es nicht geschafft hatte. Doch meine Lage war jetzt eine ganz und gar andere. Er trug mir ein Vertrauen an, um das ich mich nicht beworben hatte. Auch war dies nicht der Blick einer überlegenen,

gewissenhaften Erkundung, sondern der einer sehr verletz-
lichen, furchtsamen Erwartung. Dennoch fühlte ich mich
blitzschnell in die Zeit meiner Lehre zurückversetzt. Ich gab
eine unsichere Antwort. Ich wollte es mir durch den Kopf
gehen lassen. Immerhin wäre da mein Dienst im Bildarchiv,
eine feste Anstellung zumindest. Ossia bestand darauf, ein
weiteres Treffen zu vereinbaren. Er habe ja sein bestes Material noch gar nicht hervorgeholt . . .

Auf der Rückfahrt versuchte ich immer wieder hinter den
jetzigen Ossia zurückzudenken an den dürren, staksigen
Helden, den ich aus den Filmen kannte. Aber die Erinnerung daran wurde gänzlich verstellt von dem Bild des
beleibten und aufgedunsenen Turmbewohners, des gefangenen Kolosses, der rastlos auf seinem Lager ruhte, der
einen ungefügen, vielleicht unfügbaren Stoff zu bearbeiten,
einer Ideenflucht Form abzuringen suchte. Ich ließ eine
Hand vom Steuer und legte sie auf Yossicas Arm.

»Nun, wie war Ossia?« Ich nahm an, daß sie die persönliche Begegnung mit dem bewunderten Mann eher ent-
täuscht und verärgert hatte.

»Ich fand ihn degeneriert und sehr wahrhaftig«, antwortete sie.

»Was verstehst du unter ›degeneriert‹? Meinst du sein
Äußeres, seine Gestalt?«

»Ja. Aber ich meine auch die ganze Lebensform. Dies
Hotel, der Luxus, die Leute um ihn herum. Vor allem habe
ich ihn menschenfeindlich gefunden. Davon war früher in
seinen Filmen nichts.«

»Das glaube ich aber doch. Ossia, die komische Figur,
verdreht wie sie war, um die Spirale einer höheren Idee
gewickelt, hat doch immer schon seine Umgebung der
falschen und faulen Konventionen gezogen. Er hat doch
nie die bescheidene und madige Existenz seines Nächsten
zu achten versucht, sondern sich stets darüber erheben

wollen. So jemand ist freilich deshalb nicht unbedingt ein degeneriertes Exemplar seiner Gattung.«

»Aber ein Menschenfeind ist doch nichts Gutes!«

»Nein. Eigentlich nicht. Und doch brauchen wir sie anscheinend. Unter den Komikern halten sich ja die verschiedensten Arten von ihnen versteckt. Hier findest du sie alle: die Hypochonder und Melancholiker, die Staats- und Zivilisationsfeinde, die Frauenfeinde nicht zu vergessen. Und vor allem die Feinde der eigenen Person. Denn die besten unter ihnen sind auch noch die geborenen Selbstmörder, die gottlob meistens rechtzeitig die Flucht vor sich ergreifen.«

»Und du glaubst, so ein wahrer Menschenfeind könnte gleichzeitig ein wahrer Publikumsliebling sein? Die Verehrung und Bewunderung, die man ihm entgegenbringt, müßten ihm doch immer als der untrügliche Beweis für den Schwachsinn und den schlechten Geschmack der Leute gelten, und also müßte er sich am Ende selber am meisten verachten.«

»Ach, glaub das nicht«, sagte ich belustigt über ihren Kreisschluß, »Ossia ist noch mit jedem recht zufrieden, der ihn komisch findet. Je mehr es sind, desto besser. Er ist dabei aber stets das Idol aller heimlichen Menschenfeinde, die insgesamt sein Publikum bilden. Die Gemeinschaft träumt nur unsoziale Träume. Am liebsten vom rücksichtslosen Sonderling, vom edlen, aber auch vom ganz verdrehten Einzelgänger. Und wenn dann ein voller Saal über den Menschenfeind wie aus einem Halse lacht, dann stiftet der als erstes doch Gemeinsamkeit und läutert all die kleinen Möchtegerns der Misanthropie zu vereinigten Mitmenschen.«

»Du findest also Lachen wirklich so mitmenschlich? Ich meine eher, daß ein Lachen aus vollem Hals immer wehrhaft wirkt und aggressiv. Nur unser Lächeln ist für den Mitmenschen da. Es ist uns ursprünglich an den Körper gegeben, um den Fremden versöhnlich zu stimmen. Das große Lachen aber, scheint mir, ist zuerst nur freche Selbstbehauptung, vom Lächeln eine grundverschiedene Regung. Die Sprache hätt es besser unterscheiden sollen.«

»Du selbst hast eben über Ossia schallend lachen müssen. Er hätte es bestimmt nicht freundlicher empfunden, wenn du bloß gelächelt hättest. Aber eines noch, das wir nicht vergessen dürfen. Du hast nun eben einen ziemlich larmoyanten, einen giftigen und eitlen Mann kennengelernt, wo du vielleicht ein großherziges Genie erwartet hattest. Dennoch darfst du jetzt nicht kleiner von ihm denken. Über allem ist er doch ein Künstler, und so geht schon etwas im höheren Grade Versöhnliches von ihm aus, als es die nüchterne und soziale Menschenfreundlichkeit je erreichen kann. Dennoch besorgt mich seine Neigung jetzt, sich exzentrisch zu sich selbst und seiner bisherigen Arbeit zu verhalten. Liegt es nun daran, daß ihm der Typ aus dem Leim ging, durch Krankheit oder Wohlleben oder Überdruß auseinanderlief, so daß er sich nicht mehr auf die Leinwand traut? Oder ist es vielmehr umgekehrt gewesen und seine plumpe Verformung entstand aus der schieren Angst vor dem Riesenschlund des breiten Publikums? Eine Belastung, die wir uns gar nicht groß genug denken können.

Ein Künstler mit nur einer kleinen Gefolgschaft, der mag wohl immer enger, immer esoterischer werden und seine Anhänger werden sich deshalb nur noch verschworener geben. Doch populäre Wirkung ist ein großes und riskantes Gut, und ein Filmkomiker, eine fast schon sprichwörtliche Figur, steht unter ungeheurem Massendruck, er gehört Millionen, er muß gefallen – oder untergehen. Was Ossia aber jetzt probiert und in zwei mißglückten Filmen schon ausgeführt hat, das kommt mir vor wie eine verzweifelte Guerilla gegen die Schwadronen der herrschenden Erwartung, gegen das Regime eines Geschmacks, den er selbst vorgestellt und durch massenhafte Zustimmung etabliert hat. Diese sogenannten formsprengenden Muster neuerdings sind kein wirklich schöpferischer Anlaß. Sie dienen doch nur einem ängstlichen Zweck, nämlich der Gefahr zu entkommen, sich selber zu kopieren. Aus solcher Fluchtbewegung aber entsteht kein guter Film. Was er zu seiner ›neuen Form‹ verklärt – komplex und offen, radikal und fragmentarisch –, das ist in Wahrheit nur die zerstörte alte. Niemand kann doch im selben Garten Gärtner und Maulwurf mit gleicher Glaubwürdigkeit sein. Da ist es mir schon lieber, jemand wiederholt sich redlich, als daß er seine eigenen Werke subversiv unterwandert und in Stücke sprengt. Ich meine, wer einmal vielen gefallen hat, der kann nicht mehr zum Außenseiter werden. Zu den edlen Wenigen führt dann kein Weg zurück. Den Kennern, Snobs und Kultgängern bleibt er so oder so egal. Das Neue jetzt, das Funkengestöber, die glänzenden Splitter, zügellose Augenblicke, sie bilden auch bei größter Fülle nicht mehr als nur eine kurze Moment-Aufnahme. Denn tausend unverbundene Augenblicke erleben wir am Ende doch genauso flüchtig wie nur einen einzigen. Die Summe unendlich vieler ›glimpses‹ ohne story, ohne Fassung, ohne Höhepunkt, strebt in der Erinnerungszeit gegen einen Wert bei Null und kommt schon fast dem prompten Vergessen gleich. Ähnlich kurzlebig scheint mir heute das künstlerisch Extreme überhaupt zu sein, wenn es nur dazu dient, irgendwelche Konventionen zu zerbrechen. Es verfällt mit seiner jähen Aktivität, es setzt keine Zeit an. Und später, wenn eine wirkliche Wandlung eingetreten ist und etwas Wesentliches sich ganz aus sich heraus verändert hat, dann blicken wir meist recht verwundert auf ein törichtes und leeres Gefuchtel zurück.«

»Aber wer sorgt denn für die Bewegung in der Mitte? Sie kommt ja eben nicht von selbst. Es sind doch immer die

Extremen, die Außenseiter und die Unbotmäßigen, die solche Wandlung erst bewirken! Und was die neuen Formen anbetrifft, zum Beispiel Ossias Augenblicke, so müssen wir uns mit dem Urteil noch gedulden. Denn daß wir Heutige vielleicht noch kein richtiges Gedächtnis haben für den glimpse, die Splitter-Sprache und das Teilchen-Feld, das heißt noch lange nicht, daß man in Zukunft nicht begabter dafür wäre. Ich kann mir gut vorstellen, daß spätere Menschen überhaupt keine Großformen mehr erkennen können. Sie besitzen dann womöglich weder das Zeit- noch das Interessen-Raster, um das Ganze eines Romans, einer Filmerzählung zu erfassen. Stattdessen teilt ihr Bewußtsein ein Werk in ganz andere Wahrnehmungsfelder auf, sondiert es nach Energien und Reizungen, die wir jetzt noch gar nicht kennen, liest es in kleinen und kleinsten Ereignissen und lichten Augenblicken. Mir ergeht es ja heute schon so, daß ich mich an einen scheinbar verworrenen Film, der jedoch eine tiefere und unbedingte Sicht der Dinge wiedergibt, weit schärfer und länger erinnern kann als an eine glatte, runde Geschichte, die ich oft schon nach zwei Stunden nicht mehr nacherzählen kann. Aber ich weiß, daß du hierin ganz anders erlebst, Leon, und daß dir seit längerem alles Unübersichtliche und Aufgebrochene einen heftigen Abscheu erregt. Du ziehst dem Extremen (oder was du dafür hältst) ja sogar das Gefällige vor, bloß weil es sichere Form bewahrt.«

»Das Gefällige und das Extreme«, wiederholte ich und erwog unzufrieden ihre Worte. »Im Kino ist mir derjenige, der gefällt, lieber als der bloß Selbstgefällige. Und ich finde extrem bereits das, was die Gesetze des Kinos, die immer auch Gesetze des Gefallens sind, leichtfertig mißachtet. Und selbst der Anspruch einer strengen, schwierigen Kunst, der anderswo das höchste Ziel sein muß, ist im Kino doch immer nur die halbe Sache. In seiner Geschichte gab es von Anfang an ein natürliches Streben zu einem versöhnten Gelingen hin, in dem Handwerk und Kunst, Kasse und große Form sich zusammenschlossen und wo alles sonst miteinander Zerfallene und in den Gegensatz Erhobene sich gegenseitig beförderte. Ein Massenpublikum verhinderte keineswegs das geniale Werk, noch sperrte sich umgekehrt das Kunstwerk gegen den breiten Konsum. Und die vergleichsweise kurze Geschichte des Kinos ist immerhin reich an Beispielen für ein solches Gelingen, von Chaplin bis Hitchcock, von Kubrick bis Spielberg. Sie dürfen aber nicht als Glücksfälle, sondern müssen als die eigentliche Erfüllung des Kinos angesehen werden. Diese große Kulturleistung, dieser hohe Ritus des Kinos, durch den sich das Kostbare mit dem Allgemeinen verband, liegt aber im Bewußtsein der heutigen Regisseure schon so weit zurück, als gehörte er gleichsam der Renaissance-Epoche der Filmgeschichte an. Längst streben im Kino die wichtigsten Kräfte weit auseinander, und nur in ganz seltenen Fällen gelingt ihre glückliche Wiedervereinigung. Wo aber die bewegende Mitte fehlt, dort kippen die Außenseiten nach innen, die Randfiguren bilden das Zentrum, die Sonderlinge werden zu Richtgrößen ernannt. In der Gesetzesleere gedeiht das beliebig Subjektive. Das Kino aber in Händen von Zielgruppen, von Minderheiten und Miniminderheiten, von Selbstdarstellern und Tagebuchfilmern löst sich mir ins Unwesentliche auf. Ohne die Anstrengung der hohen Konvention gibt es kein Kino.«

Ich hatte noch den ganzen restlichen Sonntagabend mit Yossica über das Kino zu streiten und den Vorrang der Beliebtheit über die Interessantheit mit immer neuen Beispielen (und Provokationen) zu beweisen. Ich bemerkte natürlich, wie sie im stillen so manches auf ihre Liedermacherei übertrug, denn auch in diesem Fach konnte man zweierlei Karrieren machen und entweder ein lebenslänglicher Geheimtip bleiben oder sein großes Publikum finden.

Es war aber an diesem Abend der Widerspruch zwischen uns gefahren, und er pflanzte sich nach eigenem Gesetz fort, so daß schließlich unsere lange Debatte in einen gereizten Wortwechsel auslief, in dem es nur noch um Persönliches ging. Yossica warf mir dabei vor, daß ich ein allzu leichtsinniges Reden hätte und es mir nur deshalb erlauben könnte, weil ich »ja aus allem raus« wäre.

Das sollte wohl heißen: solch anmaßende Auffassungen vom Kino stünden schlecht jemandem an, der es nun gerade auf diesem Gebiet zu gar nichts gebracht hatte.

Ich erwiderte nichts darauf. Ich merkte, wie ich langsam nach innen sank und Mut verlor. Obwohl ich mich häufig davonsehnte und gerade indem ich es tat, empfand ich doch stets die Gewißheit, mit Yossica vielfältig zusammengewachsen zu sein. Es rührte sich zwar nicht viel an unserem gemeinsamen Schattenplatz, und doch standen wir im frohen Austausch mit dem Licht des Tages und dem Geriesel der Nacht. Nun aber hatte mich die plötzliche Wiederbegegnung mit meinem einstigen Lehrer verwirrt. Ich hatte mich hitzig aufgespielt, unachtsam gegenüber jener soviel jüngeren Person, die mich dazu bestimmt hatte, ihr Anleiter und Ratgeber zu sein, mich älter und reifer zu fühlen, als ich es war, mich mannhafter und beständiger zu geben, als ich es zu sein wünschte.

Ich fragte Yossica also, da sie schon keine große Meinung von mir hege, ob sie es dennoch für gut und richtig halte, wenn ich mich Ossia aufs neue anschlösse und mich als Mitarbeiter an seinem Drehbuch engagieren ließe. Sie antwortete darauf sehr bedächtig und liebenswürdig, wenn auch mit einem Anflug von Rückgratsteife und trockner Belehrung. »Siehst du, eben hast du über Ossia beinah schon den Stab gebrochen. Du hast dir über all seine Schwächen Rechenschaft abgelegt. Es ist aber stets indiskret, allzu scharf über einen Menschen nachzusinnen, dem man sich innerlich verbunden fühlt. Man wird ihm doch viel besser gerecht, wenn man sich in eine wichtige Handlung mit ihm teilt.«

Ich erklärte ihr, daß eine solche Arbeit, ernst genommen, sehr zeitraubend sein müsse und daß für uns kaum noch Gelegenheit bliebe, wie bisher miteinander umzugehen. Sie erwiderte, daß es auch für sie in nächster Zeit unerläßlich sei, sich stärker um ihre eigenen Belange zu kümmern, ihre Lieder und kleinen Konzerte. Hatte ich das als ein Zurückweichen oder als ein Entgegenkommen zu verstehen? Sie blickte mich aber zu ihren Worten warm und vertrauensvoll an, und ich konnte nicht daran zweifeln, daß wir uns im Tieferen verständigt hatten. Es war mir nur nicht ganz geheuer, worauf.

DER PRINZ UND DER KOJOTE
(Aus Ossias Skizzenbuch)

Martin Rhein, in der Rolle des Prinzen von Dänemark, stand bereits siebenundfünfzig lange Abende mit seinem Verfolger, seinem Peiniger, seiner Kreatur auf derselben Bühne, seiner kranken Überwachung preisgegeben, den geheimen Rüsseln und Näpfen einer aussaugenden Hörigkeit ausgesetzt, bis er es länger nicht ertragen konnte und eines Morgens die Theaterdirektion ersuchte, die Rolle des Norwegischen Hauptmanns unverzüglich umzubesetzen, andernfalls er sich weigern müsse, noch eine einzige Vorstellung zu spielen, selbst auf die Gefahr, dafür mit einer empfindlichen Konventionalbuße zu bezahlen.

Abend für Abend ereignete sich im Vollzug einer der größten Schauspieltragödien des Menschengeschlechts die nicht minder unausweichliche, wenngleich wenig erhabene Tragödie, die armselige ›Fallgeschichte‹ einer abgründigen Ergebenheit, mit der ein unauffälliger Nebendarsteller den Helden der Szene umfing und würgte. Unheimlich und für beide Seiten auf die Dauer lebensbedrohend wurde diese Verrücktheit eines Mannes nach einem besseren Mann. Nicht mehr zu trennen wie Parasit und Wirtsherr waren der große Schauspieler und sein kleiner Kollege, die vollkommen auf ihn *fixierte* Kreatur. Was aber bedeutet es, an der stolzen Männlichkeit, am letztverbliebenen Herrscher, am Bühnenstar seine tiefsten Bedürfnisse zu stillen? Und welche Bedürfnisse sind es? Fixiert-Sein, eine Existenz. Die einzige *Form*, in der noch Bewunderung gezollt, die Überlegenheit des anderen anerkannt werden kann. Eine Form der Verstörung, des regelwidrigen Verhaltens. Eine Ordnung, die rücksichtslos den Mündigen verlangt, verstattet es dem Schwächeren nicht, offen und ehrenhaft seine Unterwerfungsgeste auszuführen. Diese, verdrückt in die schmerzlichste und schmierigste Innerlichkeit, verwandelt sich zu Krankheit und Selbsterniedrigung, kommt wieder hervor als Aggression und Drohgebärde, selbst gegen den Anerkannten.

Der Prinz ist machtlos gegen den Strahlenbeschuß und das Netzwerk der Hörigkeit; diese können seine Stärke, seine Überlegenheit, selbst seine Rolle, *seinen* Hamlet zum Einsturz bringen.

»Was willst du?« fragt der Prinz seinen Verfolger.

»Nichts«, antwortet der Kojote kleinlaut.

»Ich kann dir nichts schenken von mir.«

»Nein!« sagt der Kojote erstaunt. Als ob es darum ginge! Deutlich wird das mäßige, beschränkte Talent des Helden, die Kreatur zu verstehen. Er fühlt sich nur noch belästigt und in die Enge getrieben. Dies beschneidet seinen Blick, seine Menschenkenntnis, sein brüderliches Interesse . . .

Untrügliches Zeichen, wenn eine Frau dir zeigen will, daß du ihr gefällst: sie ahmt leicht amüsiert deine Eigenart nach, wiederholt verspielt deine Worte und Mienen, ein lächelnder Spiegel. So nahm es zuerst auch der Kojote vom Prinzen. Wie machte er sich beliebt? Er zeigte sich *angetan*, er war immer zur Stelle, er überbrachte nur gute Nachrichten, er berichtete nur von schmeichelhaften Urteilen anderer, er war wißbegierig, er konnte ausgezeichnet zuhören, er stellte gescheite Fragen. Er fand sich mit zauberischem Geschick tief hinein in seinen Herrn und er machte sich unentbehrlich. Es endete aber mit Telefonterror, mit Briefen, in die er den ganzen Eiter seiner Seele hineinschmierte; mit perfiden Überwachungen und Nachstellungen, mit Morddrohungen. Er beteuerte indessen, er habe es immer nur gut gemeint.

Die Berühmten müssen sterben! Sie müssen verschwinden. Sie werden hingerichtet. Ossia hat es immer gewußt. Kojoten lauern überall. Beunruhigt durch zuviel Plakate, Idole, Übergrößen heulen sie nachts im Wind. Zuviel Berühmtes. Es ist ja nicht Mord. Es ist ja eine fromme Befreiung von den sündigen Abbildern. Der Sturz der frevelhaften Beliebten. Die Idoldämmerung hat schon begonnen. Die Imagemorde nehmen zu. Die Massen ergreift eine grausame Vernunft. »Nein!« schreien die führenden Anonymitäten, »wir brauchen euch nicht mehr. Ihr seid die längste Zeit die Heinis unseres Begehrens gewesen. Nun ist es vorbei, denn wir haben zu uns selbst gefunden, und euer letztes Stündchen hat geschlagen!«
Der Prinz ist mit seinen Nerven am Ende. Mit beiden Fäusten will er sich auf seinen Auszehrer stürzen. Doch dieser bückt sich blitzschnell und schnürt seinen Schuh. Also doch! In letzter Sekunde, welch feige Flucht! An diese Kreatur kommt man nicht einmal mit Schlägen und Tritten heran. Sie entzieht sich, verschwindet im Umriß einer urtümlichen Beschwichtigungsgebärde, gegen die nichts auszurichten ist, an der man hilflos abprallt.

Ich filme – ich betrete mehr und mehr das Haus der kostbaren Unsichtbarkeiten. Hier muß ich es finden, das verborgene Strahlenauge, das nie erblickte Diadem.

Aus Teilchen leben wir und in Teilchen verständigen wir uns. Ein unermeßlicher Partikelstrom entscheidet, ob zwei sich füreinander interessieren oder sich lieber aus dem Weg gehen. *Star wars* von Machtimpulsen in einem einzigen Blick. Biochemie des Fluidums oder eine Wellentheorie der Emanation, wann ist es endlich soweit? Es fällt mir immer schwerer, die ganze Gestalt einer Person wahrzunehmen, ich bin ihrem direkten *Einfluß* unterworfen und ich sehe ihn. So wie die Biene das Ultraviolett sieht und das Rot nicht, weil sie empfindlicher ist für kürzere Wellenlängen, so muß ich dauernd Triebstrahlen sehen und Willensströme, kann aber das Gesamtbild nur schemenhaft erkennen.

Ich will versuchen, mit thermografischen Aufnahmen von Menschen zu arbeiten. Man kann Temperaturen auf der Erdoberfläche fotografieren, warum nicht auch erotische Temperaturen, Anziehungskräfte, zum Beispiel unter wildfremden Menschen unten in der Hotelhalle. Ich möchte doch wissen, wie sie aussieht: die Feinstruktur der gegenseitigen Beachtung? Keiner geht unberührt am anderen vorbei. Ungefilmte Wirklichkeit, die kein Kameraauge je erblickte. Der Held? Der Gesichtslose. Kein Mensch mit allzuviel Woher und Wohin. Ein vielfacher und zufälliger Mann. Ein Vielpersonenmensch.

Man versteht mich nicht. Nein, man versteht nicht, daß ein Filmer, ein Komiker . . . nach Erscheinung sucht, *Erscheinung!*, statt nach Gags. Daß er endlich mit dem Scheitelauge zu sehen wünscht, mit der Licht-Zelle, dem Krötenstein, dem Schiwa-Organ. (Nach älterer Auffassung ein im Verlauf der Evolution verlorengegangener Ursinn. Bei frühen Reptilien ein äußeres Organ, das mit der Großhirnentwicklung nach innen verlagert und unterdrückt wurde, als Zirbeldrüse überlebte. Sehr interessant. Das Stirn-, das geistige Auge hätte sich also in ein die Geschlechtsreife regu-

366

lierendes Hormon gewandelt. Ein Zellgewebe, das Licht und Sexus miteinander verbindet. Des Erdenwums ›Blick nach oben‹ *ist* sein Zeugen . . .)

Warum sollte er nicht über die Gesellschaftswiese wandeln und mit dem dritten Auge sehen? Mit diesem schaut er ins Gesicht eines Mit-Bürgers, und er wird darin den Stand des Gemeinsamen, wohin man ganz allgemein gekommen ist, wahrnehmen, er wird ihn erkennen in der *Erscheinung* (im physischen Nu) eines Zeit-Genossen.

Komplexer Schaltkreis von Gesicht und Geschichte. Augenblicke, die enggepreßten, tausendfältigen chips der Mikropsychologie.

Carmela entkleidet sich. Mit überkreuzten erhobenen Armen streift sie den Pulli über den Kopf, schiebt die aufgeschnallten Jeans herunter, zupft die Baumwollsocken von den Zehen. Diese Griffe und Renkungen haben etwas unbedingt Keusches. Sie stammen noch aus einer Zeit, da das kleine Mädchen allein auf seiner Stube die Tageskleider ablegte. Und sie haben sich nicht verändert. Sie sind heute dieselben wie damals. Während man also auf dem Bett liegt und der Berührung mit einem nackten Körper entgegenfröstelt, hat dieser sich mit einer uralten Gewohnheit, mit der Aura früher Kindertage keusch umhüllt.

Beinahe unvorstellbar, daß eine Frau noch mit feierlicher Schamlosigkeit vor ihrem Geliebten die Kleider niederlegte. Und ebenso: daß ein Mann nicht darüber kichern würde und es nicht befremdlich fände, daß sich die Frau vor ihm ›in aller Öffentlichkeit‹ auszöge. Gemeinhin geschieht nun das Ausziehen weder lasziv noch scheu, sondern so, als sei niemand anwesend. Und was ist das auch für eine Kleidung, die da fällt! Ein Pulli, vielleicht noch ein Leibchen, ein paar Socken, ein bunter Slip, enge Jeans. Nachdem die eine Röhre glücklich über die Wade ging, hüpft die Geliebte auf dem nackten Bein, während am anderen Fuß die Hose hängenbleibt und seitwärts abgestrampelt wird. So sieht es aus. Der Tanz der sieben Schleier ist das gerade nicht.

Aller Stoff ist erotische Metamorphose. Das Gelüst selbst ist der Stoff, kurzlebig und sprunghaft.

Daher ist auch der Traum ein solch reizvolles Fleckchen Erde, insofern dort und nur dort alles Begehren die ihm angemessene Flüchtigkeit erhält. Erscheinung–Berührung–Erfüllung–Erübrigung. Hohe, fast zeitbereinigte Intensität. Der Traum schafft den Gegen-Stand ab. Er ist reine Einvernahme, Lösung.

Die Geschichten der Verwandlung müssen eine Waschung sein, zur *reinen* Geschlechtlichkeit hin.

Ich will mit meinem Film nicht in den Nebel hauchen. Bilder in eine überbebilderte Welt setzen. Ich suche das Symbol, nicht die bezeichnende und nicht die verräterische Kameraeinstellung. Aber der Film ist ja zum klassischen Symbol unfähig. Er hat ja bloß die Fotografie; alles muß fotografierbar sein oder es ist nicht. Er versteht nichts vom Unsichtbaren. Er benutzt allenfalls die surreale Montage. Aber damit ist nichts mehr anzufangen. Die gehört endgültig den Videoclips der Schallplattenindustrie. Ich suche ja für den Film etwas ganz anderes als die Reise. Ich suche die Bleibe. Allem Schöpferischen mußt du den Raum eines Hauses geben.

Ich komme darauf zurück, und immer beschränkender empfinde ich es, daß wir für diese Geister-Zone, die jeden von uns umgibt, für dieses verdammte Fluidum weder Ausdrücke noch Handhabe besitzen. Nur Mystifikationen. Für das, worauf es wirklich ankommt, kraft dessen wir die wichtigsten Entscheidungen fällen, fehlen uns jegliche Daten und gesicherten Erkenntnisse. Und doch spüre ich immer deutlicher, daß hinter unserm Bewußtsein noch ein weiteres hockt. Es wird sich schon Bahn brechen. Es wird sich das Scheitel-Auge öffnen. Und eine künftige Physik der geistigen Teilchen wird dann auch die fluidalen Elemente erforschen.

Im Mittelalter galt der Augenaufschlag, der ictus oculi für das Zeit-Atom. Nun wiederum: die Stunde des Augenblicks. The universe of a glimpse, mit seinen hochintegrierten Bindungen, seiner Kompakt-Geschichte, seiner vernetzten Zeit. Romantiker der elektronischen Revolution. Neo-Fragmentarier. Funkenkundige. Reduziert in allem Äußeren, vervielfältigt im Kern.

Ein Spaßmacher war Ossia für die jungen Leute, solange er sich mit hohem Mut und altem Geist herumschlug in der Wüste der Zerstreuungen, solange er die Liebe vor der totalen Kommunikation, das unförmige Leben vor dem gutausgeleuchteten Hades der TV-Kanäle zu retten suchte. Aber wenn man mich zuweilen für einen anderen Don Quichotte ansah, dann möchte ich doch dazu bemerken, daß mein Kampf einzig und allein der Erhaltung der Windmühlenflügel galt. Ossia, dies klapprige, windschiefe Gestell des letzten Subjekts, war einer ganz am Ende der langen Heroen-Kette der Zuspätgeborenen. Aber auch ich habe lernen müssen, daß der Einzelne nicht einmal mehr als komische Figur zu gebrauchen ist. Man lebt und *er*lebt jetzt mehr und mehr in ›Strukturen‹. Sie sind die eigentlichen Helden unserer Lage. Sie werden hoffentlich ihrerseits noch für den nötigen Anteil an Komik sorgen. Denn Gelächter wird es immer geben, zu allen Zeiten und auf allen Ebenen des Seins.

Ich erinnere mich an einen kleinen Jungen, einen Knirps von kaum zwölf Jahren, der kam zu mir – ich glaube, es war nach ›Montanus‹ – und sagte: »Ich möchte später auch mal so was Schönes machen, wie ich es eben im Kino gesehen habe.« Da wurde unter den Tränen der Identifikation der Schwur der Überlieferung, des Fortbestands abgelegt. Das Vorbild ist immer noch ein sehr guter Traditionsstifter. Allerdings gehört dazu die Begabung, sich überwältigen zu lassen. Und diese vermisse ich bei den vielen Selbstmachern, den Bastlern und Heimwerkern der Kunst. Sie gehen natürlich ohne Idol zu Werke. Entsprechend sehen ihre Hervorbringungen dann auch aus. Kunst produziert man nun einmal nicht für den Eigenbedarf.

Merkwürdig, als ich noch in Deutschland herumfuhr, fiel mir auf, wie viele junge Menschen nicht mehr aufschauen, den Fremden unterwegs nicht ansehen, den Tausch der Blicke nicht mehr für nötig halten. Nicht weil sie so geduckt oder verklemmt gewesen wären, im Gegenteil, sie trotten inzwischen eher angstfrei durch die Räume. Vielleicht ist es gerade das, und eine elastische Selbstgewißheit, eine anhaltende Solidarfühlung lassen die urtümliche Beachtung des Fremden überflüssig werden. Sein plötzliches Erscheinen erregt weder Scheu noch Neugier. Es wird ganz einfach nicht bemerkt. In anderen Ländern kann man dagegen nach wie vor in Blicken schwimmen. Ähnlich monolog und gemeinstimmig verläuft ja hierzulande auch das Reden. Etwas gemäßigt Abstraktes, Bekundungen des allgemeinen Lebensgefühls beherrschen die Unterhaltungen; man ist ständig in einer Aussprache begriffen, kaum je in einer Zwiesprache. Ich und Allgemeines Bewußtsein kommen irgendwie gut miteinander aus. Ich und Du hingegen schneiden sich gern das Wort ab und haben sich selten mehr zu sagen, als was nicht aus gängiger Meinung, meistens noch aus *Ansprüchen*, bestünde.

Wo aber das Auge seine soziale Wachheit verliert und nicht mehr blitzschnell zwischen freundlich und feindlich, schön und häßlich, nützlich und unnütz entscheiden muß, da verliert es auch an Glanz und Schärfe, und wird deshalb noch lange nicht von innen heraus zu strahlen beginnen. Wenn solche Schwächung, solche Augenblässe auch in den Gesichtern junger Schauspieler auftritt, dann werden wir nicht mehr viel im Kino sehen. Denn das Auge des Schauspielers belichtet den Film.

»Die Interviewerin«, Abschnitt 112.

Pat trifft Otto Stundemund

Pat: Herr Stundemund. Wie würden Sie, ganz persönlich, die folgenden drei Aussagen bewerten? Mit welcher würden Sie sich am ehesten identifizieren können? A. Ein Heizungsmonteur, 23 Jahre alt, erklärt: ›Ich gehe gern unter Mittag in die Glyptothek. Wenn ich mich unbeobachtet fühle, knutsche ich mit den Römerköpfen herum.‹ B. Ein Reisender im Gewürzhandel, 55, erklärt: ›Ich schicke meiner Frau gern pornografische Telegramme, und es ist mein Schönstes, wenn das Fräulein bei der Telegrammaufnahme mir die dann zur Kontrolle noch mal vorliest.‹ C. Ein Nachrichtentechniker, 37, erklärt: ›Meine sexuellen Beziehungen beschränken sich auf den engsten Kreis unserer Lottotippgemeinschaft.‹ – Ihre Empfindungen, Herr Stundemund, können Sie jetzt nach dem folgenden Schema unterscheiden: xx/ läßt mich gleichgültig; xy/ finde ich abstoßend; xyz/ kann ich nachempfinden.

Stundemund: Bitte, fragen Sie nicht weiter. Die unentwegten sexuellen Umfragen fügen uns allen Schmerzen zu.

Pat: Möchten Sie einen Augenblick ausruhen?

Stundemund: Die furchtbaren Definitionen, diese heimtückischen Ideale, die hinter diesen Fragen lauern . . . Nein. Ich will nicht mehr.

Pat: Aber Sie haben sich doch bereiterklärt, an unserer Umfrage teilzunehmen?

Stundemund: Ich habe mich immer unter dem Vorwand, mir über dieses oder jenes Problem Klarheit zu verschaffen, bereiterklärt – ich habe mich sogar sehr häufig bereiterklärt, zeitweise habe ich mich der Statistik regelrecht aufgedrängt, ich bin den Erhebungen geradezu hinterhergelaufen und ich bin vielleicht der ermitteltste Bürger dieses Landes, denn ich war süchtig nach der Frage per se. Jetzt aber ist es genug. Ich kann nicht mehr.

Pat: Herr Stundemund, wir bewegen uns jetzt auf ein Problem zu, das als sogenanntes Partnerversagen im Interview immer mehr an Bedeutung gewinnt, über das wir aber faktisch noch sehr wenig wissen. Wenn ich Sie richtig verstanden habe, empfinden Sie ein gewisses Unwohlsein bei meinen Fragen?

Stundemund: Sie schmerzen, mein Fräulein. Ist das nicht genug gesagt?

Pat: Können Sie angeben, ob der Schmerz stärker wird, wenn die Fragen gewisse Tabus berühren, wie zum Beispiel –

Stundemund: Oh, mir ist dahingehend grundsätzlich alles tabu. Man darf nicht darüber sprechen. Man darf es nicht!

Pat: Ich verstehe Sie sehr gut. Aber ich meine, wir sind jetzt ganz nah an einem neuartigen Verhaltensmuster, Sie dürfen uns jetzt Ihre Angaben nicht verweigern.

Stundemund: Meine Angaben hierüber würden Ihre Statistik ins Groteske verzerren. Sie würden sie glattweg aus den Angeln heben.

Pat: Aber wir brauchen Ihre Motive! Das geht viele Menschen an. Die Leute wollen endlich darüber Bescheid wissen. Sie wollen diskutieren. Es ist wichtig, für uns alle, für die ganze Gesellschaft.

Stundemund: Die Gesellschaft, mein Fräulein, ist letztlich nicht so wichtig, wie Sie vielleicht meinen.

Pat: Wir wollen doch den Menschen klarmachen, daß keiner ein Außenseiter ist, daß jeder normal ist. Ganz egal, was er empfindet, was er leistet, wie er liebt. Jeder muß wissen, daß er normal ist. Diese Sicherheit brauchen die Leute jetzt auf der Schwelle zu einem neuen Zeit-alter . . .

Stundemund: Schon wieder ein neues Zeitalter? Hatten wir nicht −? Ist das jetzt die zweite oder die dritte oder in welcher industriellen Revolution leben wir gegenwärtig eigentlich? (Ende Abschnitt 112/Stundemund)

Das Neue, das Neue!, so fordern es die Damen und Herren im Turm und rufen's mir aus allen Gemächern zu. Das Neue! Das wollen die kleinen Mädchen jetzt sehen, die hübschen und die mit den traurigen Kartoffelpuffergesich-tern. Der Künstler muß her, er soll es uns endlich mal vorturnen, wie wir denn fertigwerden sollen mit der noch nie dagewesenen Lage der Welt.

Vom Trübsinn geplagt, soll er noch einmal eine Pionier-tat vollbringen: der häusliche Komiker, der bittere Träu-mer, der übers Parkett Schlurfende, der Held der Wasser-spülung, der Brotschneidemaschine, des Goldfischbassins und des Papierkorbs, in den er schon unzählige Karten mit den schönsten Ansichten der Erde versenkte.

Die ehrbarste Stimmung, die ich meinem Film geben könnte, wäre ein großes Ausruhen, und der Film selber: ein kraftvolles Lidschließen. Voll der Hoffnung, daß sich der ganze Spuk in ein *Reales* auflösen möge! In eine gute, verständige Figur. Daß es sich doch in ein Gutes, Mensch-liches auflöse!

2

Ich traf Ossia noch ein zweites Mal. Wir hatten uns in dem französischen Restaurant verabredet, das an der Piazza des Tower-Bellevue lag, am Rand des städtisch-tropischen Lichthofs. Hier hatte ich beim ersten Besuch hinter dem

Fenster den aufgerichteten Kellner und die vorgebeugte Frau als einen Gestaltriß von der freien Wildbahn erblickt, denn an diesem trügerischen Ort erschien alles Zufällige absichtlich und noch das gewöhnlichste Betragen stach verfänglich hervor.

Es war früher Nachmittag, als ich eintraf, diesmal ein Freitag, und das Restaurant ›La Caravelle‹ war jetzt recht gut besucht. Kurz vor dem Wochenende saßen noch etliche Geschäftsleute beisammen, aßen ihre Hummerkrabben oder pochierten Lachse und besiegelten vielleicht den ein oder anderen günstigen Vertragsabschluß. Es herrschte die steife Entspanntheit nach den Geschäften. Die meist jungen Männer ließen sich nicht gehen, sondern behielten einander unter Scherzen und Frotzeleien argwöhnisch im Auge.

Ossia erwartete mich in einer hinteren Koje des schiffsbäuchigen Gastraums. Er hatte sich feingemacht. Ein anthrazitfarbener Anzug mit Weste, darunter ein stahlblaues Seidenhemd mit offenem Kragen. Die Haare waren an den Seiten stark nach oben gekämmt, als ob sie den hängenden Wangentaschen entgegenwirken sollten. Das Gesicht blieb deshalb immer noch aufgetrieben und fett, obgleich die Haut, nun glattrasiert und trockengepudert, etwas straffer aussah. Sein Blick, der mich empfing, sein erster, war von Erwartung so wund, daß es mir das Herz zuschnürte. Doch auch ein Schimmer von vorsorglicher Verachtung glomm schon darin, für den Fall, daß ich ihn enttäuschen würde. So empfindlich und rückhaltlos, wie er sich meinem Urteil ausgeliefert hatte, mußte er sich schließlich die Möglichkeit offenhalten, mich als Ignoranten und Abtrünnigen zu durchschauen und abzutun. Ich schämte mich für meine nachlässige Kleidung; ich kam in Jeans und Pullover. In einer Plastiktüte vom Kaufhof brachte ich die Auszüge aus seinen Skizzenbüchern mit, die er mir vor einer Woche zugeschickt hatte.

Diesmal trank Ossia. Wie Gielgud im Resnais-Film goß

er sich vom guten Chablis ein. Allerdings war es nur eine
halbe Flasche, die vor seinem massigen Leib stand und sich
vor diesem großen Fassungsvermögen besonders kurz und
komisch ausnahm. Die Befangenheit war auf beiden Seiten
groß. Ich vergrub meinen Blick in der Speisekarte, ohne
mich jedoch auf einen der schmuckvollen Titel konzentrieren zu können. Ossia schenkte mir Wein ins Glas. Er
erkundigte sich nach Yossica, und ich bestellte artig ihre
Grüße. Wiederum Schweigen. Vielleicht wäre ich besser
gleich auf die Sache selber zu sprechen gekommen, ganz
heiter und unvermittelt. Aber ich glaube, das wäre mir
schiefgegangen. Ich brauchte unbedingt einen harmlosen
Anlauf. Offenbar erging es Ossia nicht anders. Er suchte
irgendetwas, worüber man leicht daherreden konnte, um
ein wenig die Spannung zwischen uns zu lockern. Leider
fiel ihm nichts Besseres als Yossica ein. »Ich dachte immer«,
sagte er verschmitzt und verspannt, »du hättest eine komische Person zur Frau haben wollen. Eine, über die man sich
amüsieren kann. Jetzt hast du einen Engel, der nicht einmal
stolpern kann.« Ich blickte ihn, wie ich hoffe, mit äußerst
kühler Verwunderung an. »Doch, doch«, fuhr er fort, »die
ist eigentlich der ganzen Idee nach eine Jungfrau. Ich
meine, der Idee nach, so wie sie sich gibt, die ganze Art und
Weise. Warst du denn damals nicht in Pat verliebt?« Er
bohrte sich immer tiefer hinein in den schweren Gesprächs-
patzer, den er gemacht hatte. Dabei verzog sich das Gesicht
zu einer albernen Grimasse. Gehißte Braue, verkniffene
Nasenwurzel, schräge Stirnfalten, ein Ausdruck von müh-
seliger Ironie. Nur die traurige Augenpartie blieb unverändert.

»Deine Yossica will noch mal ganz woandershin. Ich
hab's gemerkt. Die will bestimmt noch ganz woandershin.
Du wirst schon sehen.«

Im Grunde hätte ich es jetzt kurz machen können. Aber
dazu fehlte es mir erstens an Mut und zweitens hielt ich es für

meine Pflicht, ausführlich mit ihm über seine Arbeit zu reden. Darauf war ich vorbereitet und ich wollte es loswerden.

Was hatte er nur gegen Yossica? Diese Frau, die mich seit
langem fest und ruhig bei der Hand hielt, warum sollte sie
mich je loslassen? Ihrem Denken und Fühlen hatte ich
versucht so nah wie möglich zu kommen. Ihr Wille, auch
wo ich ihn nicht teilte, war mir immer liebenswürdig, denn
er baute auf Vertrauen, Gerechtigkeit und Hoffnungs-
stärke, lauter gesunde Anmutungen, gegen die der bittere
Scharfsinn eines Ossia gar nichts vermochte.

Ich blickte abweisend aus dem Fenster. Er sollte sich
hüten, noch ein einziges lästerliches Wort über sie zu verlieren. Der Kellner kam, und wir einigten uns darauf, zunächst eine große Portion Flußkrebse zu bestellen.

Draußen lag, nicht weit entfernt, der Illusionsteich mit
seiner länglichen Eisbahn. Eine junge Frau und ihre kleine
Tochter liefen dort Schlittschuh, in stillen, ebenmäßigen
Schleifen. Beide waren nur mit Shorts und leichtem Pulli
bekleidet. Die Frau hatte ihr brunettes Haar aufgesteckt,
und die langen weißen Stiefel mit ihren Kufen erhöhten
zusätzlich die schlanke, gelenkige Gestalt. Die Tochter
folgte der Mutter dicht auf und schmiegte sich in den
vorgegebenen Pendeltakt. Aus den Lautsprechern rann
knisternd ein alter Schlittenkutschenwalzer. Und so wie die
beiden mit unbewegten Oberkörpern und gleichmäßig ausholenden Beinen, die Hände auf dem Rücken gekreuzt, auf
ihrer mühlosen Wanderung dahinglitten und ihre Kreise
zogen, sah es aus, als seien sie in einem schwunghaften
Nachdenken unterwegs.

Ich bückte mich, um die Kopien von Ossias Skizzenbuch
aus der Tüte zu nehmen. Ich legte diese Sammlung für
einen späten Film auf den Tisch und strich mit beiden
Händen über den Blätterstapel. Diese Bewegung, die mir
nur dazu diente, zu einem ersten, eröffnenden Wort zu
finden, mochte in seinen Augen eine etwas andere Bedeu-

tung annehmen. Ich bemerkte, wie er sich seriös zurecht-
rückte und eigentlich auf das Beste gefaßt war.

»Jetzt kommt das große Scherbengericht«, sagte er daher
fast schon erleichtert und heiter. Ich ging nicht darauf ein,
obgleich es nahegelegen hätte, bei dem Wort ›Scherben‹
anzuknüpfen. Besten Willens aber und zugleich ratlos, griff
ich nun als erstes das aus seinen Entwürfen und Notizen
heraus, was mich am stärksten überzeugt hatte und begann
es freiheraus zu loben, wie ich meine, mit glaubwürdigen
Argumenten. Von allem, was ich gelesen hatte, schien mir
am ehesten diese Interviewerin-Geschichte, Pat als Umfrage-
dame, geeignet, ausführlich und konsequent bearbeitet zu
werden. Der schwere, wehe, berühmte Mann schnappte
wie ein ausgehungerter Straßenköter nach dem kleinen
Brocken Gutes, den ich ihm zugeworfen hatte. Es durchrie-
selte ihn warm, er bezwang kaum seine Freudentränen. Ich
forderte ihn auf, bei diesen Dialogen Pat besser zu bedenken und darauf zu achten, daß nicht stets ihr Partner den
Löwenanteil an Gags und Wortwitz abbekäme, denn
schließlich habe er doch eine Hauptrolle für Pat zu schreiben und nicht für sich selbst.

»Natürlich. Du hast ganz recht«, sagte er mit übereifriger
Zustimmung. Aber er wollte gar nicht weiter zuhören.

Sogleich kam er wieder in Fahrt. Ohne Rücksicht auf die
piekfeine Umgebung verschaffte er sich Platz und spielte
mir vor. »Paß auf, was hältst du von dem hier . . .?«

Eh ich mich versah, ergoß sich ein wahrer Schwall von
Szenen über mich, lauter kleine Nummern, von denen er
offenbar zahllose auf Lager hatte oder die ihm auch geradewegs beim Darstellen erst zuflogen.

»Pat und Begleiter im Restaurant. Sie macht dauernd
Anstalten, sich unter den Tisch zu bücken. Der Mann: Bück
dich doch nicht fortwährend. Du hast bestimmt nichts
verloren. Du willst bloß erreichen, daß *ich* mich bücken
muß, weil es sich nun einmal so gehört, daß der Herr der

377

Dame beim Suchen unter dem Tisch zuvorkommt. Das nächste Mal bleibe ich kerzengerade sitzen. Ich lasse mich von dir nicht dauernd auf den Boden zwingen! Was suchst du denn eigentlich? – Pat: Eine Briefmarke. – Mann: Eine Briefmarke! – Pat: Naja, hat Zeit bis nach dem Essen. – Mann: Nach dem Essen bücke ich mich erst recht nicht! . . . Oder was hältst du von dem hier? Pat betritt einen Waschsalon –«

Natürlich, ich mußte lachen. Ich mußte immer noch über Ossia lachen. Er glaubte wohl, daß ich längst einverstanden wäre. Daß er mich überzeugt hätte und daß wir gemeinsam den Film machen würden, endlich den Film! Das Jubiläumswerk. Was für ein ernster Mann ist er bei alldem doch! dachte ich, als er vor mir weiterhin mit seinen unbehauenen Nummern hantierte. Es mangelt ihm wahrhaftig nicht an Mut, sich lächerlich zu machen. Doch gerade das Irrtümliche, Verfehlte und Vergebliche läßt ihn jetzt reif und überlegen erscheinen. Es gewinnt ihm eine fast tragische Naivität zurück. Während ich sein Skizzenbuch studierte, war mir immer wieder, als wollte er mich eigentlich nur in sein Herz blicken lassen. Sieh her, so schienen diese Seiten zu sagen, dies alles will ich und kann nichts mehr. Auf den Blättern lagen unzählige, sich gegenseitig zuschüttende Anfänge verstreut. Diese Entwürfe und Reflexionen – jedenfalls die Auswahl, die er mir hatte zukommen lassen – offenbaren sein Scheitern und sie erflehten gleichzeitig meine Hilfe. Vielleicht ging es dabei letztlich gar nicht so sehr um eine gemeinsame Arbeit, als vielmehr darum, seiner Einsamkeit, seinem qualvollen und unfruchtbaren Schaffensdrang irgendwie ein gnädiges Ende zu bereiten. Möglich, daß mein Urteil zu hart und zu anmaßend war. Ich glaubte aber, mit den Papieren den Kassiber einer gefangenen Seele erhalten zu haben, die Geheimbotschaft eines entführten und verschleppten Talents.

»Und was hältst du übrigens von meinem Schauspieler-

Drama?« fragte er mich plötzlich. Er meinte wohl ›Prinz und Kojote‹, und ich erklärte ihm, daß mir die Geschichte in ihren bisherigen Umrissen recht gut gefallen habe. Nur daß sie erkennbar nichts für Pat enthielt. Und von den beiden Männerrollen könnte sicherlich diejenige des Kojoten, des tückischen Dieners, ein Paradestück für ihn sein. Nur wüßte ich nicht, ob er das gegenwärtig wirklich spielen sollte . . .

»Natürlich. Du hast recht. Das ist absolut nichts für mich.«

Einen Augenblick lang schien es fast, als hätte er sein eigentliches Unglück ganz aus dem Sinn verloren, die Tatsache nämlich, daß er doch selbst nicht mehr spielen konnte, es niemals mehr wagen würde.

»Aber es steckt doch 'ne Menge Stoff drin. Was meinst du?« fragte Ossia, nun ein wenig beunruhigt.

»In der Schauspieler-Geschichte?«

»Ja. Aber auch sonst. Ich meine in dem ganzen Stapel da.«

»Ja, Ossia. Es steckt alles Mögliche da drin. Ich glaube, man muß es nur richtig anpacken.«

Das schien ihm vorerst zu genügen. »Du hast ganz recht. Ich mache mich jetzt an die ›Interviewerin‹. Ganz stur. Ich laß mir nur noch die Sachen einfallen, die auch wirklich in die story passen. Ich will das unbedingt machen. Pat läuft also die Interviews ab . . . Weißt du, Leon, das Ganze könnte ruhig eine etwas lockere Form haben. Man muß immer ein bißchen nach dem Wundertüten-Prinzip vorgehen –«

»Ossia!« unterbrach ich ihn, »laß endlich den Episodenkram! Du mußt wieder zu einer großen, bündigen Geschichte finden. Nur eine Geschichte mit einer soliden, tragenden Spannung gewährt die echte Freiheit für allerlei Seitensprünge und Nebenkriegsschauplätze.«

Ossia war leicht zurückgezuckt. Aber ich ließ nicht locker. Ich mußte es ganz hervorbringen und beschrieb ihm mahnend und drängend jene Fähigkeiten zum Filmerzählen, in denen er wirklich unnachahmlich war, brachte Huldigungen aus auf ›Montanus‹ und ›Der Fisch‹. Doch je herrlicher mein Rückblick wurde, umso mehr verschloß sich der Künstler dagegen. Ganz leise und bestimmt setzte er sich zur Wehr.

»Je älter man wird, umso weniger liebt man die Folgerichtigkeiten. Die Anordnung, in der man die Dinge wahrnimmt, erscheint immer zufälliger, ihr Verhältnis zueinander als ein beinahe willkürliches, und nur ein loses, spielerisches Erleben vermag wohl ihre geheimen Gesetze noch aufzuspüren. Dem habe ich Rechnung zu tragen, selbst wenn es wie Form-Schwächung aussieht. An meine früheren Filme anknüpfen, das hieße, die Nachahmung einer Form betreiben, die sich meinen erweiterten Erfahrungen, meinen ganz anderen Interessen und Beobachtungen künstlich entgegenstellte. Und künstlich, aber keinesfalls schöpferisch wäre auch ein solches Vorgehen.«

Ich schwieg. Ich hätte ihn jetzt an seine beiden letzten Filme erinnern können, diese unersprießlichen Füllhörner, enttäuschenden Wundertüten.

»Aber vielleicht können wir etwas machen«, hob er wieder an, »das sowohl leicht und vielseitig als auch ganz fest in seinem Kern wäre. Genauso wie du es verlangst, Leon. Sieh mal, da liegt eine Menge Stoff, nicht wahr, eine Menge guter, fruchtbarer Ansätze.« Er bettelte jetzt geradezu um ein paar gute Worte, er kaute sie mir schon vor.

Ossia! Mein Freund, mein Lehrer! wollte ich ihm zurufen, ich kann dir nicht helfen! Nimm endlich diese grausame Macht von mir und mach dich nicht abhängig vom Urteil eines Menschen, der doch immer neben dir ein bedeutungsloser bleiben muß! Bestimmt habe ich mich grob getäuscht und all die brauchbaren, ja vielleicht kostbaren Entwürfe in diesem Skizzenbuch nicht deutlich erkannt. War ich nicht längst zu stupid geworden, zu beschränkt und unbeweglich? Mein ungeliebter Beruf, das lange Herumhinken mit einer abgebrochenen Karriere, die vielen unterdrückten Wünsche, wie sollte dies alles auch nicht meinen Blick getrübt haben! Und war nicht mein Geschmack schon mit Arglist versetzt, so daß ich von vornherein nichts Gutes in Ossias Blättern hatte finden wollen? Ach, ich kannte ja die Abgründe und Schlangengruben unterhalb meines besten Wissens und Gewissens nicht. Ich hatte aber doch lange, sehr lange und mit traurigem Staunen in diesen Skizzen gelesen und in all dem versprengten Stoff gesucht und immer wieder gesucht nach der einzigen, unverwechselbaren, nicht aufzuhaltenden Idee. Ich hatte aber keine Keimzellen und keine Fruchtkerne gefunden, sondern nur ausflockenden Substanz-Zerfall.

Schließlich hatte ich sogar den Eindruck gewonnen, daß Ossia mit vollem Ernst gar nicht mehr daran dachte, einen neuen Film zu realisieren. Er war viel zu tief ins Grübeln gekommen. Vielleicht war es nur noch die Sorge um Pat, die ihn zum Planen und Skizzieren antrieb. Die Sorge, daß er auch sie noch verlieren könnte, wie zuvor schon Margarethe, für die das Filmen vorbei war und deren Ausscheiden aus dem empfindlichen Dreier-Bund, Wahrzeichen seiner frühen Filme, Ossias Kunst mit deutlicher Schlagseite zurückgelassen hatte. Denn aus dieser Mitte- und Waagbalkenstellung bezog er doch einst seine besten Kräfte.

Was nützte es da, daß ihm wohl noch mancherlei Brauchbares einfiel, doch das Beste stets nur zu sich selber – und zwar zu einem Ossia, den es seit langem nicht mehr gab.

Ich hatte eine Weile geschwiegen und war ihm die Antwort schuldig geblieben. Er hatte unterdessen auf meine ersten lobenden Worte zurückgegriffen und wiederholte nun auch meine kritischen Einwände noch, da ich nichts weiter hinzugefügt hatte. Er tat es mit einer geradezu unterwürfigen Beflissenheit, wie ein winziger Hollywoodregisseur, der

seinem launigen Produzenten alles recht machen möchte.
»Natürlich, wir müssen darauf achten, daß Pat bei den
Interviews in Führung geht. *Sie* muß selbstverständlich die
komische Figur sein. Da habe ich einen Fehler gemacht.
Wir müssen eine harte Läuferin aus ihr machen, nicht wahr.
Wie wär's, wenn wir uns die Geschichte mit der erotischen
Geisterbahn noch mal vornähmen, die ich dir neulich vor-
gelesen habe?«

»Ossia!« sagte ich plötzlich mit einer festen Stimme, und
er blickte mich erschrocken an.

»Ich werde nicht mitarbeiten an deinem Film.«

Die Wirkung war, als hätte ich ihm ein Brecheisen über
den Kopf geschlagen. Er wurde kreidebleich, er schloß die
Augen, er stotterte irgendein wirres Zeug. Er stürzte ab.
Ich spürte das Niedersausen des Muts. Ich erschrak über die
Gewalt meiner Worte.

»Hast du es dir genau überlegt?« fragte er in einem
zittrigen Ton.

Ich fing an, ihm zu erklären, weshalb meine Entscheidung
so und nicht anders ausgefallen war. Ich machte viel zuviele
Worte um die einfache und brutale Tatsache, daß ich weder
Lust noch Mut besaß, mich auf ein von Grund auf vergeb-
liches Unternehmen einzulassen. Indem ich mich aber so genau wie möglich zu erklären suchte, vergrößerte ich nur das
Ausmaß an Rücksichtslosigkeit und Kränkung, das ich diesem Mann jetzt zumutete, der mir einmal soviel Gutes mit
auf den Weg gegeben hatte. Ich schob sogar Yossica vor und
behauptete, ich müsse ihr nun an einem schwierigen Wende-
punkt in ihrem Leben eine verläßliche Begleitung bieten. So
wie sie mir einst geholfen hatte, als ich, aus allen Künstler-
Träumen verstoßen, in einer rüden und illusionslosen All-
tagswelt Fuß fassen mußte. Jedoch, auch wenn ich die Argu-
mente besser gewählt hätte, es wäre bei derselben Absage
ohne Wenn und Aber geblieben. Die Entfernung zwischen
uns wuchs ohnehin von Wort zu Wort.

Ich glaube, er hatte mich für einen letzten großen Versuch ausersehen, um noch einmal das Maß seiner persönlichen und künstlerischen Anziehungskraft zu prüfen. Er hatte dabei Schiffbruch erlitten. Es sah nun ganz danach aus, als würde er sich nicht so bald davon erholen. Er würde diesen Film nicht alleine machen.

Eigentlich hatte ich damit gerechnet, daß Ossia nun unsere Tafel aufheben würde. Ich fürchtete schon seinen letzten, unauslöschlichen Blick, mit dem er sich für immer von mir verabschiedete. Aber es geschah zu meiner Überraschung etwas ganz anderes. Er bestellte eine große Flasche weißen Burgunder, einen Batard Montrachet von 1979, und er machte sich Gedanken über unsere weitere Speisefolge, da der soufflierte Steinbutt, den er für den Hauptgang vorgesehen hatte, inzwischen ausgegangen war. Der kleine maghrebinische Kellner, der uns bediente, empfahl stattdessen eine Meeresbarbe in Champagner-Estragon, und wir ließen sie kommen. »Paß auf, Leon«, sagte Ossia plötzlich, als hätten wir alles noch vor uns, »wenn wir diese Geisterbahn machen, dann müssen wir Pat hinter die Dinge jagen. Wir müssen sie in einen brutalen Pacman-Automaten stecken. Sie muß Kontakt laufen wie so ein LCD-Männchen, unablässig eingreifen, überall rasant das Richtige tun. Kinder fallen aus brennenden Wohnhäusern und müssen aufgefangen werden, sonst schweben sie als Engelchen zum Himmel. Maulwürfe müssen mit Hammerschlägen ins Erdreich zurückbefördert werden, sonst stürzt das Bankenviertel zusammen. Sie muß durch ein ausweglose elektronisches Märchen irren. Eine Frau aus Fleisch und Blut in dieser totalen, rohen und feurigen Mischwelt, in der der Horizont dauernd die Farbe wechselt und du gnadenlos mit allen Dingen spielen mußt, sonst bist du verloren . . .«

Ich hatte nicht gelacht. Er rutschte wieder ein wenig in sich zusammen. Doch jetzt sah es aus, als wiche eine große, gewaltsame Anstrengung langsam von ihm. Die schlimmste Plage der Ideen ließ nach. Das Gesicht klarte leicht auf, eine kühle Heiterkeit zog darüber.

»Gut, gut. Es gefällt dir nicht. Lassen wir es also. Die Szene ist gestrichen.«

Ich sah noch einmal hinüber zur Eisbahn und beobachtete meine beiden Schlittschuhläuferinnen, die sich unterdessen eine Pause gönnten und auf einer Bank ausruhten. Das Mädchen lehnte schräg hingestreckt an der Hüfte der Mutter, die schweren Füße mit den Kufen schlapp nach innen geknickt. Halb schlummrig suckelte es am Halm einer Milch- oder Fruchtsafttüte. Die hochgewachsene Frau hingegen hatte sich nur leicht mit dem rechten Ellbogen auf die Rücklehne der Bank gestützt und ließ ihre Erschöpfung in einer gefälligen Haltung abklingen. Dies waren wohl keine Landsleute von mir. Aufrecht und weich, bot die junge Frau den Anblick einer modernen bürgerlichen Schönheit, an der Stil und Körpergeist als das Erbe einer langen, unzerstörten Familiengeschichte hervortraten. Weder Puppe noch Dame, sondern eine rätselhaft gelöste Erscheinung, in der äußere Anmut, Herkunft, weiblicher Stolz sich unbeschwert vereinten, so wie es in unserem tiefbehinderten Land wohl niemals möglich wäre.

Ich hatte nun auch von dem ›luftigen Wein‹ getrunken, wie Ossia ihn nannte, und er hielt mich an, »in dieser gutgelüfteten Stube einer Gebirgspension kräftig durchzuatmen«.

Dann beugte er sich zu mir über den Tisch und sagte mit einem schmerzlichen Stolz: »Es darf nichts mehr möglich sein. Absolut nichts. Jeder Einfall muß sich von selber verbieten. Dann kann die Arbeit beginnen. Aber bis dahin muß man es erst einmal bringen! Weißt du, von einem gewissen Niveau an macht man keine Fehler mehr. Der Meister handelt mit traumhafter Sicherheit im Wie und im Was, im Nennen und im Berufen. Er tut nur noch das einzig

Richtige. Statt aber in die Tiefe der Verzweiflung hinabzusteigen, wie die Dichter früher, muß der Filmer heute eher wie ein Formel-I-Fahrer, ein Meister des Jetzt, ein Rekordhalter des Augenblicks, seine Strecke durchsteuern, mit extrem hoher Geschwindigkeit. Worauf es dabei ankommt, ist die vollkommene Überantwortung des Geistes an das Können, auf Leben und Tod. Auf der höchsten, und das heißt wohl auch auf der schmalsten Spur des Existierens muß man absolut fehlerfrei handeln. Bei erhöhter Lebensgefahr kann man sich kein kleines Pech mehr leisten. Jackie Stewart hat bei 250 Stundenkilometern mit halluzinatorischer Genauigkeit einzelne Gesichter auf der Zuschauertribüne unterscheiden können. Man muß in den Stand des Sehens erhoben sein, dann geht alles rein miteinander auf: was man sieht und was man zu sagen hat.«

»Aber Ossia«, entgegnete ich unwillkürlich, »Fehlerfreiheit, das ist doch nicht die Lösung! Sie ist ja das gerade Gegenteil der echten Freiheit, die du jetzt brauchst, um endlich anzufangen. Perfektionswahn, das fehlte noch. Der bringt dich deinem Film bestimmt nicht näher.«

»Doch, doch, Leon. Fehler sind etwas für zerrissene Gemüter, sich und der Erde ungewiß. Es kommt nur darauf an, ob einer in den Stand des Sehens erhoben ist oder nicht. Sieh dir doch das Kino an. Die flauen Bilderfluten. Im Kino laufen jetzt die Machwerkchen. Ob niedlich, ob kritisch, immer etwas zum Gernhaben. Jemand spricht deine Probleme an und du fühlst dich wohl. Alles Größere, Frühere, Meisterliche kann gar nicht mehr empfangen werden; keiner versteht's.

Je älter ich werde, umso deutlicher zeigt sich mir, daß alle großen Filme, alle Kunstwerke überhaupt, Freunde untereinander sind, und ich merke, wie ihre Fühlung jetzt darin besteht, daß sie eines vom anderen langsam Abschied nehmen, auseinandergehen, sich ein letztes Mal zuwinken. Was gäbe man nicht dafür, in diesen abendlichen Umschluß des Grüßens einbezogen zu sein! Wie gut täte es, nur eine kleine Lücke zu schließen . . . Aber es ist schon zu spät, Leon. Wir werden dies heitere Reich nicht mehr betreten, in das sich die Werke zurückziehen, wo eine über Zeiten und Räume hinweg verständigte Gesellschaft sich's wohl sein läßt. Götter, Heroen, Dichter, Filmleute. Eichendorff an der Seite von Buñuel. Griffith Arm in Arm mit Klio und Ingrid Bergman. Die sind jetzt alle außer Dienst. Sie haben's hinter sich und wandeln, nach Erfüllung ihrer schönsten Pflichten, in vollkommener Pension. Aber sieh nur: *da* sind sie und strahlen noch! Es macht mich sehr traurig, daß wir in dies friedliche Geheg keinen Einlaß mehr finden und daß es sich leider um eine geschlossene Gesellschaft dort oben handelt . . .«

Während er so sprach, mußte ich wieder an den spindeldürren Sonderling denken, als der er durch seine frühen Filme geisterte. Diese Type gab sich auch recht oft verdrießlich, nur mußte man darüber lachen. Der Genußberg aber, der jetzt vor mir saß, konnte seinen Verdruß nicht mehr frei ›abspielen‹, er war eins geworden damit. Der Komiker hatte seine komische Figur verschlungen und davon einen dicken Kummerspeck angesetzt.

Nun, der luftige Wein floß weiterhin und er wurde nachbestellt. Es folgte auch noch ein zweiter Hauptgang, nämlich eine warme Hummerpastete, aber dabei konnte ich schon nicht mehr mithalten, und erst recht nicht bei den verschiedenen Nachspeisen, die Ossia danach noch auffahren ließ.

Plötzlich jedoch, als wär er durch eine dünne Eisdecke gebrochen, sank er ab in die Betrunkenheit. Jetzt wurde er sehr rührselig. Er wollte mir alles über seine alte Mutter erzählen, mit der er sich erst vor kurzem ausgesöhnt hatte. Er zerfloß in Heimweh und Sehnsucht nach Jugend und Kindertagen und tat geradeso, als säße er im Turm an einem Ort der fernsten Verbannung, obschon er doch gerade in der besten Mitte Deutschlands residierte.

Nun war kaum noch mit ihm zu reden. Die Gefühle drehten sich ihm im Herz. Er bot das Gegenteil seiner Kunst, nämlich eine unfreiwillige Komik; der massige Mann, der in milder Versöhnung verschwamm und alle Anstalten machte, zu seinem alten Mütterchen zurückzukriechen.

Schließlich erhob er sich schwer, und der kleine Kellner sprang herbei, um ihm den Stuhl wegzurücken. Noch einmal hatte er jetzt einen unbedingten und endgültigen Entschluß gefaßt: »Ich werde etwas machen über die Mutter. Mit Pat. Und mit Margarethe. Und mit dir. Ich hol euch mir – ich hol sie mir alle wieder.« Mit den breiten und weichen Armen des Versöhnten packte er uns alle zusammen, sammelte ein, was ihm lieb und teuer war.

Ein wenig verlegen hielt ich die Auszüge aus seinem Skizzenbuch in den Händen und wollte sie ihm zurückgeben.

»Behalt sie nur«, sagte Ossia, »eines Tages wirst du dir's wieder ansehen. Und dann wunderst du dich vielleicht, Leon Pracht.«

Er trat neben mich und kritzelte etwas auf das leere Deckblatt der Fotokopien. In wackligen Umrissen entstand die Ossia-Figur von einst. Er zeichnete die hagere, traurige Gestalt mit ihren wehenden Frackschößen. Sie hob einen unsichtbaren Hut vom Kopf und verbeugte sich vor einem Tümler, der aus ihren Fußspitzen hervorwuchs und sich mit seinem flachen Kopf zu ihr hinaufreckte. Es war das Titelsignet zu ›Der Fisch‹. Er schrieb eine kurze Widmung darunter und drückte mir den Packen in die Hand. »In einer Welt ohne geeignete Kopfbedeckungen«, stand dort, »sind die kleinen Verzweiflungen heutzutage die Hüte, die man zum Abschiedsgruß ein wenig lüpfen sollte.«

Er begleitete mich hinaus in die Eingangshalle. Draußen lag ein schöner, spätsommerlicher Nachmittag über der Ebene der zukünftigen Zentralstadt. Es hatte wohl in der

Zwischenzeit geregnet, und vom Asphalt der Auffahrt stiegen leichte Dunstfahnen auf. Ich wollte Ossia überreden, mit mir hinunter an den Rhein zu fahren und eine Stunde in der frischen Luft zu spazieren. Er sah mich zuerst erstaunt an; dann lächelte er und lehnte ab. Es war nichts zu machen. Er wollte, er konnte sich nicht mehr überwinden, diesen Turm auch nur vorübergehend zu verlassen. Man sah es daran, wie er sich hier unter den Leuten bewegte. Er klebte an diesem Hotelverkehr wie an einer Luftklappe. Er war wie jemand, der künstlich beatmet wird, abhängig von dieser Ventilation von Kommen und Gehen, von bekannten und immer wieder wechselnden Gesichtern.

Wir standen noch für einen schwerfälligen Augenblick beieinander, blickten in die offene, niedrige Sonne, die hinter dem getönten Spiegelglas eine Erscheinung von kalter Schönheit abgab.

»Ich komme wieder«, sagte Ossia leise und nüchtern, »du wirst es erleben.«

Was sollte ich darauf antworten? Ich umarmte ihn. Dann trat ich rasch zur Tür, drückte mich in ihren Schlag und ließ mich hinauskehren.

Die Sonne strahlte zart und gütig; sie war noch angenehm warm. Ich blickte mich nicht mehr um. Ich konnte in diesen ersten Minuten, nachdem ich aus der Halle getreten war, nichts anderes als eine große Erleichterung empfinden. Ich war einfach nur glücklich, daß ich dem trügerischen Licht und der schalen Kühle des Turms entkommen war.

Inhalt